図解 わかる会社の
総務・労務・経理

2024-2025年版

税理士
関根俊輔 監修

新星出版社

→ **2024年10月より**

社保の加入義務企業が拡大

社会保険に加入する条件の一部が、
従業員数101人以上から、51人以上に変更になりました。

従業員数51人以上の中小企業も対象に

　社会保険料は従業員が負担する金額以上に、会社が負担しています。そのため、これまで中小企業ではパート・アルバイトのうち被保険者の対象となる条件（加入義務となる条件）が、大企業と比べてゆるめに設定され、その一部に**従業員数の基準**がありました。

　その数が変更となり、これまでの対象企業は従業員数が101人以上でしたが、令和6（2024）年10月より、51人以上になりました。

❓ 中小企業で、パート・アルバイトが被保険者となる要件

1週間の所定労働時間が 一般社員の**4分の3以上**	**1か月**の所定労働日数が 一般社員の**4分の3以上**

両方とも該当するなら被保険者

該当しなくても…

次の要件を**すべて**満たしたら被保険者となる

①週の所定労働時間が20時間以上

②雇用期間が2か月超見込まれる

③賃金の月額が8.8万円以上

④学生（夜間、通信、定時制の学生を除く）ではない

⑤従業員数**51人以上**の企業

令和6（2024）年10月〜 ……▶ 対象となる
企業が増える

パート・アルバイトの「年収の壁」

　社会保険に加入するかどうかは、会社側の理由だけでなく、働き手であるパート・アルバイト側の状況にも大きく影響します。たとえば、働いて稼いだために扶養家族から外れたり、社会保険料を徴収されたりすることで、総合的に見ると収入が減ってしまうケースです。

　これらは「年収の壁」と呼ばれています。以下に目安を示しました。

「年収の壁」早見表

年収	～100万円	100万円～	103万円～	106万円～	130万円～	201.6万円～
住民税	不要	**発生** →				
所得税		不要	**発生** →			
社会保険			不要	場合により発生（左ページ参照）	**発生** →	
配偶者(特別)控除	配偶者控除 →		配偶者特別控除		→	控除ゼロ

「年収の壁」を支援する助成金

　「年収の壁」は働き手が減っている日本にとってマイナスであるため、「年収の壁・支援強化パッケージ」と銘打ち、助成金という形のサポートが用意されています。たとえば、賃金を上げた場合や労働時間を増やした場合などです。詳しくは 「年収の壁」「支援強化パッケージ」などのキーワードで検索してみましょう。

example　支援強化パッケージの例

賃金の**15%以上**を労働者に追加で支給 ▶ 6か月ごとに 10万円×2回

週の所定労働時間を**4時間以上**延長 ▶ 6か月で 30万円

雇い入れ時
に注意

→ **2024年4月より**

労働条件の明示

労働者に労働条件を提示するときにあやふやだった部分について、
よりはっきりと明示する項目が定められました。

就業場所や業務の変更の範囲、無期転換などを明示

令和6（2024年）4月より、労働契約を結ぶ際の労働条件を明示すると
きに、すべての労働者に対し雇い入れ直後の就業場所・業務の変更の範囲
に加え、配置転換の範囲（就業場所・業務内容など）を示すことが必要に
なりました。

また、有期契約の労働者に対して、更新回数・通算契約期間の上限の有
無や、**無期転換の申込機会・転換後の労働条件を明示**しなければならなく
なりました。さらに、専門スキルが必要な労働者に対して、「裁量労働制」
を採用している場合は、**本人の同意を得なければならなく**なりました。

📑 労働条件の明示等が必要なケース

すべての労働者	有期契約の労働者	裁量労働制の対象者
雇い入れ直後の就業場所・業務内容、配置転換の有無や範囲（就業場所・業務内容等）の明示	更新回数・契約期間の上限の有無、無期転換の申込機会の明示 ※有期契約を5年超したときに無期転換できる	専門業務型については本人の同意が必要

要確認

裁量労働制の対象者

裁量労働制には、「専門業務型」と「企画業務型」があります。
「専門業務型」の対象労働者は、新商品の研究開発、記者・編集者、デザイナー、
ゲーム用ソフトウェア創作などの業務に従事する人。「企画業務型」の対象は運営
に関する企画・立案・調査・分析などの業務に従事する人です。

→ 2024年11月より

フリーランス新法が施行

フリーランスとの取引に関する新しい法律がスタート。
仕事を発注する会社はフリーランスに対して一定の義務が課されます。

7つの義務が課せられる

　発注事業者である会社が、組織に属さないフリーランスの人に業務を委託する際に、取引の適正化など、フリーランスの人が安心して働ける環境を整備するための新しい法律（フリーランス・事業者間取引適正化等法）がスタートします。発注事業者が満たす要件によって、フリーランスに対して課される義務の内容が異なる点に注意が必要です。たとえば、従業員を使用している発注事業者であって、フリーランスに一定期間以上行う業務を委託する場合には、下図に示した7つの義務をすべて履行しなくてはなりません。

🤝 フリーランス新法の適用対象

フリーランス新法の適用対象

 発注
事業者 　業務を委託　→ フリー
ランス

従業員を使用していない人に限る

発注事業者が一定の要件を満たす場合、フリーランスに対して以下の7項目の義務が課せられる

①書面等による取引条件の明示
②報酬支払期日の設定・期日内の支払い
③受領拒否、報酬の減額などの禁止行為
④募集情報の的確表示
⑤育児介護等と業務の両立に配慮する
⑥ハラスメント対策を行う
⑦中途解除等の事前予告・理由開示

※この法律でいう「従業員」とは週労働20時間以上かつ31日以上の雇用が見込まれる者をさす。短時間・短期間など一時的に雇用される者は含まない。

※特定の会社などで従業員として働く個人が、副業として業務委託を受ける場合、その個人はフリーランスにあたる。

ECサイト
での購入
などに注意

➡ **2024年1月より**

領収書等の電子保存

電子帳簿保存法の改正により証憑類の保存方法が変わりました。
とくに電子取引での保存に注意が必要です。

ネット購入したものの領収書の保存に注意

　これまで印刷して紙での保存が必要だった総勘定元帳や現金出納帳など
が、**電子データでの保存**が認められました。また、メール等で請求書や領
収書などを送付・受領した場合も**電子データを保存する必要**があります。

　とくにAmazonや楽天などの**ＥＣサイト**で備品等を購入した場合は、商
品に同梱されている紙の明細書などは証憑として使えず、ＥＣサイトにあ
る領収書をダウンロードし、ＰＤＦなどの**電子データで保存**します。

　またＥＣサイトではなく、郵送や手渡しにより紙で入手した領収書や請
求書等は、紙のまま保存するか、それらをスキャンやスマホのカメラ機能
で撮影してデータ化したものを保存することも認められます。

📁 証憑の保存例

自社で作成				
総勘定元帳、決算書、現金出納帳など	→	出力した紙	又は	ソフトウェアで作成した電子データのまま
請求書、領収書、発注書の控えなど	→	出力した紙	又は	ソフトウェアで作成した電子データのまま

取引先から受取（顧客・仕入先、経費購入先等）				
領収書など	ECサイト等（電子取引）	領収書などをダウンロード	→	電子的に保存 又は PCに保存
請求書、領収書など	メール等（電子取引）	電子的に保存 又は PCに保存		
請求書、領収書など	店頭、郵送、手渡し等	紙のまま保存	又は	スキャン保存 又は 撮影保存

→ **2024年6月より**

定額減税と年末調整

デフレ脱却を確実にすることを目的とし、令和6（2024）年6月以降の
給与・賞与から所得税と住民税が減税されます。

1人当たり、所得税3万円、住民税1万円の減税

令和6（2024）年6月以降に支給する給与・賞与から、定額で1人当たり、**所得税3万円と住民税1万円の減税**がされます。6月の給与で減税しきれないものは翌月以降に持ち越して減税されます。

減税された金額は、12月に行う**年末調整にて組み込まなければなりません。**

年末調整額を計算するときの流れを以下に示します。

💴 定額減税がある場合の、年末調整額の計算の流れ

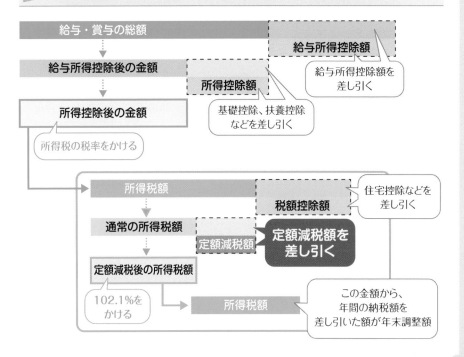

給与・賞与の総額

給与所得控除後の金額

所得控除後の金額

所得税の税率をかける

所得税額

通常の所得税額

定額減税後の所得税額

102.1%をかける

所得税額

給与所得控除額

給与所得控除額を差し引く

所得控除額

基礎控除、扶養控除などを差し引く

税額控除額

住宅控除などを差し引く

定額減税額

定額減税額を差し引く

この金額から、年間の納税額を差し引いた額が年末調整額

現行の
健康保険証
は廃止に

→ **2024年12月より**

マイナカードの健康保険証利用

令和6（2024）年12月2日より現行の健康保険証は新規発行されなくなります。医療機関の受診にはマイナンバーカード（マイナカード）などを使用することになります。なお、令和6年12月2日時点で有効な健康保険証は最大で1年間有効とする経過措置が設けられています。

マイナ保険証の利用がスタート

現行の健康保険証の新規発行は令和6（2024）年12月2日に終了します。現行の保険証の廃止後は、①健康保険証とマイナカードを一体化した「**マイナ保険証**」を利用する、あるいは②マイナカードを所有していない場合などは「**資格確認書**」を協会けんぽや健康保険組合などの保険者から発行してもらう、という2つの利用方法があります。

新制度での会社の対応は？

新制度がスタートすると、これまで会社に送られてきた従業員の健康保険証は届かなくなります。従業員がマイナ保険証を利用するには、**従業員本人による**マイナカードの交付申請と、マイナカードを健康保険証として利用するための申込みが必要になるので、そのことを周知することが必要です（従業員の配偶者や子どもなどについても）。ただ、マイナカードの取得自体は強制ではなく任意なので、会社として**従業員にマイナカードの交付申請を義務づけする**ことはできません。

2024年12月2日より現行の健康保険証の新規発行が廃止

**現行の
健康保険証**

経過措置として
廃止後1年間は現行の
健康保険証の利用が可能

マイナ保険証
（利用者自身が手続きの必要あり）

マイナ保険証を
持たない場合は
協会けんぽや健康保険組合に
資格確認書を発行してもらう
（有効期間5年）

　日々、猛々しくも勇敢な経営者の皆様と仕事をしていますが、その裏では、必ず会社を支えてくれる総務・事務の担当者がいます。

　皆テキパキとしていて、そろって仕事ができます。なぜなら、総務・事務の担当者は、経営者からあれこれ依頼され、それをスピーディーに処理していくからです。その毎日によって、解決能力が磨かれているのです。

　毎日の仕事とは、会社のお金にまつわるもの、社員のために行う仕事、事務所や仕事場の維持管理など、範囲は多岐にわたります。

　しかし、この仕事を手とり足とり教えてくれる存在に会う機会はなかなかありません。

　会社にとって、大切な仕事をかき集めたような係なのに、教えてくれる人がいないなんて、本当に不憫です。

　本書は、そういった方々のために、必要なときに、必要な情報を調べるきっかけとなるためのアプローチとして発刊されました。

　「総務とは？　労務とは？　経理とは？」──そんなことはどうだっていいのです。

　「何をいつやらなければならないか？」──これに重点を当てて、本書では、毎日やる仕事、毎月やる仕事、その時期がきたらやる仕事、必要に応じてやる仕事という括りで、会社の"なんでも屋さん"である皆さんの庶務を分析し、並べました。

　この本が、日々の作業の相談相手になることを願い、お手元に置いていただけることに感謝します。

税理士　関根 俊輔

第3章

毎日のように行う仕事

第4章

毎月決まって行う仕事

第5章

その時期がきたら行う仕事

必要に応じて行う仕事

※本書はとくに表記がない限り、2024年7月時点での情報を掲載しております。本書の利用によって生じる直接的、間接的被害等について、監修者ならびに新星出版社では一切の責任を負いかねます。あらかじめご了承ください。

デザイン・DTP／田中由美
イラスト／MICANO
執筆協力／和田秀実
編集協力／有限会社クラップス

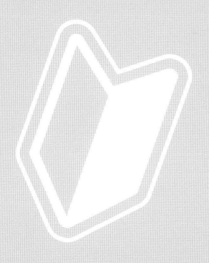

第1章

総務・労務・経理
はじめに
知っておくこと

総務・労務・経理は会社の土台を支える仕事

▓▓ 会社のヒト・モノ・カネを活かす仕事

　会社の経営資源は、ひと口にヒト・モノ・カネといわれます。

　簡単にいうと、ヒトを活かすのが「労務」の仕事で、モノを活かすのが「総務」の仕事、カネを活かすのが「経理」の仕事です。

　総務の仕事として、働きやすい職場を提供しなかったら、社員は充分に力を発揮できないでしょう。労務の仕事として、給与計算や社会保険事務を行わなかったら、社員は安心して働くことができません。経理の仕事として代金の請求や支払いがされなかったら会社は成り立たないはずです。

　総務・労務・経理の仕事は、会社を土台のところで支えている仕事なのです。ヒト・モノ・カネを支える総務・労務・経理の、主な仕事の内容をまとめると右図のようになります。これらの仕事は、小さな会社では当然のように、それぞれ担当者がいるわけではなく、掛け持ちの会社がほとんどで、場合によっては担当者が1人だけのこともあるでしょう。

▓▓ さまざまな情報も集まってくる

　総務・労務・経理の担当者は、営業の担当者のように直接、売上げを上げたり、製造の担当者のように直接、製品をつくったりはしません。経営者のように、業務上の意思決定をして指示を出したりもしません。いわば、製造や営業、経営者などの後方支援が仕事です。

　しかし、総務・労務・経理の事務を担当していると、会社と事業に関するさまざまな情報が集まってきます。

　情報は、第4の経営資源といわれます。総務・労務・経理の担当者は、会社の経営資源＝土台を支えているのです。

Ｍ Ｅ Ｍ Ｏ　**就業規則**：社員が業務に就くうえで守る規律と、労働条件の具体的な内容について、労働基準法などに基づいて会社が定めた規則（☞ P 74 参照）。

モノを活かす**総務**の主な仕事

☐ **社員が働く環境を整備する**

会社設備の導入・管理、事務用品やＯＡ機器の購入・管理、携帯電話など社用機器の導入・管理、文書の整理・ファイリング　など

☐ **社外に対して会社の窓口になる**

来客や電話の応対、年賀状や暑中見舞いの制作・発送、お中元やお歳暮の贈答、社外の慶弔事項への対応、案内状や礼状などの社外文書の作成・発送　など

☐ **その他、他の担当者ができない・やらない仕事**

社員旅行など社内イベントの企画・実施、広報担当者がいない場合の取材対応、法務の担当者がいない場合の契約書の作成、および経営者のサポート　など

ヒトを活かす**労務**の主な仕事

☐ **社員の採用から退職までの手続きをする**

求人・採用面接などの採用業務、入社にともなうさまざまな手続き、社員の住所や扶養家族などの変更にともなうさまざまな手続き　など

☐ **社員の働き方のルールをつくって守る**

就業規則の見直し・社員への周知、時間外労働や休日労働のルールの周知・順守、三六協定の締結、有給休暇・育児休業・介護休業の周知徹底　など

☐ **給与計算や社会保険事務を行う**

社員の勤怠管理、社員の所得税（☞P17参照）・住民税（☞P17参照）の計算、年末調整、社会保険料の計算、労働保険の年度更新　など

カネを活かす**経理**の主な仕事

☐ **会社の現金や預金の出納をする**

小口現金や預金の管理、経費の精算、固定資産（☞P204参照）の管理、売掛金（☞P128参照）・買掛金（☞P142参照）の管理、売上代金の請求、仕入代金の支払い、請求書・領収書の発行　など

☐ **日々の記帳から決算まで経理処理をする**

日々の取引の仕訳、会計ソフトへの入力、月次試算表（☞P168参照）の作成、精算表（☞P216参照）の作成、決算書の作成　など

☐ **会社が納める税金などを申告し納付する**

法人税・法人事業税（☞P222参照）・消費税の申告・納付、固定資産税・自動車税などの納付　など

総務

労務

経理

MEMO **三六協定**：労働基準法36条に基づく労使協定。会社が法定労働時間を超えて労働させる場合に必要となる。正式には「時間外労働・休日労働に関する協定届」という（☞P182参照）。

総務の仕事は
どんなもの？

■総務の仕事は多種多様

　総務の仕事を具体的に見てみると、非常に多岐にわたっています。とくに、庶務関連の仕事は多彩です。

　庶務というのは、営業や製造といった特別な区分ができない、さまざまな仕事のことで、大きな会社では庶務課などの部署を設けていることもあります。庶務関連の仕事は、会社にかかってきた電話をとることから、トイレットペーパーの補充まで、じつにさまざまです。

　その一方で、さまざまなモノの管理も総務の仕事になります。小はボールペンなどの事務用品から、大は会社の建物の維持管理まで、すべて総務の仕事とされます。

　また、総務の重要な仕事の1つに、文書の管理があります。重要な文書のなかには、法律で保存の義務と保存期間が定められているものもあるので、文書の管理にはとくに注意しなければなりません。

　さらに、会社にとって重要なモノの管理を任されるのが総務の仕事です。社員のマイナンバー（個人番号）は、法律で管理方法が細かく定められているので、適切に管理する必要があります。

　また、取引や契約に用いる会社の印鑑も重要なものですが、その管理も基本的には総務の仕事です。

■他の担当者がやらない仕事は総務の仕事

　総務の仕事は多岐にわたるため、大きな会社で職務の分掌規程などがつくられていると、総務の職務としてたいてい「他の部署に属せざる事項」といった意味の文言が書かれています。

　そのため、総務の仕事は会社にとって必要不可欠の「何でも屋」です。他の担当者ができない、やらない仕事は総務の仕事と考えて、積極的に取り組みましょう。

MEMO　**分掌規程**：職務分掌規程ともいう。会社の部署や担当者の仕事の範囲や権限、責任などを明文化し、それぞれの仕事の分担と役割を明らかにする規程。

総務の具体的な仕事

庶務関連

- 来客や電話の応対
- 年賀状や暑中見舞いの制作・発送
- お中元やお歳暮の贈答
- 社外の慶弔への対応
- 社員旅行など社内イベントの企画・実施　など

消耗品・備品関連

- 消耗品の補充・管理
- 業務用印刷物の制作・管理
- ＯＡ機器の導入・管理
- 社用携帯電話の導入・管理　など

文書関連

- 各種届など社内文書の作成・管理
- 案内状など社外文書の作成・管理
- 文書の保存・ファイリング
- 契約書などの作成・管理　など

設備関連

- 会社の建物の維持管理
- その他会社の設備の維持管理
- 社用車の維持管理　など

その他重要なモノの管理

- 社員のマイナンバー他、個人情報の管理
- 会社の印鑑の管理　など

総務

労務

経理

Check!

総務の仕事は「縁の下の力持ち」

「何でも屋」とともに、総務の仕事をあらわす言葉としてよく使われるのが「縁の下の力持ち」です。人に知られずに、土台を支えている人といった意味があります。確かに、営業の担当者は売上げで、製造の担当者はつくった製品によって、仕事の成果を人に知ってもらうことができるのに対して、総務の仕事は他人にはわかりにくいものです。しかし、人には知られずとも、会社を土台で支えているのが総務の仕事なのです。

労務の仕事は
どんなもの？

■■入社前から退職後まで社員の手続きに関わる

　労務の仕事はヒトに関するものなので、大きな会社では「人事」という部署名にしていることもあります。

　まず、労務は採用から退職まで、社員のすべての手続きに関わります。入社以前、**求人の段階から、退職後の雇用保険（失業手当など）の手続きまで関わる**のが労務の仕事です。

　社員の在職中は、その**勤怠管理が労務の仕事**になります。勤怠管理とは、タイムカードやソフトウェアなどで社員の始業・終業の時間を記録し、時間外労働や休日出勤、有給休暇の取得状況などを把握することです。

　近年はとくに、働き方改革により、労働時間のルールを厳しく守ることが会社に求められています。具体的な労務の仕事をあげてみると、右図のようになります。

■■給与計算と社会保険事務が大きな比重を占める

　勤怠管理で得られた時間外労働のデータなどから、**社員の給与計算を行います**。給与計算は経理の仕事とする会社もありますが、時間外労働の割増賃金や、社会保険料の計算に深く関係することから、基本的には労務の仕事です。

　社会保険に関する事務も、労務の仕事で大きな比重を占めます。健康保険や厚生年金保険の入社時の加入手続きから始まり、毎年の定時決定、給与額が変わったときの随時改定、さらに労働保険の年度更新などです。

　また保険以前に、社員に健康でいてもらうことが大切になります。毎年の健康診断はもちろんですが、社員のメンタル面にも気を配り、心身ともに健康で働いてもらいましょう。

　その他、**会社の就業規則も労務の仕事の範囲**とされます。就業規則がある会社でも、法律が改正されると、そのつど見直しが必要です。

MEMO **勤怠管理ソフト**：社員の出退勤の時間をはじめ、残業時間や休日労働、有給休暇までを管理できるソフトウェア。

労務の具体的な仕事

採用から退職までの手続き

- 求人や採用面接などの採用業務
- 入社にともなう社内手続き
- 人事考課
- 離職票（☞P280参照）の作成と雇用保険の手続き
- 退職金の支払い　など

社会保険事務

- 社会保険（健康保険、厚生年金保険）の加入・喪失の手続き
- 社会保険の定時決定（☞P174参照）・随時改定（☞P178参照）
- 労働保険（雇用保険、労災保険）の年度更新　など

社員の勤怠管理

- 社員の労働時間・出退勤の管理
- 労働時間や休憩のルールの周知・順守
- 時間外労働や休日労働のルールの周知
- 三六協定の締結・提出
- 有給休暇・育児休業・介護休業の周知　など

福利厚生

- 社内の福利厚生制度の整備
- 健康診断の実施
- メンタルヘルスケア　など

社内ルールの整備

- 就業規則の見直し、社員への周知
- その他社内規則の整備　など

給与計算

- 割増賃金の計算
- 社会保険料の徴収
- 所得税・住民税の計算
- 給与明細書の作成
- 年末調整
- 源泉徴収票（☞P190参照）の作成
- 給与の改定　など

総務
労務
経理

Check!
社員の変更情報があれば各種手続きが必要

結婚や出産、引越しなどで、社員とその家族（扶養家族）の氏名や住所などが変わったら、社会保険や雇用保険などの変更手続きも労務の仕事です（☞P248参照）。また、社員が別の支社に異動になったとか、社員とその家族が死亡した場合なども各種の変更手続きが必要となります。

MEMO 所得税と住民税：所得税は、所得に応じて個人が国に納める税金で、住民税は地方自治体に納める税金。所得とは収入から必要経費を引いたもの。

経理の仕事は
どんなもの？

■■ 経理の1日はお金で始まり、お金で終わる

　経理の仕事というと、お金の計算と帳簿づけ（入力）ばかりしているイメージが強いですが、それは経理の仕事のサイクルのせいかもしれません。

　経理の1日は、**手提げ金庫の小口現金を金庫から取り出す**ことから始まり、**終業前に残高を照合して金庫にしまう**ことで終わります。

　社員が支払った経費を、そのつど精算している会社では、その間に現金精算も行います。確かにお金の計算と、その記帳ばかりしているように見えるでしょう。総務・労務・経理の仕事のなかで、こんなに1日のルーチンがはっきりしているのは経理だけです。

■■ 代金の請求と支払いは毎月のルーチン

　しかし、お金の管理だけが経理の仕事ではありません。会社が事業を進めていくうえで、**売上代金の請求と仕入代金の支払いは基本中の基本**です。売上代金の入金がなければ会社の事業はたち行かず、仕入代金を支払わなければ次の仕入れは断られてしまいます。この大事な仕事は、締め日に合わせて行うので、経理の毎月のルーチンになります。

■■ 決算は経理の最重要の仕事

　そして年間のルーチンが、**決算と、税金の申告・納付**です。決算は会社の事業年度（会計期間）終了後、2ヵ月に及ぶ大仕事で、作業量も膨大なものになります。経理の担当者にとって、最重要の仕事です。

　法人税などの申告と、それに納付も、その2ヵ月の期限に済ませなければなりません。法人税と消費税だけでなく、法人住民税や法人事業税などの申告・納付も必要です。それぞれ、申告・納付先が異なるので、税金を納めるだけの単純な仕事ではありません。

　申告・納付が終わって、やっと経理の1年間の仕事が終わります。

ME
MO　**決算**：会社の会計期間（1年間）の期末時点での財政状態や、会計期間の業績（利益や損失）を年に一度、明らかにする手続き（☞P 200 参照）。貸借対照表などの財務諸表を作成する。

経理の具体的な仕事

お金の管理と会計処理

- 小口現金の管理
- 預金の管理
- 経費の精算
- 日々の取引の仕訳
- 会計ソフトへの入力
- 銀行との交渉　など

売上代金の請求と仕入代金の支払い

- 売上代金の請求
- 売掛金 (☞P128 参照) の管理
- 買掛金 (☞P142 参照) の管理
- 仕入代金の支払い
- 納品書・受領書の発行
- 請求書・領収書の発行　など

決算

- 月次試算表の作成
- 棚卸し
- 売上原価の計算
- 固定資産の減価償却 (☞P204 参照)
- 試算表の作成
- 決算整理仕訳
- 精算表 (☞P216 参照) の作成
- 決算書の作成　など

税金の申告と納付

- 支払調書 (☞P194 参照) の作成
- 法定調書 (☞P198 参照) の提出
- 法人税の申告・納付
- 法人住民税・法人事業税の申告・納付
- 消費税の申告・納付
- 償却資産 (☞P192 参照) の申告
- 固定資産税・自動車税などの納付　など

総務

労務

経理

Check!

決算の結果で税金の申告ができるわけではない！

決算の結果、会社の利益が計算されますが、その利益の金額で税金は申告できません。税金は会社の所得にかかりますが、税務の考え方で計算される所得と、会計（税務会計）の考え方で計算される利益はイコールでないからです。税金の申告は、税務調整 (☞ P 224参照) という手続きのあとで行います。

MEMO　**税務会計：**税金を計算するための会計。税金の計算は、公平な課税や、そのときどきの政策のために変わることがあるので、通常の会計とは異なる部分が生じる。

総務・労務・経理の仕事 「1年」のサイクル

■ 1年の仕事は時期をずらせない

　総務・労務・経理の仕事には、1年、1ヵ月、1日をそれぞれのサイクルとして行う仕事があります。つまり、1年に一度または数度だけ行う仕事、毎月一度行う仕事、毎日行う仕事があるということです。

　まず、1年に一度または数度行う仕事を見てみましょう。右図は、総務・労務・経理の分野別に、1年の主な仕事をまとめたものです（3月決算の例）。これらの仕事のほとんどは期限が決まっているため、仕事をする時期をずらすことはできません（定期健康診断は、例外的に時期が指定されていない）。

■ 総務・労務・経理の仕事のヤマ場はいつ?

　右図を総務・労務・経理の分野別に見ると、まず総務の仕事は目立って1年の仕事が少なく見えますが、これは総務に毎日行う仕事や、必要に応じて行う仕事が多いからです。

　労務の仕事では、まず4月に新入社員の入社に関する手続きや、社員の給与の改定などがあります。また6月から7月にかけては労働保険の年度更新や社会保険料の定時決定などがありますし、年末～年始には年末調整とそれに続く法定調書の提出という業務があります。

　一方、経理の仕事は、4月から5月にかけて行う決算と、法人税・消費税などの申告・納付が、1年の仕事のヤマ場です。

　これらの繁忙期にも、毎日の仕事や毎月の仕事は休めないので、早めに準備を始めるなどの工夫が必要です。

総務・労務・経理　1年の仕事

※3月決算の会社の場合（例）　※賞与の支給は7月・12月（例）

		総務	労務	経理
4月			新入社員の入社手続き（⇨P 264） 給与の改定（⇨P 172） 就業規則の見直し（⇨P 75） 三六協定など労使協定の更新・届出（⇨P 182）	決算（⇨P 200）
5月			定期健康診断（⇨P 57）	決算 法人税などの申告・納付（⇨P 222〜229） 消費税の申告・納付（⇨P 230）
6月		株主総会（⇨P 201）	労働保険の年度更新（⇨P 180）	
7月		お中元の手配（⇨P 170） 暑中御見舞の発送（⇨P 170）	社会保険料の定時決定（⇨P 174） 労働保険料の納付①（⇨P 180） 賞与の計算・支給（⇨P 184） 賞与にかかる社会保険料・雇用保険料の計算（⇨P 184）	
8月				
9月				
10月			労働保険料の納付②	
11月				法人税などの中間申告・納付（⇨P 226）
12月		お歳暮の手配（⇨P 170） 年賀状の発送（⇨P 170）	賞与の計算・支給 賞与にかかる社会保険料・雇用保険料の計算 年末調整（⇨P 186）	
1月			給与所得の源泉徴収票の交付（⇨P 190） 給与支払報告書の提出（⇨P 190） 労働保険料の納付③	支払調書の提出（⇨P 194〜197） 法定調書合計表の提出（⇨P 198） 償却資産の申告（⇨P 192）
2月				
3月			採用の募集（⇨P 252）	

総務

労務

経理

総務・労務・経理の仕事「１ヵ月」のサイクル

■■ 給与計算、売掛金請求、買掛金支払いは毎月行う

　総務・労務・経理の仕事を１ヵ月のサイクルで見ると、とくに**労務が行う社員の給与計算と支払い**、そして**経理が行う売掛金の請求・回収、買掛金の支払い**が重要な仕事といえます。いずれも締め日と支払日が決まっているので、１ヵ月のなかで時期をずらすことができません。

　右図にあげたのは、給与が15日締めの25日支払い、売掛金・買掛金が月末締め・翌月末支払いの例です。

　締め日と支払日の関係から、１ヵ月のなかで毎月の仕事がない時期ができるので、その期間に年に一度の仕事（☞第５章参照）や、必要に応じて行う仕事（☞第６章参照）をすることになります。

■■ １ヵ月の仕事は他にもいろいろある

　給与計算は、給与の締め日がスタートです。勤務時間などを集計し、残業の割増賃金も計算して、総支給額を計算します。そして、そこから健康保険や厚生年金保険などの社会保険料や、個人の税金も計算して、給与から天引きしなければなりません。

　これでようやく、その月の給与の額が決まるので、給与明細書を作成して振込みの手続きができます。

　売掛金の請求についても、まず締め日までの１ヵ月間の得意先ごとの売上げを合計し、それをもとに請求書を作成して、発送するという手順を踏みます。

　買掛金の支払いは、逆に、仕入先が作成した請求書をチェックして、問題がなければ支払日に振り込むという仕事です。

　これらの仕事の間に、前月に支払った給与の税金などの納付（10日）や、前月分の社会保険料などの納付（月末）などの仕事もあります。

Ｍ Ｅ Ｍ Ｏ　**売掛金**：先に納品して代金が後払い（掛け）になる場合、通常の経理処理では売上代金が売掛金という科目になる。前払いをしたときや現金払いでは発生しない。

総務・労務・経理 1ヵ月の仕事

※給与は 15 日締め・25 日支払い（例）
※売掛金・買掛金は月末締め・翌月末支払い（例）

月初

前月の売掛金請求書の作成・発送 [経理] （☞P 122）

前月の買掛金請求書の受取り [経理] （☞P 138）

> その時期がきたら行う仕事（☞第5章）
> 必要に応じて行う仕事（☞第6章） をする

月次試算表の作成 [経理] （☞P 168）

10日

前月の給与の所得税などの納付 [労務] （☞P 164）

> その時期がきたら行う仕事
> 必要に応じて行う仕事 をする

15日 | 給与締め日

当月の給与計算 [労務] （☞P 152）

25日 | 給与支給日

当月の給与の支払い [労務] （☞P 156）

> その時期がきたら行う仕事
> 必要に応じて行う仕事 をする

月末 | 売掛金締め日

| 売掛金入金日

| 買掛金締め日

| 買掛金支払日

前々月の売掛金入金の確認 [経理] （☞P 128）

前々月の買掛金の支払い [経理] （☞P 148）

前月の社会保険料などの納付 [労務] （☞P 158）

総務

労務

経理

Check!

締め日と支払日はどうやって決める？

給与の締め日と支払日は、会社で決めた賃金規程などに定められています。売掛金と買掛金の締め日、支払日は、取引先ごとに相手と相談して決めます。締め日と支払日の間隔が短くて作業が大変な場合など、会社に相談して、支払先に変更をお願いすることもできます。ただし、支払日を早くすることは簡単でも、支払日を遅くすることはなかなか了承してもらえないものです。

MEMO **買掛金**：先に納品を受けて代金を後払い（掛け）とする場合、通常の経理処理では仕入代金が買掛金という科目になる。前払いをしたときや現金払いでは発生しない。

総務・労務・経理の仕事「1日」のサイクル

■■ 優先度の高い仕事から処理する

　総務・労務・経理の仕事では、メールが欠かせません。1日の仕事の始まりは、前日に届いたメールのチェックから始めます。

　総務は、月に数回、社員が使った事務用品などの消耗品のチェックを行い、足りないものがあれば補充します。補充して在庫切れになったときは、発注の手配も済ませておきましょう。

　また経理は、現金の出金に備えて、小口現金の手提げ金庫を保管庫などから出して用意します。

　そのあとからが、中心的な仕事の時間帯です。それぞれの日常的な仕事には**預金の管理や文書管理、社員の勤怠管理**などがあります。

　また、毎月の仕事（☞前項参照）や、年に一度の仕事（☞P 20参照）、そのときどきの必要に応じて行う仕事（☞第5・6章参照）も、この時間帯に行います。仕事の期限などを考えて、**優先度の高いものから処理していく**ようにしましょう。

　その間に、経理のもとには社員が経費の精算に来るかもしれません。そのつど精算している会社の場合に限られますが、たとえば営業の担当者が、得意先に持参する手みやげ代を立て替えて支払った場合など、その経費の精算を行います（☞P 94参照）。

■■ 経理は小口現金の残高を照合したら終業

　その日に発生した取引の記録も、経理が毎日行う仕事です。その取引にともなって、会社に届いた**領収書や納品書・請求書の整理**の仕事もあります。

　終業時間近く、もう経費の精算も来ないという時間帯になったら行うのが、**小口現金の残高と帳簿の照合**です。

　1円の違いもないことを確認したら、手提げ金庫をしまうことができます。

ＭＥ　ＭＯ　**経費の精算**：精算が少ない会社ではそのつど精算する方法もとれるが、通常は1週間や1ヵ月などまとめて精算する。ただし立替えが続くので社員の負担は増える（☞P 94〜101参照）。

総務・労務・経理　1日の仕事

始業

メールのチェック 総務 労務 経理

在庫切れの消耗品のチェック・補充 総務 (☞P 44)

現金の用意 経理 (☞P 90)

社員立替えの経費精算

適宜行う仕事

預金の管理 (☞P102)
文書管理 (☞P38)
社員の勤怠管理 (☞P76)
毎月決まって行う仕事 (☞第4章)
その時期がきたら行う仕事 (☞第5章)
必要に応じて行う仕事 (☞第6章)　など

休憩　（昼休み）

社員立替えの経費精算

適宜行う仕事

預金の管理
文書管理
社員の勤怠管理
毎月決まって行う仕事
その時期がきたら行う仕事
必要に応じて行う仕事　など

伝票の起票などその日に発生した取引の記録 経理 (☞P 84、90、104)

領収書や納品書・請求書などの整理・保存 経理 (☞P 92、124、126)

現金の残高と帳簿の照合 経理 (☞P 90)

終業

総務

労務

経理

　退社する前には、今日の仕事をそれぞれ振り返って、**翌日の仕事の予定を考えておきましょう。**

　翌日、始業時のルーチンを済ませたあと、中心的な時間帯の仕事がスムーズに始められます。

コスト削減は
利益増につながる

▓▓売上げは上げられないが、利益は上げられる

　総務・労務・経理の仕事は、営業や製造の仕事と違って、直接、売上げに結びつくことはありません。そのため、つい、会社の業績に無関心になりがちです。しかし、**売上げを上げることはできなくても、会社の利益を上げることはできます**。

　下図を見てください。会社の利益はザックリいうと、売上げからコストを引いたものです。同じコストで売上げがアップできれば、当然、利益が増えます。しかし、同じ売上げでコストを下げても利益が増えるのです。

　つまり、総務・労務・経理の仕事で発生するコストを下げることができれば、会社の利益を増やせます。このように会社の利益に目を向けて、常に仕事のコストを考える意識が「コスト意識」です。

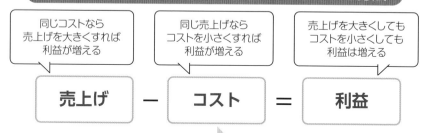

総務・労務・経理の担当者が利益をアップさせる方法

| 同じコストなら売上げを大きくすれば利益が増える | 同じ売上げならコストを小さくすれば利益が増える | 売上げを大きくしてもコストを小さくしても利益は増える |

売上げ － コスト ＝ 利益

総務・労務・経理の仕事は売上げを大きくできないがコストを小さくすることはできる

▓▓より小さなコストで最大の効果を上げる

　コスト意識は重要です。コスト意識を高めて、会社の利益を増やせれば、その分、社員に支給するボーナスを増やせるかもしれません。会社の借入

金を返済すれば、経営基盤が安定するでしょう。あるいは、いままででき
なかった会社の事業拡大のための投資にお金を回すことも可能になります。

　では、どうしたらコスト意識を高めることができるでしょうか。

　仕入れや製造の仕事では、仕入原価や製造原価の削減を考えることがで
きます。しかし総務・労務・経理の仕事では経費しか発生しないので、**経
費の節減を考えることが重要**になります。

　経費というと、電気代やコピー用紙などの節約が真っ先に思い浮かぶで
しょうが、経費のなかで大きな比重を締めるのは人件費です。まず、**自分
たちの人件費に敏感になることがコスト意識を高める第一歩**になります。

　たとえば、いままで表計算ソフトを使って５時間かかっていた仕事を、
ソフトの使い方を工夫するなどして３時間で済ませる方法を考えてみま
しょう。これができれば、その分の残業代が減る、他の仕事ができるなど
により、経費の節減、ひいては会社の利益の増加につながります。

■■自分の人件費を計算して知っておこう

　そのためには、自分の人件費を知っておくことが効果的です。給与計
算のなかに、月給の人の時給を計算する方法があります（☞ P 151参照）。
会社の人件費は、通常支払う給与の２倍といわれるので、時給を２倍にし
た額が１時間あたりの自分の人件費です。

　たとえば、１時間あたりの自分の人件費が3,000円だったとしましょう。
仮に、経費節減のために、より安い備品を探して購入する仕事をするとし
て、その仕事に１時間かかったとします。その場合、より安い備品の価格
の差は3,000円以上でなければなりません。

　もし、5,000円安い備品を見つけて購入できれば、2,000円分、経費を節
減し、その分、会社の利益を増やした計算になります。

Check!
会社が支払う人件費は「通常の給与の2倍」？

会社は通常の給与やボーナスの他、社会保険料の会社負担分、通勤費、各種の
福利厚生費などを支払っています。それらを厳密に集計して、１時間あたりの
人件費を計算することもできますが、ここは大まかに「通常の給与の２倍」と
考えておけばいいでしょう。

売上げ・コスト・利益の関係

● 他の担当者にもコスト意識を持ってもらう

　総務・労務・経理には、会社のすべてのコストの情報が集まってくるものですが、他の社員にもコスト意識を持ってもらうことを考えましょう。

　たとえば、仕入れの担当者には、より安い仕入原価で、よりよい商品を仕入れてもらうとか、営業の担当者には、より小さなコスト（人件費を含む）で、より大きな売上げを上げてもらうといったことです。

　会社の利益が増えれば、会社のためにも、自分のためにもなることを理解してもらいましょう。

● 売上げに対するコスト意識の働かせ方

　売上げとコストの関係は、営業や製造部門の人ならば粗利益（あらりえき）で測るのが適切です。決算書の損益計算書（⇨ P 220 参照）で、売上高から売上原価を引いた売上総利益（粗利益）が計算されています。

> ### 売上高 − 売上原価 ＝ 売上総利益（粗利益）

　この売上総利益が、会社全体としての粗利益です。これを売上高で割ると粗利益率（売上総利益率）が計算できます。営業の担当者が上げた売上げに、粗利益率を掛けたものが、担当者が稼いだ粗利益の額です。

> ### 担当者が上げた売上げ × 粗利益率 ＝ 担当者が上げた粗利益

　担当者の**粗利益の額の目安は、担当者の通常の給与の３倍以上**と考えられます。２倍分は担当者の人件費（⇨前ページ参照）、残り１倍分は、会社の事務所の家賃や水道光熱費など、会社としてかかる経費の分です。

M E M O　**売上総利益（粗利益）**：売上高から売上原価を引いたもの。この売上総利益から、事務や営業担当者の人件費、会社の経費などをまかない、残りが最終的な利益となる（⇨ P 220 参照）。

第2章

総務・労務・経理 の基本

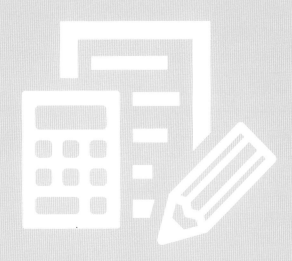

会社で使う印鑑の種類と使い方を知っておく

代表者印は会社の実印

　会社では、さまざまな種類の印鑑を使用します。まず、その種類と、それぞれの印鑑をどんなときに使うのかを知っておきましょう。

　会社で使う主な印鑑には、代表者印、銀行印、社印の３種類があります。一番大切な**代表者印は、会社の実印として法務局に届け出ている印鑑**です。契約書への押印など大切なときに使用します。

　銀行印は、銀行との取引に使う印鑑で、銀行に届け出ておきます。代表者印を兼用にもできますが、兼用だと取引の契約と銀行の手続きが同時刻に重なったときなどに不便です。別にしておいたほうがよいでしょう。

　社印は、社判、角印などとも呼び、日常的に押印する印鑑です。請求書や領収書などで使います。届出は必要ありません。

　届出のない社印でも、押印があれば「会社として公式に認めた文書」ということになります。ですから、**印鑑の管理は金庫などでの保管を原則とし、社印も使用後は鍵のかかる引出しなどで保管**します。

会社で使う主な印鑑の種類

代表者印（実印）	銀行印	社印（社判・角印）
契約書、法人登記の手続きなどに使用。サイズは一辺の長さが1cm超3cm以内の正方形に収まるもの。	口座からの出金、手形・小切手の銀行取引などに使用。代表者印よりも小さいサイズでつくる。	納品書・請求書・領収書などの取引文書、日常的な社外文書などに使用。一般的なサイズは一辺2cm程度の正方形。

MEMO　**代表者印**：会社の実印である代表者印は、法務局に届け出て印鑑登録がしてある印鑑で、必要な場合は印鑑証明書も発行される。

とくに代表者印は、**代表者が押印するのが原則**です。印鑑の管理は事務で行うとしても、押印はそのつど代表者にしてもらいましょう。

その他、社印の横に担当者の認印（みとめいん）が押してあると、後々の問い合わせなどもスムーズです。個人の認印も用意しておきましょう。

また、**社名や住所、電話番号**などをまとめたゴム印をつくっておくと、伝票や書類にいちいち手書きする手間が省けます。

■■■ 契約書で必要な割印・契印の押し方

印鑑は、社名や代表者名の横に押す他、**契約書や領収書の割印（わりいん）、契約書の契印という特殊な押し方**があります。契約書の場合は、当事者全員の割印、契印が必要になるので、押し方を覚えておきましょう。また、**捨印（すていん）や、収入印紙の消印（けしいん）**（⇨ P 132）などの押印もあります。

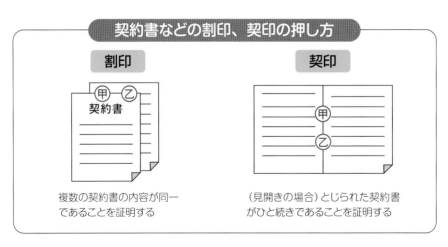

契約書などの割印、契印の押し方

割印

契約書

複数の契約書の内容が同一であることを証明する

契印

（見開きの場合）とじられた契約書がひと続きであることを証明する

Check!

シャチハタや三文判は契約書で使えない！

インクが内蔵されていて、朱肉をつけないで使えるゴム印（いわゆる「シャチハタ」）は、実印の押印が求められる契約書などには使用できません。また、文房具店などで売られている大量生産の安価なプラスチック製印鑑（いわゆる「三文判（さんもんばん）」）も同様に契約書などには使えません。これらはせいぜい、担当者の認印としてしか使えないと考えましょう。

総務

労務

経理

MEMO **捨印**：契約書で、主に契約締結後の修正のために押しておく印。修正があった場合、捨印の近くに「弐字（にじ）削除」「参字（さんじ）挿入（または加入）」などと記す。

社内文書

社内文書の種類と
つくり方を知っておく

■■ 文書にして伝達・記録・保存する

　会社で作成する文書には、大きく分けて**社内文書と社外文書があります**。社外文書はともかく、社内文書は小さな会社ではあまり重視されないものです。口頭での連絡や打ち合わせで充分、という考え方でしょう。

　しかし、同じ情報の伝達でも「文書」にしておくことは大切です。文書として残しておけば、あとで「いった・いわない」の水掛け論になることが防げますし、休暇届や稟議書などは、それだけで業務上の承認の記録・証明になります。

■■ フォーマットをつくって保存しておく

　社内文書と社外文書では、それぞれ使用される種類もつくり方も違います。社内文書の主な種類は、右図のように**連絡文書、届出文書、業務文書**の３つです。

　いずれも、**一度作成したら基本フォーマットとして保存**しておき、必要に応じて修正したり、改良するなどして使います。

　届出文書や業務文書のように社員が利用するものは、内容を空欄にした用紙を用意して、誰でも記入して使えるようにしておくとよいでしょう。パソコンで入力してもらうときは、社内ＬＡＮの共有フォルダなどにフォーマットを用意するか、ファイルとして配布しておきます。

　それぞれの文書フォーマットは、インターネットで検索すると、参考になるひな型や、無料でダウンロードして使えるテンプレートなどが見つかるはずです。

定期健診の実施について

MEMO **稟議書**：高額の備品の購入や、新規の仕入先との取引など、決裁権を持つ上司などに承認を求める（稟議）ための文書。複数の決定権者の承認が必要な場合は回付する。

　ただし、社内文書には次のようなルールがありますので、これらのルールを外さないようにします。

- 挨拶や敬語は原則として使用しない
- 1文書で1用件だけを伝達・処理する
- できる限り簡潔にし、原則としてＡ４サイズ１枚にまとめる

　このようなルールでシンプルにつくるのは、わかりやすく、間違いなく情報を伝達・処理するためです。**社内の文書では儀礼的な挨拶は必要ありませんし、行き過ぎた敬語も不要**です。せいぜい丁寧語にして、「です」「ます」を使えば充分です。

社内文書の種類

連絡文書

会議や行事の開催、会社としての決定事項などを社員に伝える文書。全員に配布したり、回覧したりする

業務連絡、社内通達、辞令、○○のお知らせ、社員の慶弔　など

届出文書

休暇や住所の変更など、社員が会社に届け出るための文書。用紙を用意しておき、記入・提出してもらう

休暇届、欠勤届、遅刻届、早退届、残業届、住所変更届　など

業務文書

報告・指示・記録・決裁など、業務のために作成する文書。用紙を用意しておくか、そのつど作成する

業務報告書、日報、会議議事録、企画書、稟議書など

Check!

社内文書の内容は５Ｗ１Ｈでチェック！

　新しく社内文書のフォーマットを作成するときは、いわゆる「５Ｗ１Ｈ」を使うと、内容に過不足がないかをチェックできます。

５Ｗ１Ｈとは、

　①いつ（**W**hen）　　②どこで（**W**here）　　③誰が（**W**ho）

　④何を（**W**hat）　　⑤なぜ（**W**hy）　　　　⑥どのように（**H**ow）

の６つです。これらの内容が、きちんと文書に記載されていれば、社内文書の内容にもれはないと確認できます。

社外文書のルールとつくり方を知っておく

社外文書は敬語を使い、形式も整える

社外に向けて発信する文書には、案内状、通知状、挨拶状、招待状などがあります。これらの文書は会社として外部に発信するものなので、ビジネス上のルールと礼儀を守った文書を作成することが大切です。

敬語と、相手への尊敬と感謝をあらわす文言を使用し、文書としての形式も整えます。そういうと難しく聞こえますが、一般的な社外文書の形式には決まったパターンがあるので、そのとおりに作成すれば大丈夫です。

社外文書のルール・パターン・ポイント

右図にあげたのが、社外文書の一般的なルールとパターンです。

上から順に、文書番号・発信年月日・宛名・発信者名・件名・本文・記書き・結びと並びます。本文は、頭語・時候の挨拶・前文・主文・末文・結語という構成です。記書きは、「記」で始め、内容を箇条書きにして、「以上」で結びます。

その他、社外文書を作成するときのポイントは次のとおりです。

- 宛名は社名・役職・氏名を一切省略せずに記載する
- 時候の挨拶は、その時季に応じたものを使用する
- 前文や末文は変化をつけたりせず、毎回同じでもよい

宛名で、株式会社を（株）などと省略するのは失礼にあたります。1文字も違わないよう正確に記載しましょう。

時候の挨拶は、インターネットで検索すると例示がたくさん見つかるので、時季に合ったものを選びましょう。

前文や末文は、つい変化をつけたくなりますが、おかしな文章にするとかえって失礼です。毎回同じでも大丈夫と割り切りましょう。

社外文書のルール（案内状の例）

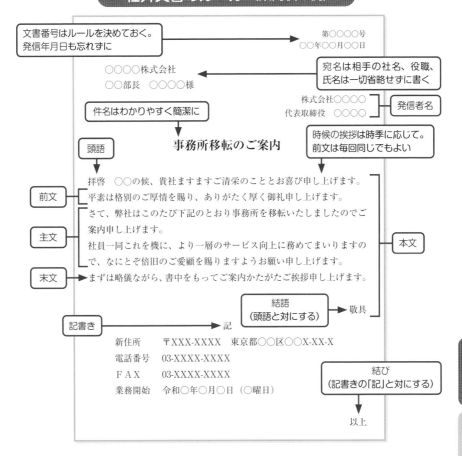

文書番号はルールを決めておく。発信年月日も忘れずに

第○○○○号
○○年○○月○○日

○○○○株式会社
○○部長　○○○○様

宛名は相手の社名、役職、氏名は一切省略せずに書く

株式会社○○○○
代表取締役　○○○○

発信者名

件名はわかりやすく簡潔に

事務所移転のご案内

時候の挨拶は時季に応じて。前文は毎回同じでもよい

頭語

前文

拝啓　○○の候、貴社ますますご清栄のこととお喜び申し上げます。
平素は格別のご厚情を賜り、ありがたく厚く御礼申し上げます。
さて、弊社はこのたび下記のとおり事務所を移転いたしましたのでご
案内申し上げます。

主文

社員一同これを機に、より一層のサービス向上に務めてまいりますの
で、なにとぞ倍旧のご愛顧を賜りますようお願い申し上げます。

本文

末文

まずは略儀ながら、書中をもってご案内かたがたご挨拶申し上げます。

結語
（頭語と対にする）

敬具

記書き

記

新住所　〒XXX-XXXX　東京都○○区○○X-XX-X
電話番号　03-XXXX-XXXX
ＦＡＸ　03-XXXX-XXXX
業務開始　令和○年○月○日（○曜日）

結び
（記書きの「記」と対にする）

以上

総務

労務

経理

Check!

督促状や詫び状を書くときは注意！

社外文書にはこの他にも、事業への協力などの「依頼状」、売掛金の支払いなどの「督促状」、問い合わせのための「照会状」、謝罪のための「詫び状」、などもあります。しかし現代のビジネスでは、これらをわざわざ文書にして送る意味は薄れているといえます。また、これらの社外文書には営業的な要素も強くあります。どうしても作成しなければならない場合は、営業担当者や経営者とよく相談しましょう。

MEMO　**督促状**：売掛金の支払いなどをうながす文書。売掛金などの債権が時効にならないように督促状を送るという人もいるが、たんに督促状を送っただけでは時効は中断しない（⇨P 136 参照）。

35

取引文書の種類と
内容を知っておく

■■取引文書はフォーマットを用意しておく

　社外に発行したり、社外から受け取ったりする文書には、請求書や領収書など取引に関するものもあります。これらの文書は、下表にあげたようなものです。

　実際の取引では、請求書や領収書以外は口頭の連絡やメールで済ませたり、省略するケースも多く、営業担当者任せの会社もあるでしょう。

　しかし、取引先によっては依頼しなくても発行されたり、逆に発行を求められることがあります。取引文書の種類と内容を知っておきましょう。

　取引文書では、文書の名称と、その文書が何をあらわすかを示す文言が異なります。

　品名や数量、金額などが同じ場合は、同じフォーマットで各文書を発行できる文書管理ソフトなどを使用してもよいでしょう。

　それぞれの文書の特徴は、次のとおりです。

---

①**見積書**……見積書を作成する前に、発注者が見積り依頼のために「見積依頼書」という文書を発行することもあります。文書や口頭での見積り依頼に応じて、受注者が発行するのが見積書です。

②**発注書（注文書）**……発注者が見積書の内容に同意したら発行します。同意しない場合は再見積りか、取引中止になることもあります。

③**注文請書**……発注書を受けて、受注者が発行します。発注書と注文請書がそろうと、注文の契約成立が確認できます。

④**納品書**……商品やサービスの納品と同時に発行されます。受注者が納品の内容を発注者に伝える文書です（☞P124参照）。

⑤**受領書**……発注者が納品を確認したら発行します。受注者が納品書とともに発行し、発注者が押印して返すこともあります（☞P124参照）。

---

⑥**請求書**……受注者が発注者に、代金の支払いを請求する文書です。納品書と請求書をまとめて、納品書兼請求書とされることもあります（☞P 126参照）。

⑦**領収書**……受注者が代金の支払いを確認したら発行します。支払いが振込みで行われる場合は、発行されないこともあります（☞P 92参照）。

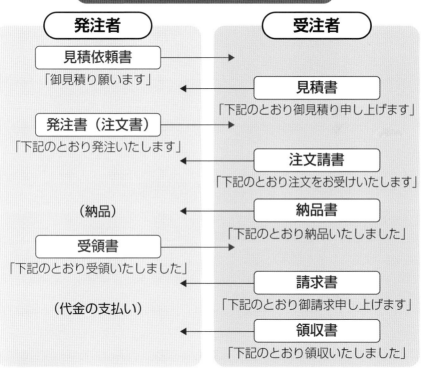

見積書から領収書までの流れ

発注者　　　　　　　**受注者**

見積依頼書
「御見積り願います」

　　　　　　　　　　　見積書
　　　　　　「下記のとおり御見積り申し上げます」

発注書（注文書）
「下記のとおり発注いたします」

　　　　　　　　　　　注文請書
　　　　　　「下記のとおり注文をお受けいたします」

（納品）

　　　　　　　　　　　納品書
　　　　　　「下記のとおり納品いたしました」

受領書
「下記のとおり受領いたしました」

　　　　　　　　　　　請求書
　　　　　　「下記のとおり御請求申し上げます」

（代金の支払い）

　　　　　　　　　　　領収書
　　　　　　「下記のとおり領収いたしました」

Check!

収入印紙の貼り忘れに注意！

取引文書のうち、領収書や契約書には収入印紙の貼付と消印が必要な場合があります（☞P 132参照）。これを忘れると「印紙税法」という法律に違反します。5万円以上の領収書と、1万円以上の契約書は、原則、すべて収入印紙が必要と考えましょう。

文書ごとの保存期間と廃棄方法に注意する

法律で定められた保存期間がある

社内文書、社外文書、取引文書など、会社の仕事では大量の書類が発生します。捨てられるものは捨てて、必要なものは整理して保存しておかないと、事務所は書類であふれかえってしまいます。

整理して保存した書類も、一定の期間を過ぎて、もう不要だと判断した時点で廃棄しますが、保存する期間が法律で定められている文書も多いので注意しましょう。

右表のように、最低でも2年、通常は3年から10年、なかには永久に保存する文書もあります。

保存期間を基準に整理しておくと便利

保存する期間が定められている文書は、保存期間を基準に整理するのがポイントです。年度が変わった時点で、前年度の文書として一括して保存してしまうと、保存期間が過ぎたときにいちいち仕分けすることになってしまいます。保存期間別に分けて、段ボール箱などに保存すれば、期間が過ぎたものを一括して廃棄できます。

ただし、保存期間を過ぎて保存することには問題がないので、文書の量が膨大でなければ、もっと簡略化してもいいかもしれません。たとえば、「永久保存」と「10年間保存」「それ以外」の3つの箱に分け、「それ以外」の箱は7年を過ぎたところで廃棄するといった方法です。

また、廃棄の方法を考えておくことも必要です。文書の量が膨大なときは、専門の処理業者に依頼する方法もありますが、シュレッダーを備えておいて処分するのが一般的です。

MEMO **定款**：会社を運営するうえで、商号や事業の目的、資本金額など最も大事なことを定めた文書。会社の根幹となる規則を記している。

法律で定められた主な文書の保存期間

総務関係	簡単な契約・届出に関する書類、会議の議事録、業務日報など	3年
	株主総会の議事録、取締役会など重要な会議の議事録、契約書（満期または解約後10年）など	10年
	会社の定款、株主名簿、会社の設立・登記に関する書類、土地・建物などに関する書類など	永久
労務関係	健康保険・厚生年金保険・雇用保険に関する書類など	2年
	労災保険に関する書類、派遣社員の管理台帳など	3年
	雇用保険の被保険者（社員）に関する資料など	4年
	労働者名簿・賃金台帳・出勤簿・タイムカードなど労務に関する書類、雇入れ・解雇・退職に関する書類、社員の身元保証書、誓約書、始末書、社員の健康診断書など	5年
	給与所得者の扶養控除等申告書、給与所得者の保険料控除申告書など年末調整に関する書類、源泉徴収簿など	7年
	社内規程、就業規則、重要な人事に関する書類など	永久
経理関係	決算に関して作成された書類（一部は10年間保存）領収書・請求書・契見積書など取引に関する書類など	7年
	貸借対照表などの決算書、総勘定元帳、現金出納帳など	10年

（一部は法律でなく、一般的な基準として、その期間の保存が適切とされているもの）

総務

労務

経理

Check!
マイナンバーが記載された書類は注意！

一般的な文書は、法定の保存期間を超えて長めに保存することには問題ありません。ただし、マイナンバー（☞P 54参照）が記載された書類、たとえば給与所得者の扶養控除等申告書などは別です。法律で、法定の期間を超えて保存することが禁じられているので、期間を過ぎたらすぐに、完全に廃棄しましょう。

MEMO **事業報告：**会社法に基づき作成が義務づけられている文書で、事業年度（会計年度）ごとの事業の概況や財務の状況などを記したもの。上場会社が自主作成する「事業報告書」とは異なる。

必要な文書がすぐに出てくるファイリングの基本

■■文書を整理するルールを決めておく

　決算などが終わり、当面、取り出す必要のない文書を段ボール箱に整理するまでは、ほとんどの文書はファイルにとじて、事務所に保管することになります。これをファイリングといいます。

　ファイリングで重要なのは、**整理のルールを決め、そのルールに従って整理しておく**ことです。しまった場所を忘れても、整理のルールに従って探し出し、必要なときにいつでも取り出せます。

　なお、次のようなファイルは、年度が改まっても段ボール箱での保存にはせず、常にファイリングの対象とします。新年度の仕事でも、頻繁に参照する必要があるからです。

常にファイリングしておくファイル

- **永久保存**するファイル（⇨前項参照）
- 法律で**10年間の保存**が定められているファイル（⇨前項参照）
- 社員の**社会保険**と**労働保険**に関するファイル
- **源泉徴収簿**と社員の**扶養控除等申告書、配偶者控除等申告書、保険料控除申告書、住宅借入金等特別控除申告書**
- 税金、社会保険、労働保険関係の**領収書**

■■会社に合った書類の分類を決める

　ファイルの分類のルールは、事務所の契約関係、社員の社会保険関係、取引関係など、**仕事の分野別に分類するのが基本**です。そのうえで、文書の量が多くてファイルが分厚くなるものは小分類をしますが、これは会社によって変わるでしょう。たとえば社員数の少ない会社では、社会保険の

MEMO **源泉徴収簿**：毎月の給料・手当、賞与の支給額や、社会保険料の控除額、扶養家族の人数、源泉徴収する所得税額などを記入する帳簿。

申告書関係などは1冊のファイルで済むかもしれません。しかし社員数の多い会社では、社員別や申告書別のファイルに分ける必要が出てきます。

ファイルの種類やサイズは統一するのがファイリングの基本ですが、小分類したファイルはファイルケースの色やラベルの色を変えるなどすると探しやすくなります。

自分の会社ではどんな文書が多いのか、会社の状況に合わせて自社に合った分類とファイリングを考えてください。

■■■ 新しい書類は端に並べる

その他、**ファイルは立てて並べ、横に積み重ねない**ことなども基本的なポイントです。こうすると取り出しやすく、元に戻しやすくなります。

また、総務・労務・経理の書類は、新しいものを一番左（または右）から順に並べていくのが基本です。常に、**直近で使った書類が一番左（または右）になります**。

以上のような基本とポイントをまとめると、次のようになります。

ファイリングの基本とポイント

- ファイルの**サイズや種類を統一する**（色で分類してもよい）
- ファイルは**立てて並べる**（横に積み重ねない）
- 仕事の**分野別に分類する**（社会保険関係、取引関係など）
- 量の多いファイルは**小分類する**（会社の状況に合わせて）
- 追加する書類は**端に並べる**（直近の書類が端になる）

Check!

パソコンの文書は必ずバックアップをとる！

文書作成ソフトや表計算ソフトなどで作成したパソコンの文書ファイルは、紙のファイル名と同じ名前のフォルダを作成して整理するとわかりやすくなります。ただし、何かの障害でデータを失うリスクに備えて、必ずバックアップをとっておくことが大切です。バックアップはDVDやCD-R、外付けのハードディスクなど、パソコンのハードディスクとは別のところに保存します。

会社で使う用紙や封筒の知識を持っておく

■■ビジネス文書の用紙はA4判が基本

文書を作成するにしても、管理するにしても、基本になるのは用紙のサイズです。サイズを間違えると、ファイルやキャビネットなども使いにくく、ファイリングもしにくいので、紙のサイズには留意しましょう。

ビジネス文書はA4判が基本ですが、他にも下図のような用紙のサイズがあります。コピー用紙などは、ここにあげたサイズまで用意しておけば通常は充分です。

ご存じの方も多いでしょうが、A3判を半分にしたものがA4判、B4判を半分にしたものがB5判という関係になっています。

A3・A4などをまとめた呼び方がA判、B4・B5などがB判です。ビジネス文書はA判が主流で、申告書など官公庁の書類もA判に統一されています。ですから会社によっては、B判のファイルやコピー用紙は不要なケースがあるかもしれません。

会社で使う主な紙のサイズ

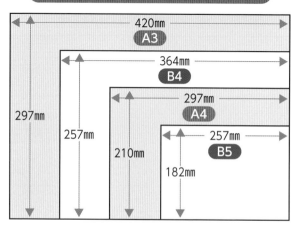

■■ 封筒は「長3」と「角2」がよく使われる

　文書を入れて郵送したり、顧客に手渡したりする封筒にも留意する必要があります。文書はＡ４判が基本になっていることから、ビジネスでよく使われる封筒は主に下図のようなサイズです。

　長3は、正式には長形3号といいます。Ａ４判の文書が3つ折りで収まるサイズです。同じサイズで横向きにした洋長3（洋形長3号）もよく使われます。どちらも 定形郵便物 の料金で郵送できる最大のサイズです。

　長4（長形4号）は、Ｂ５判の文書が3つ折りで収まります。

　そして角2（角形2号）は、Ａ４判が折らずに収まるサイズです。こちらは 定形外郵便物（規格内） の料金で郵送できる最大サイズになっています。

　封筒の購入や注文の際に混乱しないように、これらの名称を覚えておきましょう。

会社で使う主な封筒のサイズ

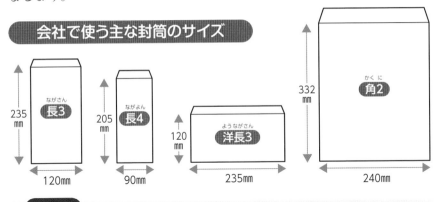

Check!

いろいろな封筒を使い分けよう！

ふつうの封筒の他にも、仕事の効率化に役立ついろいろな封筒があります。必要に応じて使い分けを考えてみましょう。

- **窓付き封筒**……中身の文書の宛先が、郵送の宛先として使えます。宛名書きの手間が省けます。
- **テープのり付き封筒**……フタ（フラップ）の、のり付けの手間が省けます。
- **カラー封筒**……通常は白かクラフト封筒（茶封筒）ですが、最近はいろいろなカラー封筒もあります。受け取る人にソフトな印象を与えます。

MEMO **Ａ判とＢ判：**Ａ判は国際規格で、Ｂ判は日本の独自規格。帳簿類にはＢ判の用紙が使われていたため、現在でも手書きの帳簿用紙などにＢ５判が使われることがある。

消耗品は使用と補充を管理し適正な在庫量を保つ

■ 使用と補充を分けて管理する

事務用品や社用封筒、電池、電球、ティッシュペーパー、トイレットペーパーなど、社員が会社で仕事をするにはさまざまな消耗品が必要です。

必要なときにいつでも使えるように、消耗品は在庫を切らさないことが大切ですが、一方で在庫を持ち過ぎると、たとえば電池などは使用期限切れで廃棄しなくてはならなくなるなど、ムダにつながります。

また、新しいボールペンを何本も持ち出すなど、コストのムダにつながる行動がないように、自分だけでなく他の社員にも常にコスト意識を持ってもらうことが大切です。

そのためには、**消耗品の使用と補充を分けて考え、それぞれ表などを使って管理**します。

■ 使用するときはリストに記入する

いつでも必要なときに使ってもらうには、まず**消耗品の保管場所を決め、社員に周知しておく**ことです。

そのうえで、社員にコスト意識を持ってもらうには「消耗品使用リスト」を利用する方法があります。

消耗品の保管場所に、右表のようなリストをつくっておき、持ち出して使用するたびに記入してもらうのです。

こうすると、自分の名前や使用数を記入する際に、本当に必要なものか自己チェックできる効果があります。

また、在庫の減り方が予想以上に早い場合など、誰が、何を、どれだけ使用しているかを、あとからつかむことができます。

コスト意識を持って使ってもらうための 「消耗品使用リスト」

消耗品使用リスト

月日	品名	使用者	使用数	在庫数
4/20	ボールペン（黒）	佐藤	1	9
4/21	付箋（小）	鈴木	2	18

■ 補充は管理表を使って定期的に行う

会社にもよりますが、消耗品の補充は、できれば1ヵ月に数回のチェックで済ませたいものです。下のような管理表をつくっておき、**毎月○日とか第○・△曜日などと決めて、定期的に在庫をチェック**します。

あらかじめ、品目ごとに在庫の最低量の目安を決めておき、目安を下回ったものは購入するか、業者に注文するなどして補充していきます。

1ヵ月に数回程度チェック・補充する 「消耗品管理表」

消耗品管理表

品名	在庫目安	4/1 在庫	4/1 補充	4/15 在庫	4/15 補充	5/1 在庫	5/1 補充	5/15 在庫	補
ボールペン（黒）	10本	8	2	10	0	7	3		
ボールペン（赤）	5本	2	3	4	1	3	2		

消耗品の購入や業者への発注に際しては、コスト意識を持って、**できるだけ安く、かつ一定以上の品質のものを選びます**。

安いほどよいのは当然ですが、たとえばボールペンなどは安いほど書きにくいことがあります。使い勝手が悪くならない範囲で、より安価なものを選びましょう。

最近はオフィス用品を宅配してくれる業者も増えているので、上手に利用すれば一般の店舗で購入するより、コストを抑え、手間を省くことができます。

購入、リース、レンタルの どれが適するか検討する

OA機器などを借りるリース、レンタルのしくみ

コピー機などは、購入すると安いものでも数十万円かかります。こうした比較的高額のOA機器や備品の導入で利用できるのが、リースやレンタルという方法です。

リースとは、利用者が希望する機器などを、リース会社が購入して、ある程度の長期間、貸してくれるしくみです。利用者は購入代金を支払わない代わりに、月々の「リース料」を支払います。

業務用のOA機器や備品を扱う会社では、通常の販売の他、リースにも対応しているのがふつうです。

一方、レンタルも機器などを借りるしくみですが、比較的短期間、レンタル会社が所有する機器のなかから選んで借りるという違いがあります。

トータルで安いのは一括購入、初期費用が安いのはリース

そこで、OA機器などを導入する際には、購入（一括払いか分割払い）、リース、レンタルの4つの方法から選べることになります。

コスト面から見ると、トータルで最も安くなるのは一括払いでの購入です。導入にかかるコストには、導入時にかかる初期費用と、導入後の稼働でかかる維持費用があります。一括で購入すると、初期費用は高くなるものの、維持費用が最低限で済むので、トータルでは最も安くなります。分割で購入した場合は、これに利息の分が加わります。

一方、リースでは、初期費用がゼロ円で済む場合もある代わりに、毎月リース料を支払う必要があります。利用期間のトータルで合計すると、一般的に購入するよりも割高になります。

またレンタルは、たとえば年に数回レンタカーを使う必要があるなど、ごく短期間の利用に向いています。長期間の利用をすると、レンタル料の合計は非常に高いものになります。

MEMO **初期費用・維持費用**：初期費用は「イニシャルコスト」、維持費用は「ランニングコスト」ともいう。コストの話でよく出てくる用語なので覚えておこう。

■■■ メリット・デメリットを比較して検討する

コスト面以外でも、**一括購入をすると機器などが会社の所有になるというメリット**があります。改造や設置方法の変更などが自由にできますし、売却することも可能です。

それに対してリースには、**基本的にリース料の支払いだけで、機器などが手軽に利用できるメリット**があります。リース会社と保守契約を結んでおけば、定期的なメンテナンスや故障時の修理などにも対応してくれるので、管理の手間は非常に少なくて済むはずです。

下表に4つの導入方法のメリット・デメリット、適するケースなどをまとめておきました。ＯＡ機器の導入などに際しては、これらを比較して検討するとよいでしょう。

購入、リース、レンタルのメリット・デメリット

	メリット	デメリット	適するケース
購入（一括払い）	・会社の所有になる ・トータルでのコストが最も安い	・多額の初期費用がかかる ・保証期間を過ぎると維持費用全額を負担	・会社の所有にしたい ・トータルでのコストを最も低く抑えたい
購入（分割払い）	・多額の初期費用がかからない ・トータルでのコストが比較的安い	・利息がつく分、コストが割高になる ・支払完了まで所有権が信販会社にある	・初期費用を低く抑えたい ・トータルでのコストをできるだけ低く抑えたい
リース	・初期費用が最も安い ・保守契約をつければ別途メンテナンス費用などはかからない ・希望する機器が導入できる	・原則、会社の所有にならない ・中途解約などには違約金が発生することがある ・トータルでのコストは高くなる	・初期費用を低く抑えたい ・メンテナンスなどの手間とコストを抑えたい
レンタル	・短期間の利用ならコストは安い ・借りる手続きが簡単	・長期間利用するとコストは最も高くなる ・レンタル会社所有のなかからしか選べない	・年に数回など利用頻度が低い ・機種や車種などにこだわらない

ＭＥ/ＭＯ **保守契約**：リース契約とは別に任意で契約する。たとえばコピー機の「カウンター保守」契約では、カウンター料金を支払うだけでメンテナンス、修理、トナーの交換などが行われる。

貸与か、通話料の精算かを比較・検討して決める

会社で支給すれば経費の処理は簡単

携帯電話は、いまやビジネスの必需品です。仕事で携帯電話を使うには、会社で用意（リース、レンタル）して社員に支給する他、社員の了解を得たうえで、私物の携帯電話を仕事に使ってもらう方法があります。

その場合、**仕事に使った分の通話料などは、通話履歴などをもとに社員に申告してもらい、交通費などと同様に精算して会社が負担**します。

一方、会社で支給する場合は、貸与という形をとるので精算などの手間はありません。

反面、会社が負担する費用は割高になるのが一般的ですが、最近では格安プランが登場しているため、プラン変更なども選択肢の1つでしょう。

私物を使ってもらえば費用は抑えられる

私物の携帯電話を使った場合、会社の負担は通話料だけになるので、費用は低く抑えられます。**公私分計サービスなどを利用**すれば、精算の手間も省けるでしょう。

私物の携帯電話を使った場合の最大の問題点は、**情報流出のリスクが高くなる**ことです。会社が貸与した場合でも、社外に持ち出す以上は情報流出のリスクがありますが、私物の電話に会社や取引先の情報、通話履歴やメールを残すことは、リスクを格段に高めます。

仕事に使う携帯電話については、以上のようなメリット・デメリットをよく比較・検討し、社員の意見や希望も聞いたうえで、貸与するか、私物を使ってもらうかを判断する必要があります。

MEMO **フィッシング詐欺**：インターネットを悪用して個人情報を盗みとる詐欺。有名企業などの名をかたったメールを送り、偽装URLに誘導して個人情報を入力させる手口が代表的。

貸与・通話料精算のメリット・デメリット

メリット		デメリット
経費にすることが簡単になる	← 貸与 →	端末や基本料金の費用がかかる
通話料の負担だけで費用が低く抑えられる	← 通話料精算 →	会社や取引先の情報が流出するリスクが高い

■■ 使用者に情報の管理を徹底させる

　そこで、貸与する場合でも、私物を使う場合でも、仕事に使う携帯電話の最大のポイントは、情報の管理になります。

> ・貸与、私物を問わず、携帯電話にはパスワードロックをかける
> ・定期的に通話履歴やメールを削除する
> ・スマートフォンではパソコン同様のセキュリティ対策をする

　パスワードロックは当然ですが、SIMカードのロックも必要です。万一盗み見られた場合のために、定期的な通話履歴やメールの削除も有効です。

　またスマートフォンでは、ウイルスやフィッシング詐欺のリスクもあるので、**ウイルス対策ソフトや社員への注意喚起など、パソコンと同様の対策が必要**になります。

Check!
私物の携帯電話を使うなら公私分計サービスが便利！

社員の私物の携帯電話を使う場合は、仕事上の通話料金を精算するために、公私分計サービスを利用できます。1台の携帯電話に2つの電話番号を割り当てて通話料を分けるタイプや、発信する電話番号の前に特別な数ケタの番号をつけて分けるタイプなどがあり、仕事上の発信と私用の発信を分けてくれるサービスです。いずれの方法でも、仕事用の発信分は会社に請求が来ます。

MEMO **SIMカード：** 契約者の識別番号や電話番号などの基本的な情報が記録されたICカード。これがロックされることで、セキュリティがより強固になる。

49

総務

労務

経理

事故防止のため
安全を最優先して管理する

■業務で自動車を使用するのはリスクがある

　業務のために自動車を使用することは大きなリスクがともないます。社用車を管理する第一のポイントは、このことを関係者全員が自覚することです。

　万が一、交通事故を起こせば、その社員と会社は重大な責任を負います。その対応のための時間とコストもさることながら、最悪の場合、人命に関わることを、管理する側も運転する社員も深く自覚しなければなりません。

　そのうえで、安全を最優先して、社用車を使用するルールと体制をきちんと整えます。

■運転する社員と使用方法の管理も重要

　社用車の管理というと、車両の管理に目が行きがちですが、運転する社員と、使用方法（管理規程）にも同じくらいの注意を払います。

　具体的には、車両については車両管理台帳を作成して管理するのが一般的ですが、運転者に対しては運転日報などの記入を義務づけます。また使用方法については、社用車管理規程を作成してルールをはっきりさせ、関係者に周知徹底することです。

車両管理台帳の例

車両管理台帳

車両番号	品川 300　さ○○-○○	車名	トヨタクラウン	型式	GRS-○○○○
車体番号	GRS-○○○-○○	種別	○○○○	排気量	○○○　CC
購入先 （リース先）	○○○　○○店 03（○○○○）○○○○	購入日 購入価格	○　年　○　月　○　日 ○○○円		
自動車	有効期間			依頼先	

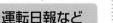

社用車の安全管理

車両の管理

- 保険、車検などの管理と記録
- 定期点検の実施と記録
- 使用前の点検徹底 など

↓

車両管理台帳

使用者の管理

- 安全第一の社内教育
- 運転者の健康チェック
- 運転者、使用日時、行先、走行距離の記録 など

↓

運転日報など

使用方法の管理

- 管理責任者、運転者の遵守事項
- 社用車使用の申告と許可のルール など

↓

社用車管理規程

■ 万一の場合に備えて各種保険に加入する

　このような安全管理を万全にしたうえで、万一の場合の備えも必要です。

　必ず加入する自賠責保険（自動車損害賠償責任保険）だけでは、万一の場合の補償には不充分なので、**より補償範囲の広い任意保険にも加入**しておきます。

　最近は、自転車の事故でも多額の賠償を命じられるケースが多発していますから、**業務で自転車を使用している場合も保険が必要**です。個人が加入する個人賠償責任保険は、業務中の事故では補償されないので、会社として施設賠償責任保険に加入しておくようにします。

　なお、マイカー通勤や自転車通勤を認めている場合、通勤途中の事故に関しては個人の保険による補償がありません。

　個人所有の自動車・自転車ともに、社用の自動車・自転車と同様の保険を掛けておくことが必要です。

Check!

管理規程などはネットの情報を参考に作成

車両管理台帳や運転日報、社用車管理規程などは、社用車を保有する会社ならどこでも必要なものなので、インターネットで検索するといろいろなひな型や実例を見ることができます。それらを参考に、自社に合ったものを作成するとよいでしょう。すでに使用中のものがあっても、ひな型などと比べて、過不足がないかチェックしてみるのもよいことです。

MEMO **施設賠償責任保険**：施設の管理、仕事の遂行などにともなう事故の損害賠償金を補償する保険。自転車事故の他、さまざまな施設の障害により人にケガを負わせた場合などに補償される。

営業の情報や個人情報の管理に注意する

■■ 総務・労務・経理の仕事として情報を管理する

　総務・労務・経理の仕事では、社員の個人情報や取引先の情報、営業上の情報などが大量に集まります。情報の漏洩を防ぎ、安全に管理することも大事な仕事です。

　本来は会社として、情報セキュリティポリシーを定め、社内規程なども作成することが必要です。しかし小さな会社では、そこまで手が回らないことも多いでしょう。

　規程づくりはおいおい進めていくとして、まずは、総務・労務・経理の仕事としてできることをしましょう。

■■ 総務・労務・経理の情報保護対策のルールをつくる

　右図にあげたのは、独立行政法人情報処理推進機構セキュリティセンターが、会社の仕事をするうえで、情報漏洩を起こさないための心がまえを7つにまとめたものです。

　これを見ると、どんな場合に情報漏洩が起きるのか、よくわかります。この7つのポイントから、情報漏洩を防ぐための総務・労務・経理の仕事のルールをつくりましょう。

　たとえば、USBメモリーは持込みも使用も禁止、席を立つときは机上に書類を置かない、などのルールです。

　またコロナ禍以降は自宅で仕事をする機会が増え、情報漏洩の危険はさらに上がっています。それに対応する機密書類を取り扱うルールの新設が急務です。

■■ 情報保護対策のルールを社内に広げる

　個人情報の漏洩が起きると、会社は個人情報保護法違反（☞次項参照）に問われることがあります。取引先の情報などが漏洩すると、相手は当社

ME
MO 　**情報セキュリティポリシー**：会社が行う情報セキュリティ対策の方針や行動指針を定めたもの。セキュリティを確保するための社内ルールや、社内の体制などを定める。

情報漏洩対策の7つのポイント

①企業（組織）の情報資産を許可なく**持ち出さない**

②企業（組織）の情報資産を未対策のまま目の届かない所に**放置しない**

③企業（組織）の情報資産を未対策のまま**廃棄しない**

④私物（私用）の機器類（パソコンや電子媒体）やプログラム等のデータを許可なく企業（組織）に**持ち込まない**

⑤個人に割り当てられた権限を許可なく他の人に**貸与または譲渡しない**

⑥業務上知り得た情報を許可なく**公言しない**

⑦情報漏洩を起こしたら自分で判断せずに、**まず報告**

（独立行政法人情報処理推進機構セキュリティセンター「情報漏えい対策のしおり」より引用）

に損害賠償を請求してくるケースもあります。顧客名簿などが流出すると、確実に営業上の損害が発生するでしょう。

そのようなことにならないよう、社員にも情報漏洩対策を広げましょう。

小さな会社では社内研修までは無理としても、勉強会などを開いて、情報漏洩対策のルールを社内に広める方法があります。

そのうえで、**情報漏洩の禁止を明記した規程を作成したり、入社時に情報漏洩をしない旨の誓約書を提出させる**のも効果的です。

法的な効力もさることながら、社員に情報漏洩対策の重要性に気づいてもらうことができます。社員は日常の仕事のなかでも、情報の管理に注意するようになるはずです。

Check!

パソコンのセキュリティ対策は？

Windowsなどを自動更新にして、常に最新の状態にしましょう。脆弱性をつくコンピュータウイルスの攻撃を防ぐことができます。ウイルス対策として、セキュリティソフトをインストールして自動更新にしておくことも大切です。心当たりのないメールや添付ファイルは開かないようにしましょう。その他、仕事に関係のないアプリケーションソフトをインストールしない、関係のないサイトを閲覧しないことなども重要です。

MEMO 脆弱性：プログラムの設計上のミスなどが原因でできる、情報セキュリティ上の弱点。ウイルスなどはこれをつく。最新の更新プログラムにより修正できる。

取得から利用・廃棄まで責任を持って管理する

■ マイナンバーは、より厳重な情報保護が必要

　マイナンバー（個人番号）は、最も重要な個人情報の1つです。この制度は「社会保障・税番号制度」といい、その名のとおり、社員の社会保険や税金の手続きでマイナンバーの記載が必要になることがあります。

　そのためには、社員のマイナンバーを会社に提出してもらう（取得する）必要があります。それを書類に記入（利用）し、官公庁に提出（提供）することになります。また、次に使うときまで厳重に保管（保存）し、社員の退職などで不要になったら処分（廃棄・削除）しなければなりません。

　ただし、マイナンバーは個人情報保護法とは別にマイナンバー法（行政手続における特定の個人を識別するための番号の利用等に関する法律）が制定され、より厳重な個人情報保護が規定されています。

　たとえば、マイナンバーを定められた目的以外で利用することは認められません。会社が社員番号代わりに利用することなどはできないのです。

■ マイナンバーの具体的な安全管理措置とは

　また、会社がマイナンバーを適切に取り扱えるように、個人情報保護委員会によるガイドライン「特定個人情報の適正な取扱いに関するガイドライン（事業者編）」が定められ、マイナンバーの取得から利用・廃棄に至るまで、取扱いや制限の具体的な指針が示されています。

　たとえば取得の際は、マイナンバーカードなどで番号を確認し、同時に本人確認書類による身元確認も必要です。

　さらにガイドラインでは、マイナンバーの安全管理措置として、基本方針や取扱規程を定めたうえで、組織的・人的・物理的・技術的安全管理措置をとることとされ、具体的な例示があります。

　たとえばマイナンバーを記載した書類は、鍵のかかるキャビネットなどで保管しなければなりません。その他、例をあげると右下の図のとおりです。

MEMO　**個人情報保護法：**「個人情報の保護に関する法律」。公的機関も含めた基本理念などの他、民間の個人情報取扱事業者の義務、罰則などを定めている。

マイナンバー管理の注意点

	注意点
取　得	・社員にマイナンバーの**利用目的を通知**する ・マイナンバーカードや住民票の写しなどで**番号確認**を行う ・マイナンバーカードの実物以外で確認する場合は、運転免許証などの本人確認書類で社員の**身元確認**を行う（扶養家族の身元確認は社員が行う）
利　用	・社会保険、税務、災害関連の行政手続き以外の目的では利用できない
保　存	・安全管理措置を講じる
提　供	・社員に無断で第三者に提供しない
廃棄削除	・必要がなくなったときは速やかに廃棄・削除する（法定保存期間がある書類は保存期間まで保存） ・安全管理措置を講じる

マイナンバーの安全管理措置の例

	安全管理措置の例
組織的 安全管理措置	・担当者と担当者の役割を明確にする ・マイナンバーの取扱い状況がわかる記録を保存する　など
人的 安全管理措置	・担当者はマイナンバーの取扱いについて定期的な研修などを受ける ・マイナンバーの秘密保持について就業規則（⊂〒P74参照）に盛り込む　など
物理的 安全管理措置	・間仕切りなどで担当者以外がマイナンバーを見られないようにする ・書類や記録媒体は施錠ができるキャビネットなどに保管する ・パソコンはセキュリティワイヤーなどで固定する ・書類を廃棄する場合はシュレッダーなどで復元不可能にする ・電子データは専用ソフトなど復元不可能な方法で削除する　など
技術的 安全管理措置	・マイナンバーを取り扱うパソコンなどを限定する ・ユーザーIDなどにより使用できる者を担当者に限定する ・ファイアウォールなどで外部からの不正アクセスを防ぐ　など

総務

労務

経理

健康診断などで
社員の心身の健康を守る

■■心の健康づくり＝メンタルヘルスケアも重要

　社員の心身の健康を守るのは、労務に属する大切な仕事です。定期健康診断の実施はもちろんですが、近年、重視されているものに、メンタルヘルスケアがあります。

　メンタルヘルスケアとは、うつ病などメンタル面の不調に対して支援をすること、そのしくみを社内につくることです。

メンタルヘルスケアの4つのケア

①セルフケア	・ストレスやメンタルヘルスケアに対する正しい理解、ストレスへの気づき、対処
②ラインによるケア	・職場環境等の把握と改善、本人からの相談への対応、休業や職場復帰に対する支援など
③事業場内産業保健スタッフ等によるケア	・具体的なメンタルヘルスケアの実施に関する企画 ・社内の衛生管理者等とネットワークを形成する　など
④事業場外資源によるケア	・情報提供や助言などサービスの提供 ・社外の専門家とネットワークをつくり窓口になる　など

部下のメンタル面の不調を発見するには

「いつもと違う」部下の様子

- □遅刻、早退、欠勤が増える
- □休みの連絡がない（無断欠勤がある）
- □残業、休日出勤が不釣合いに増える
- □仕事の能率が悪くなる。思考力・判断力が低下する
- □業務の結果がなかなか出てこない
- □報告や相談、職場での会話がなくなる（あるいはその逆）
- □表情に活気がなく、動作にも元気がない（あるいはその逆）
- □不自然な言動が目立つ
- □ミスや事故が目立つ
- □服装が乱れたり、衣服が不潔であったりする

厚生労働省パンフレット「職場における心の健康づくり」より引用

メンタルヘルスケアでは、左表の4つのケアが重要とされていますが、小さな会社では③と④のケアは難しいでしょう。本人によるセルフケアと上司によるケア（ラインによるケア）が中心になります。

ラインによるケアでは、部下の不調に気づくことが第一とされます。左下の図は、厚生労働省のパンフレットによるメンタルヘルスの不調の徴候です。上司や経営者に伝えるとともに、労務の担当者も、社員にこのような徴候が出ていないか、気を配ってあげてください。

■■社員の健康診断は法律で義務づけられている

会社は、**常時使用する社員に対して、定期健康診断を実施する**よう法律で定められています。一定の条件を満たすパートタイマー（短時間労働者）も対象です。健康診断の項目も、法律に定められています。

また、社員の雇入れ（採用）時に健康診断を行うことが法律で定められています。ただ、新入社員の場合、入社前に自分で健康診断を受けているときは、入社後の健康診断を省くことができます。

健康診断実施後は、**健康診断個人票を作成して5年間保存する**こと、異常の所見があった場合は医師の意見を聞くこと、必要なら配置転換や勤務時間短縮などの措置をすること、健康診断の結果は本人に通知することなども法律に定められた事項なので、確実に実施します。

定期健康診断の主な項目

① 既往歴および業務歴の調査
② 自覚症状および他覚症状の有無の検査
③ 身長、体重、腹囲、視力および聴力の検査
④ 胸部エックス線検査、および喀痰検査
⑤ 血圧の測定
⑥ 貧血検査（血色素量および赤血球数）
⑦ 肝機能検査（GOT、GPT、γ-GTP）
⑧ 血中脂質検査
　（LDLコレステロール、HDLコレステロール、血清トリグリセライド）
⑨ 血糖検査
⑩ 尿検査（尿中の糖および蛋白の有無の検査）
⑪ 心電図検査

MEMO **健康診断個人票：**上記の診断項目の数値や、診断の結果、医師の意見などを、社員ごとに毎回、記録していく書類。労働局のホームページなどでダウンロードできる。

会社として加入が必要な社会保険のしくみを知っておく

社会保険は国が定めた社会保障制度

　労務の仕事のなかでも、社会保険に関する事務は大きな比重を占めます。そもそも社会保険とはどんなものかを知っておきましょう。

　社会保険は、国が定めた社会保障制度の1つです。病気やケガ、失業、高齢、介護といったさまざまなリスクに備えて、イザというときに生活を支えるための各種給付を行う、公的なしくみです。

　一般に、総務・労務・経理の担当者が「社会保険」というときは、「健康保険」と「介護保険」、それに「厚生年金保険」を指します。これらは「狭義の社会保険」です。

　また、雇用保険と労災保険（労働者災害補償保険）の2つをあわせて「労働保険」と呼びますが、この労働保険も社会保険に含む場合があり、これを「広義の社会保険」といいます。

狭義の社会保険はどんなものか

　会社勤めの人とその家族は、一般に「健康保険」と書かれた保険証を持っているものですが、この健康保険とは、医療保険のうち、健康保険法に基づく「健康保険組合（通称、健保組合）」と「全国健康保険協会（通称、協会けんぽ）」を指します。大ざっぱにいって、大企業の社員と家族は健保組合に加入し、中小企業の社員と家族は協会けんぽに加入すると考えればよいでしょう。

　また介護保険とは、高齢者など介護が必要になった人を支える公的保険制度で、40歳以上の人はすべて加入が義務づけられています。

　そして厚生年金保険は、会社員や公務員が加入する公的年金制度です。

MEMO　**健康保険組合：**一定規模の大会社などが、健康保険法に基づき、国の認可を受けて自前で設立し、健康保険の業務を行う組織で、社員とその家族が加入する。

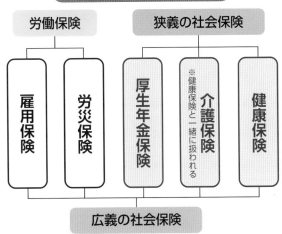

社会保険の種類

労働保険 ／ 狭義の社会保険

雇用保険　労災保険　厚生年金保険　介護保険 ※健康保険と一緒に扱われる　健康保険

広義の社会保険

■ 社会保険の加入対象となる人

　狭義の社会保険は、会社が必ず加入しなければなりません。

　加入対象となるのは下表のとおりで、パートなどの短時間労働者も、一定の労働時間を満たすなど条件にあてはまる人は必ず加入します。

　また**保険料は、会社と加入者本人が折半して負担**します。本人が負担する分の保険料は、会社が給与から天引きして徴収し、納付します。

　ただし、介護保険は加入対象でない40歳未満の人と、保険料が年金から徴収される65歳以上の人については、会社が徴収する必要はありません。

社会保険（狭義）の加入対象になる人

	社会保険		
	健康保険	介護保険	厚生年金保険
加入の必要がある人	正社員、役員		
	週の所定労働時間（☞次ページ参照）、および月の所定労働日数が、正社員の4分の3以上の人※		
保険料の徴収	74歳まで	40歳〜64歳まで	70歳まで
保険料の負担	会社と本人が折半		

※従業員51人以上の企業の場合は、①週20時間以上で、②月額賃金8.8万円以上で、③契約期間2ヵ月超で、④学生（夜間学生などを除く）でない人が対象（☞P 289参照）

総務

労務

経理

MEMO　**全国健康保険協会（協会けんぽ）**：健康保険組合を持たない会社の社員とその家族が加入する健康保険。

社員を雇う際に必要な
労働保険のしくみを知っておく

■■ 社員は雇用保険・労災保険に加入する

　雇用保険と労災保険（労働者災害補償保険）をあわせて、労働保険といいます。

　雇用保険は、失業の他、求職の期間、雇用中の育児・介護などに関する保障をする保険です。下表のような労働時間で働く人が対象になります。パート、アルバイトなど、雇用形態は問いません。

　労災保険では、業務上と通勤中のケガや病気、それによる障害や死亡に関する補償が受けられます。対象は、すべての社員です。アルバイトを1人採用しただけでも、会社として労災保険に加入しなければなりません。

　業務に原因がある病気や、業務中・通勤中のケガについては、健康保険を使うことはできません。必ず、労災保険で受診します。

■■ 社長などの役員は原則、労働保険に加入できない

　労働保険は社員のためのものなので、原則として役員は対象になりません。ただし「取締役○○部長」などの役職名を持つ「兼務役員」は雇用保

労働保険の加入対象になる人

	労働保険	
	雇用保険	労災保険
加入の必要がある人	① 1週間の所定労働時間が20時間以上で、 ② 31日以上雇用される見込みの、社員、パート、アルバイト、契約社員（学生を除く）	社員全員 （パート、アルバイト、契約社員を含む）
加入できない人	役員（一部例外あり）	役員（原則として加入できない、ただし「特別加入」制度あり）
保険料の負担	概ね会社が2/3、本人が1/3負担※	会社が全額負担

※農村水産、清酒製造では負担の割合が異なる

MEMO **所定労働時間**：会社が就業規則などで決めた労働時間。通常、労働基準法第32条に規定されている労働時間の上限（法定労働時間）に準じる（⇒P 67 参照）。

険に加入できる場合があります。また労災保険には、現場に出て社員と全く同じ労働をしている社長など、要件を満たした場合に役員の加入を認める「特別加入」制度があります。

ただし、いずれの場合も加入には一定の要件があるので、社会保険労務士などのプロに相談したほうがよいでしょう。

■■■労働保険の給付は失業や治療だけではない

雇用保険は失業給付のイメージが強いですが、下表のように雇用中の社員でも受けられる給付があります。

また、労災保険はケガや病気に対する治療（療養給付）だけと思われているかもしれませんが、障害が残った場合や死亡した場合の遺族に対する給付もあります。

雇用保険・労災保険の主な給付

雇用保険	高年齢者雇用継続給付	60歳以上65歳未満の人が、60歳時点と比べて賃金が75％未満に下がったときに受け取れる。被保険者であった期間が5年以上あることが条件
	育児休業給付	育児休業で、賃金の80％以上が支払われないときに受け取れる
	介護休業給付	介護休業で、賃金の80％以上が支払われないときに受け取れる
労災保険	休業（補償）給付	業務上の傷病の療養のために労働することができず、賃金が支払われないときに第4日目から受け取れる
	障害（補償）給付	業務上の傷病が治ったあとに、一定の障害が残ったときに受け取れる
	遺族（補償）給付	業務上の傷病により死亡したときに、遺族が受け取れる

Check!

労災保険は事業所ごとに加入する

健康保険や雇用保険は社員1人ずつ加入手続きをしますが、労災保険は社員1人ずつの手続きは行いません。事業所として加入すると、そこで働くすべての社員が労災保険の対象になるしくみです。このしくみのため、たとえ1日だけのアルバイトの人がケガなどをしても、労災保険の給付が受けられます。

法定と法定外の2種類の福利厚生がある

■■社会保険料の会社負担は法定福利厚生

　社会保険料のかなりの部分を会社が負担するのは、社員の負担を少なくして働きやすい環境にするためです。社員のモチベーションを上げ、優秀な人材を確保し、定着してもらうことが目的です。

　こうした、社員の利益になるような制度・施策を福利厚生といいます。**社会保険料の会社負担は、法律に定められた、法定の福利厚生**です。

　法定福利厚生としては、この他に子ども・子育て拠出金の全額会社負担があります。子ども・子育て拠出金とは、国や地方自治体の子ども・子育て支援のために、企業などが納付を求められる拠出金で、健康保険や厚生年金保険料とあわせて納めます。

　拠出額は、社員の月給をベースにした標準報酬月額（ P 174 参照）をもとに計算されますが、社員の金銭的負担はなく、全額が会社負担です。

■■法定外福利厚生にはどんなものがあるか

　法定の福利厚生に対して、法定外の福利厚生もあります。たとえば、**会社が独自に支給している家族手当・住宅手当といった手当、慶弔見舞金、**

法定外の福利厚生の例

- 家族手当の支給、住宅手当の支給、借上げ社宅の提供、寮の提供
- 住宅ローンの補助、慶弔見舞金制度、食事代補助、社員旅行の実施
- 人間ドックの費用補助、フィットネスクラブの会費補助
- 通信教育の受講料補助、資格取得の受験料補助、講座やセミナーの参加費補助
- 法定以上の有給休暇、法定以上の育児・介護休暇、アニバーサリー休暇
- 確定拠出年金、企業年金、財形貯蓄制度

MEMO **子ども・子育て拠出金**：社会保険料とともに納付する、児童手当の財源となる拠出金。各社員の標準報酬月額の合計から計算され、率は毎年改定される。2024年度は0.36%。

社員旅行の費用負担などは法定外の福利厚生です。

　金銭的な支給以外でも、たとえば法定以上の休暇を認めるといった規程も福利厚生になります。その他、小さな会社でよく採用されている福利厚生は左図のようなものです。

　また、小さな会社でよく定められている慶弔見舞金としては、次のようなものがあります。

福利厚生として贈る慶弔見舞金の例

- **結婚祝い金**……社員が結婚したとき
- **死亡弔慰金**……社員やその家族が死亡したとき
- **出産祝い金**……社員やその配偶者が出産したとき
- **入学祝い金**……社員の子どもが入学したとき

■■福利厚生費は経費で落とせる

　ここにあげた福利厚生や慶弔見舞金の例については、すでに自社で行っているものも多いと思います。その場合でも、適切な福利厚生を行っているか、一度見直してみるとよいでしょう。

　福利厚生のための支出は、経費として落とせますが、福利厚生の経費にあてられる額には限りがあるはずです。社員のニーズに合った福利厚生になっているか、費用対効果はどうか、見直してみましょう。

　もし、新しくつくったり、廃止したほうがよいものがあれば、経営者に提案し、実施するのも労務の仕事です。

総務

労務

経理

Check!

法定外の福利厚生には、給与になるものもある！

法定外福利厚生のなかには税務上、福利厚生とみなされず、社員の給与とされてしまうものがあるので要注意です。たとえば1ヵ月あたり3,500円を超える食事代補助や、4泊5日を超える社員旅行などは、給与とみなされます。給与とされると、社員が納める税金も増え、手取りが減ってしまいます。

MEMO　財形貯蓄：社員の給与から一定額を天引きして、会社が契約した銀行に預金する制度。一般財形貯蓄の他、財形住宅、財形年金は一定額まで利息が非課税になる。

労働時間、休日、残業などの ルールを知っておく

働き方のルールは法律に定められている

社員に働いてもらう「働き方」のルールは、法律で細かく定められています。会社はそのルールの範囲内で、会社として社員に働いてもらう働き方を決め、ルールを守っていかなければなりません。

法律に定められたルールは、**労働時間から休日・休暇、残業時間や残業の割増賃金に至るまで、多岐に渡ります**。会社は、そのすべてのルールを守ることが必要です。

労務の基本として、働き方のルールはしっかり知っておきましょう。

労働時間や休日・休暇などのルールがある

働き方のルールは、主に労働基準法で定められています。

労働基準法は右図のように、1日8時間・週40時間を法定労働時間と定め、その間の休憩や、週1日の法定休日などを定めた法律です。

具体的には次項から順に見ていきますが、なかには振替休日と代休の違いなど、給与計算に影響する事項もあります。次項から説明する内容は最低限、知っておく必要があります。

とくに近年は、働き方改革によってルールが厳しく改正される傾向にあります。時季を指定した年次有給休暇を5日以上、社員にとってもらう義務が会社に課せられたり、そもそもの時間外労働の上限が設けられたりといった改正です。

これらのルールを守らないと、会社は法律違反に問われ、罰則を課されることもあるので最大限の注意を払う必要があります。

MEMO **労働基準法**：労働条件に関する最低限の基準を定めた法律。労働基準法違反を労働基準監督署に通報されると、立入り調査や指導勧告、刑事告訴される場合もある。

法律に定められた主な働き方のルール

労働時間、休憩、休日 （⇨P66、68）
→1日8時間・週40時間までの法定労働時間、45分または1時間の休憩、週1日の法定休日　など

振替休日、代休 （⇨P68）
→週1日の法定休日、法定休日出勤の割増賃金、振替休日と代休の定め　など

年次有給休暇 （⇨P70）
→一定の社員に対する10日以上の有給休暇、年5日の時季を指定した有給休暇の取得　など

変形労働時間制、みなし労働時間制など （⇨P72）
→労働時間が1日8時間・週40時間を超える場合の条件、フレックスタイム制　など

就業規則 （⇨P74）
→就業規則の記載事項、社員10人以上の会社の提出の義務づけ　など

時間外労働、三六協定、割増賃金 （⇨P76、78）
→時間外労働の上限、三六協定の締結・届出、割増賃金の支払い　など

総務
労務
経理

■ よい制度を知って経営者に提案してみる

　働き方のルールには、変形労働時間制など例外を定めたものもあります。たとえば一定の条件のもとで、1日8時間・週40時間を超えて働けるというものです。

　会社に合った制度を採用すると、会社の経営にとっても、社員の健康な生活のためにもよい場合があります。そうした制度があったら、経営者に提案してみるのもよいことです。

Check!

働き方のルールはときどき変わる

働き方改革によるルールの厳格化など、労働基準法などの労働関係の法規はときどき改正があります。一度、内容を押さえたからそれでよしとせず、新しい改正がないか、常に注意を払いましょう。なかには、就業規則の変更が必要になる場合もあります（⇨P 74参照）。

法律で定められた労働時間のルールを守る

■■■ 1日8時間、週40時間が法定労働時間

　日常の仕事として、社員の健康を守るために、また会社が法律違反に問われないようにするためにも、労働時間のルールを知っておきましょう。

　労働基準法では労働時間の限度を定めており、法定労働時間と呼ばれています。**法定労働時間は、原則として1日8時間、1週間で40時間です。**会社は原則として、この時間を超えて社員に労働させてはなりません。

　また、労働時間の途中に休憩時間を確保することも定められています。1日の労働時間が**6時間を超える場合は45分以上、8時間を超える場合は1時間以上の休憩時間が必要**です。

　この休憩時間は、たとえば12時〜13時というように時間を決めて、職場ごとに一斉にとることが原則とされています。

労働時間・休憩の原則

労働時間	休憩時間
・1日8時間（上限） ・1週間40時間（上限）	・労働時間6時間超だと45分以上 ・労働時間8時間超は1時間以上 ・職場ごとに一斉

■■■労働時間の例外が認められるケース

　ただし、業種や会社の事情に応じて、労働時間・休憩の原則には一部、例外も認められます。自社にあてはまらないか、チェックしてみましょう。

　まず労働時間については、 1週間で44時間の労働時間が認められる場合があります。原則プラス週4時間多く働くことができ、その分は時間外労働（  P 76参照）にもなりません。

　休憩についても、職場によっては全員が一斉に休むのが難しい場合があるでしょう。一斉の休憩でなくてよい業種が定められており、それ以外の業種でも労使協定を締結すると、社員はバラバラに休憩をとることができます。

　それぞれの例外は、下図のような要件を満たす場合に認められます。

労働時間・休憩の例外

労働時間	休憩時間
労働者数10人未満で、商店・理容、映画制作・興行、保健衛生、旅館・接客娯楽の事業	労使協定を締結するか、次の業種である場合。運輸交通業、商業、金融広告業、映画・演劇業、通信業、保健衛生業、接客娯楽業、官広署
↓	↓
•1日8時間（上限） •1週間44時間（上限）	•職場ごとに一斉でなくてよい

Check!

会社が決めるのは所定労働時間

法定労働時間に従って、会社はたとえば8時30分始業、12時から午後1時まで休憩、午後5時30分終業というように、就業規則などで定めます。これを、法定労働時間に対して所定労働時間（ P 60参照）といいます。法定労働時間を超えなければ、たとえば1日7.5時間を所定労働時間として定め、法定外の福利厚生を与えてもOKです。

MEMO　**労使協定**：労働者と使用者（会社）の間で、書面で締結された労働条件に関する協定。

法定休日と法定外休日、振替休日、代休の違い

■■ 週1日は法定休日、それ以上は法定外休日

　労働基準法には休日の定めもあります。**休日は最低でも週に1日、または4週間を通して4日以上与えることが原則**です。これを法定休日といいます。なお、労働基準法上の1日とは、午前0時から午後12時まで（暦日という。こよみのうえでの1日）の24時間です。

　ただ、休日を暦日でとるのが難しい仕事もあります。早番や遅番、夜勤などのシフトで規則的に交代している場合は、例外として24時間の休息で休日扱いとすることができます。

　週休2日の場合、1日は法定休日ですが、もう1日は法定外休日です（所定休日ともいう）。法定外休日は会社が就業規則などで定めて社員に与えている休日です。土日が休みの会社は、通常、日曜を法定休日とし、土曜を法定外休日としています。ただし、労働基準法には休日について曜日の定めはなく、別の曜日を法定休日としても問題はありません。

　法定休日と法定外休日の違いは、労務の仕事にとっては重要です。法定休日に休日出勤すると、あとで説明する割増賃金を支払う必要がありますが（☞P78参照）、**法定外休日の休日出勤では割増賃金は発生しません**（週40時間を超えた分の割増賃金は必要）。

　給与の計算が違ってくるので、両者を混同しないように注意しましょう。

法定休日と法定外休日の違い

法定休日　(例)日曜日	法定外休日　(例)土曜日
→ 休日出勤で割増賃金を支払う	→ 休日出勤でも割増賃金は支払わない

※法定外休日出勤で週40時間を超えた場合は、超えた時間に割増賃金を支払う

■ 振替休日と代休では給与計算が違う

　もう1つ、休日について混同しやすいものに、振替休日と代休の違いがあります。

　振替休日とは、休日出勤をする場合に、あらかじめ別の日を休日として指定しておくものです。つまり休日の移動なので、法定休日の出勤であっても割増賃金は発生せず、通常の賃金を支払います。振替休日は休日なので、賃金の支払いは不要です。

　一方、**代休は、まず休日出勤があり、あとで代わりの休日を与える**というものです。法定休日の出勤だと、振替休日と違って割増賃金の支払いが必要になります。代休日は休日なので、賃金の支払いは不要です。

　このように、**振替休日と代休では社員の給与の計算が違ってくる**ので、休日をとる場合の会社のルールを決めなければなりません。

振替休日・代休の違い

振替休日　　(例)日曜日に出勤する代わりに同じ週の水曜日に休日を移動

→　日曜日（休日出勤日）➡**通常の賃金を支払う**
　　水曜日（振替休日）　➡**賃金の支払い不要**

※振替休日が週をまたぎ休日出勤日の週で週40時間を超えた場合は、超えた時間に割増賃金を支払う

代休　　(例)日曜日に出勤した代わりに同じ週の水曜日を休日に

→　日曜日（休日出勤日）➡**割増賃金を支払う**
　　水曜日（代休日）　　➡**賃金の支払い不要**

Check!

振替休日は休日出勤と同じ週にとりたい

振替休日を休日出勤した週にとらず、週をまたぐと、休日出勤した週は平日フルに出勤することになります。休日出勤した時間とあわせると、週40時間を超えて、割増賃金の支払いの対象になります。

総務

労務

経理

年次有給休暇の日数と
取得のしかたを知っておく

■■入社6ヵ月を過ぎたら10日間の年次有給休暇

　休暇にも法定休暇があります。労働基準法に定める**法定休暇は、年次有給休暇、産前・産後休暇、生理休暇**などです。

　なかでも最も基本的なのは、年次有給休暇でしょう。入社から6ヵ月間継続して勤務し、その間、全労働日の8割以上出勤した社員に対して、会社は**賃金が支払われる10日間の休暇を与えなければなりません。**

　これが年次有給休暇です。年次有給休暇の日数は、右表のように勤続年数に応じて増えます。また、労働日数と労働時間が短いパートやアルバイトについても、勤続年数に応じて、右の下表のような年次有給休暇を与える必要があります。

　なお、年次有給休暇以外の法定休暇、法定外休暇（所定休暇ともいう）については、無給でさしつかえありませんが、社員の福利厚生として一部を有給としている会社もあります。

■■年5日、時季を指定して取得させる義務がある

　会社は10日以上の年次有給休暇が付与されている社員に対して、本人が請求・取得した分と合わせて年5日、本人の希望を聞いたうえで時季を指定し、年次有給休暇を取得させる義務があります。

　それ以外の取得時季については、本人の選択が優先されるのが原則です。年次有給休暇の取得に対して欠勤の扱いにしたり、給与を減らすなど、不利益になる扱いはできません。

　年次有給休暇を買い上げて休暇日数を減らしたり、請求された日数を与えないのも法律違反になります。

　ただし、繁忙期に取得希望が集中するなど、事業の正常な運営を妨げる場合には、会社は社員の**年次有給休暇の取得時季を変更してもらうことができます**（時季変更権という）。

ME
MO
法定外休暇： 会社独自に定める休暇で、夏期休暇や年末年始休暇、慶弔休暇、永年勤続休暇、アニバーサリー休暇、リフレッシュ休暇、ボランティア休暇などがある。

年次有給休暇の付与日数

●通常の社員●

継続勤務 年数	6ヵ月	1年 6ヵ月	2年 6ヵ月	3年 6ヵ月	4年 6ヵ月	5年 6ヵ月	6年 6ヵ月以上
付与日数	10日	11日	12日	14日	16日	18日	20日

●パート、アルバイトなど●

（所定労働日数が週4日以下、週30時間未満勤務）

	週の 労働 日数	1年間 の労働 日数	継続勤務年数						
			6ヵ月	1年 6ヵ月	2年 6ヵ月	3年 6ヵ月	4年 6ヵ月	5年 6ヵ月	6年 6ヵ月以上
付与日数	4日	169日～ 216日	7日	8日	9日	10日	12日	13日	15日
	3日	121日～ 168日	5日	6日	6日	8日	9日	10日	11日
	2日	73日～ 120日	3日	4日	4日	5日	6日	6日	7日
	1日	48日～ 72日	1日	2日	2日	2日	3日	3日	3日

■■ 時間単位や、半日単位で取得できる

　年次有給休暇を、時間単位で取得できる制度もあります。労使協定を締結すると、**年次有給休暇について5日の範囲内で、時間を単位として与えることができる**というものです。子どもの保育園送迎、平日昼間にしかできない役所の手続きなどに活用できるでしょう。

　また、**半日単位の年次有給休暇の取得**もあります。こちらは、社員が希望し、会社が同意すれば、労使協定なしで実施できます。

　なお、年次有給休暇の権利には時効があります。

ME　**年次有給休暇の時効**：年次有給休暇の権利は、2年間で時効となって消滅する。今年度取得せず、
MO　来年度に繰り越した分の年次有給休暇の権利は、来年度末に消滅することになる。

業務の内容に合った
柔軟な働き方をしてもらう

■■変形労働時間制なら1日8時間超、週40時間超も可能

たとえば、月の前半は仕事が少なく、実質6時間くらいしか働いていないのに、後半は10時間働かないと仕事が終わらないという業務があった場合、前半は労働時間6時間、後半は10時間とできれば合理的です。

このような、労働基準法に定められた労働時間の、いわば変形を可能にするのが変形労働時間制です。下表のように特定の日に8時間超、特定の週に40時間超などの労働を可能にします。

あてはまる業務形態の会社は、導入を検討してはいかがでしょうか。ただし、就業規則への記載や、労使協定の締結と労働基準監督署への届出など、手続きが細かく定められているので、社会保険労務士などのプロに相談することをおすすめします。

期間ごとの変形労働時間制とは

		条件	変形の内容	就業規則	労使協定
変形労働時間制	1週間単位	労働者が30人未満の小売業、旅館、料理店、飲食店	週40時間の範囲で特定の日に10時間まで延長してよい	記載が必要	届出が必要
	1ヵ月単位	1ヵ月以内の労働時間の平均が週40時間	特定の日に8時間、特定の週に40時間を超えてよい	記載が必要	―
	1年単位	1ヵ月超1年以内の労働時間の平均が週40時間	特定の日に8時間、特定の週に40時間を超えてよい	記載が必要	届出が必要
フレックスタイム制		労働者が自分で毎日の始業時刻・終業時刻を決める。最長3ヵ月の清算期間で時間外労働時間や不足を清算する		記載が必要	必要。届出は不要

MEMO フレックスタイム制の清算：清算期間の労働時間が、あらかじめ定めた総労働時間より多ければ時間外労働とし、少なければ次期に繰り越したり、賃金を減額して清算する。

社員が**自分で始業時間・終業時間を決めるフレックスタイム制**も、変形労働時間制の1つです。フレックスタイム制では、必ず勤務する時間を会社がコアタイムとして指定することもできます。

■■決めた時間を労働時間とする、みなし労働時間制

変形労働時間制の他にも、労働時間の算定が難しい場合などに導入する、みなし労働時間制というものがあります。実際の労働時間に関係なく、**あらかじめ定めておいた時間を労働したとみなす**ものです。専門業務型と企画業務型は、とくに裁量労働制と呼ばれています。

外回りの営業職などを想定した、事業場外みなし労働時間制は、法定労働時間以内であれば届出不要で導入できますが、適切なみなし労働時間の設定などは難しいものです。やはり、プロに相談しましょう。

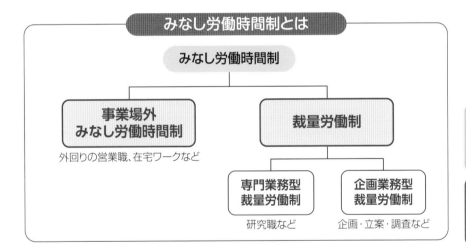

みなし労働時間制とは

みなし労働時間制

事業場外
みなし労働時間制
外回りの営業職、在宅ワークなど

裁量労働制

専門業務型
裁量労働制
研究職など

企画業務型
裁量労働制
企画・立案・調査など

Check!

在宅ワークは事業場外みなし労働時間制を活用

コロナ禍をきっかけに増えた在宅ワーク。勤務時間の把握が難しい側面があります。多くの企業では、事業場外みなし労働時間制を活用し、1日の所定労働時間働いたとみなしています。制度を採用する場合は、就業規則などで、対象業務や実施場所、労働時間の管理方法などを記しておくことが必要です。

総務

労務

経理

MEMO **フレックスタイム制の清算期間**：時間外労働や労働時間の過不足を計算して、清算するための期間。働き方改革により2019年から従来の1ヵ月が最長3ヵ月に延長された。

労働基準法などに基づいて 定めた職場のルール

■ 常時10人以上雇用している会社には届出義務がある

　就業規則とは、**社員みんなが守るべき職場のルールや労働条件を、労働基準法などの法律に基づいて会社が定めたもの**です。常時10人以上の社員を雇用している会社は、必ず就業規則を作成し、管轄の労働基準監督署に届け出ることが義務づけられています。

　社員とは、正社員、契約社員、パート、アルバイト、嘱託社員など雇用形態に関わらず、労働に対して給与が支払われる者を指します。常時10人未満の会社は義務化されていませんが、就業規則はつくっておいたほうがよいでしょう。労働基準監督署に届け出る際には、記載しなければならない項目として下表のものが定められています。

就業規則に記載しなければいけない項目

●絶対的必要記載事項 ➡ 必ず記載が必要

☐始業・終業時刻、休憩時間、休日、休暇
☐賃金（計算・支払方法、締切、支払時期、昇給に関する事項など）
☐退職（解雇を含む）に関する事項
☐育児・介護休業等に関する事項
☐パートや契約社員など正社員以外の社員に関する事項
☐残業代など諸手当の計算方法に関する事項

●相対的必要記載事項 ➡ 定めがある場合は必ず記載が必要

☐退職手当を定める場合は、それが適用される労働者の範囲、手当の決定、計算・
　支払方法、支払時期
☐臨時の賃金（賞与他）など
☐食費、作業用品などを負担させる定めについて
☐安全衛生に関する定めについて
☐職業訓練に関する定めについて
☐災害補償や業務外の疾病扶助に関する定めについて
☐表彰および制裁の定めについて
☐労働者すべてに適用されるルールを定めた場合は、そのことについて

●任意的記載事項 ➡ 会社が記載するかどうか決めてよい

☐服務規程、個人情報保護、守秘義務に関するものなど

■ 社員が自由に閲覧できる場所に常備する

　会社が作成した就業規則は、**社員の代表者の意見を聞いたうえで、意見書と署名をもらいます**。代表者は投票などで社員の過半数の同意を得た者です。会社側の意向で選んではならず、管理監督者も除外されます。

　労働基準監督署へ届け出る際は、就業規則と意見書に「就業規則（変更）届」という書類を添えて提出します。各2部ずつ用意し、1部は提出、1部は会社控えとして労働基準監督署の受付印を押してもらいます。

　就業規則は、社員に周知するため配布や掲示を行い、閲覧（えつらん）しやすい場所に常備しておきます。逆に、金庫に保管するなど、社員の閲覧の妨げになるような行為をしてはいけません。

■ 法令改正に準拠するように変更する

　就業規則を見直すケースで多いのが、**労働基準法などの法律が改正されたとき**です。法令改正があると、新たに定められた法令よりも社員に対して不利な規則は無効となります。

　とくに賃金に関する規程は、最低賃金法の遵守（じゅんしゅ）が義務づけられています。最低賃金額の上昇により、社員の給与が最低賃金額を下回ってしまう場合は、就業規則の賃金規程を変更しなければなりません。

　また、会社の経営状態が悪化したときなどは、現状の賃金の規程を変更し、社員の賃金を下げるケースがありますが、その場合も法令で定められた金額未満にすることはできません。

就業規則の作成・変更の流れ

①法律にのっとり総務で　草案をまとめる

②法律に抵触する部分を含めて　経営幹部がチェックする

③社員の過半数の代表者から意見聴取。意見書と署名をもらう

④管轄の労働基準監督署に届け出る

⑤労働基準監督署の受付印をもらったら、社員に配布・掲示、　閲覧できるように備え置く

総務

労務

経理

MEMO　**管理監督者**：労働基準法第41条により監督もしくは管理の地位にある者として労働時間、休憩、休日などに関する同法の適用を受けない者をいう。

時間外労働の原則を知っておこう

■■ 出退勤をタイムレコーダーなどで把握する

社員をムダに長時間働かせることは、社員の健康を損ない、会社には残業代の増加となってはね返ってきます。労働時間を適切に管理するためにも、**出退勤の時間を正確に把握し、記録を保存する勤怠管理**をしっかり行いましょう。この記録は、社員の給与計算や、人事考課をきちんと行うためにも重要です。

労働時間の記録には、タイムレコーダーや出勤簿を管理するソフトウェアなどを利用するのが一般的ですが、手書きの出勤簿でもかまいません。そのうえで、**労働時間数などが記載された賃金台帳**（⇨P 263参照）と**ともに5年間保存する**（⇨P 39参照）ことが必要です。

■■ 時間外労働や休日労働には三六協定が必要

それでも、法定労働時間の範囲では仕事が終わらない場合もあります。仕事が終わらず残業し、**法定労働時間を超えた分は割増賃金**（⇨次項参照）**が必要な時間外労働**になります。労働基準法の考え方では、時間外労働はあくまでも臨時的なものです。

そこで、社員に時間外労働や休日労働をしてもらうには、**社員の代表と労使協定を毎年結ぶ**ことが必要とされています。

この協定が、労働基準法第36条に定められている<ruby>三六協定<rt>さぶろくきょうてい</rt></ruby>です（⇨P 182参照）。

三六協定は、社員の代表と締結したあと、労働基準監督署に届け出て、はじめて有効になります。

また、時間外労働と休日労働、それに深夜労働については、**25％以上か35％以上の割増賃金を支払わなければなりません**（⇨次項参照）。この対象になる時間外労働は、法定労働時間を超える残業です。

また、休日労働とは月4日の法定休日に働いたケースです。たとえば、

MEMO **時間外労働**：時間外労働には、法定労働時間内の時間外労働（法内残業）と、法定労働時間を超えた時間外労働（法外残業）がある。割増賃金（上乗せ）は法外残業のみに必要。

土日曜の週休２日で、日曜を法定休日とした場合は、土曜の労働は休日労働ではなく時間外労働の扱いになります。

■■時間外労働、休日労働には月ごと、年ごとの上限がある

さらに、時間外労働には月ごと、年ごとの上限が定められていることにも注意が必要です。その上限は下図のようになっていますが、**2020年からは中小企業を含むすべての企業が規制の対象**になっています。それ以前のルールで運用している会社の場合は、あらためて確認が必要です。

なお、臨時的で特別な事情があって労使が合意した場合は、上限規制が緩和_{かんわ}されますが、これについては次項で説明します。

時間外労働の上限
（労働基準法改正による時間外労働の上限規制の原則）

| 時間外労働 | → | **月45時間、年360時間** |

〈臨時的な特別な事情があって労使が合意した場合〉

| 時間外労働 | → | **年720時間以内**
（月45時間を超えていいのは年6ヵ月まで） |

| 時間外労働 ＋ 休日労働 | → | **月100時間未満**
（2～6ヵ月平均で80時間以内） |

Check!

育児・介護中の社員の時間外労働は？

小学校入学までの子どもを養育する社員、要介護状態の家族を介護する社員については、さらに厳しい時間外労働の上限があります。その社員から請求があった場合、事業の正常な運営に支障がある場合を除いて、１ヵ月について24時間、１年について150時間を超える時間外労働をさせてはいけません。

残業や休日出勤をしたら割増賃金を支払う

■■割増賃金率の違いに注意

　時間外労働、休日労働、それに午後10時から翌朝5時までの深夜労働に対しては、割増賃金を支払うことが労働基準法で定められています。

　割増率は下図のように、**時間外労働が25％以上、休日労働が35％以上、深夜労働が重なった場合は、さらに25％以上の上乗せ**です。

　深夜労働は上乗せですから、休日労働の深夜労働となると、35％プラス25％で60％以上もの割増率になります。

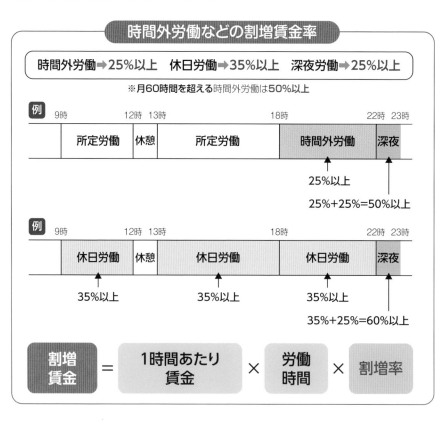

時間外労働などの割増賃金率

時間外労働➡25％以上　休日労働➡35％以上　深夜労働➡25％以上

※月60時間を超える時間外労働は50％以上

例

| 9時 | | 12時 13時 | | | | 18時 | | 22時 23時 | |
| 所定労働 | | 休憩 | 所定労働 | | | 時間外労働 | | 深夜 | |

25％以上

25％＋25％＝50％以上

例

| 9時 | | 12時 13時 | | | | 18時 | | 22時 23時 | |
| 休日労働 | | 休憩 | 休日労働 | | | 休日労働 | | 深夜 | |

35％以上　　35％以上　　35％以上

35％＋25％＝60％以上

| 割増賃金 | ＝ | 1時間あたり賃金 | × | 労働時間 | × | 割増率 |

また、2023年4月より**月60時間を超える時間外労働の割増率は50％以上**とされています。

■ 特別な事情があるときは上限の延長も可能

以上のような割増賃金を、前項で説明した時間外労働の上限、月45時間、年360時間について支払います。

しかし、じつは前項の図にもあるように、臨時的で特別な事情があり、**労使が合意したときは、時間外労働時間の延長が認められる**ことになっています。

そのためには、通常の三六協定とは別の協定を結ぶことが必要です。これを、特別条項付き三六協定といいます。

簡単にいうと、一定期間の延長時間を定めて、それができる「特別な事情」を具体的に定める協定です。

特別な事情とは、「臨時的なもの」、「一時的または突発的であること」、「全体として1年の半分を超えないことが見込まれること」とされています。ですから、経理の決算、販売の年末商戦、製造の納期繰上げなどは認められますが、具体的な事情をあげず「業務上必要なとき」などとしたものは認められません。

また、特別条項付き三六協定を締結して届け出ても、前項にあるように年720時間以内などの上限は守ることが必要です。

Check!

勤務間インターバル制度は努力義務

勤務間インターバル制度も会社の努力義務と法律で定められています。勤務間インターバル制度とは、社員の終業時刻から次の始業時刻までの間に一定の休息時間（インターバル）を確保するという制度です。生活時間や睡眠時間を確保して、健康な生活を維持してもらうことを目的にしています。この制度で先行するＥＵ（欧州連合）の例では、インターバルは11時間。たとえば午後11時まで残業したら、翌日の始業は午前10時とすることが認められ、始業を遅らせた分は勤務したとみなすなどの対応をします。

総務

労務

経理

取引先、顧客などの名簿を一括管理しよう

● 一括管理しておけばいろいろな事態に対処できる

　労働者名簿などは労務担当者が管理していると思いますが、取引先名簿、顧客名簿などは営業担当者が管理していることが多いものです。これを**労務で一括管理すると、いろいろな事態に対処できます**。

　たとえば、営業担当者の休暇中に何か緊急の問い合わせがあった場合などは、名簿の情報があれば社内の誰かが、ある程度対応できるものです。

　名簿がないと、休暇中の担当者に緊急の連絡をとることになってしまいます。

● 最新情報への更新と情報管理に注意する

　取引先名簿などの一括管理を行う場合は、**常に最新の情報になっているように注意**します。取引先担当者の変更などがあった場合は、ただちにその連絡をもらって修正するか、自社の担当者が直接、名簿を修正できるようにしておきましょう。

　また、情報の保護にも注意が必要です。取引先名簿や顧客名簿は、営業上の重要な情報であるうえ、個人情報まで含まれています。**情報漏洩などが起こらないように、情報管理を行わなければなりません**（P 52参照）。

名簿の記入事項（取引先名簿の場合）

□社名　　□代表者　　□業種　　□所在地　　□電話／FAX番号
□URL　　□取引先担当者の氏名・所属・役職名
□取引先担当者のメールアドレス　　□自社の担当者名
□取引金融機関　　など

第3章

毎日のように
行う仕事

毎日のように行うのは経理の仕事が中心

会社では現金の入出金が毎日のようにある

毎日のように行う仕事は、おカネに関する仕事、すなわち経理の仕事が中心になります。会社では現金の入出金（出納という）が毎日のようにあり、領収書の受取りや伝票の起票、帳簿の記帳などもそのつど、毎日行わなければならないからです。

具体的には、毎日のように行う経理の仕事は、右図にあげたようなものです。

これらの仕事の中心は現金の出納ですが、現金の出入りがあれば必ず、伝票の起票や帳簿の記帳の仕事が発生します。経理で使う伝票や帳簿の種類（☞P 84、86参照）、仕訳に必要な勘定科目（☞P 88参照）については、最低限、知っておく必要があります。

また、出金して受け取った領収書など、取引の証拠となる書類を証憑といいますが、証憑書類の整理・保存の仕事も必要になります。祝い金や見舞金など、領収書がもらえないような出金では、出金伝票を使って記録を残す方法も知っておきたいものです（☞P 92参照）。

経費の精算はそのつどか、まとめて行う

社員が交通費や交際費など、経費を使う場合には、いったん社員に立て替えてもらい、あとで精算書や領収書をもとに精算する方法が一般的です。このような立替払いの経費の精算を、そのつど行うことにしている会社では、これも毎日のように行う仕事になります。

精算の件数にもよりますが、上司の承認と経理での精算の手間はけっこう大変です。そこで通常は、1週

ME MO　**証憑**：証拠といった意味。取引の内容や条件などの証明になる書類。見積書、注文書、納品書、請求書、領収書など、すべて証憑になる。

毎日のように行う主な経理の仕事

入金・出金・振替伝票の起票 （⊂⟩P84、110〜113）

→入金の仕訳を入金伝票、出金の仕訳を出金伝票、現金をともなわない仕訳を振替伝票で行う。

現金出納帳などの記帳 （⊂⟩P91）

→会計ソフトで現金出納帳や上記の伝票などに入力すると、自動的に総勘定元帳にも転記される。

現金の出納 （⊂⟩P90）

→1日のはじめに小口現金を用意し、1日の終わりには帳簿の残高と照合して確認する。

証憑書類の整理・保存 （⊂⟩P92）

→領収書などの記載事項を確認してから保存する。領収書がない場合は出金伝票を保存。

社員が立替払いした経費の精算 （⊂⟩P94〜101）

→立替払いのルールを決めておく。
金額が大きい場合の仮払いも必須（⊂⟩P96）。

預金の管理 （⊂⟩P102〜105・116）

→口座ごとに預金出納帳を記帳し、入金は請求書などとつき合わせて金額を確認する。

間、1ヵ月などの期間を定めて精算をまとめて行っている場合が多いでしょう（⊂⟩P 95参照）。

ただし、その期間は社員が経費を立て替えている状態が続くので、社員に金銭的負担が生じます。最も**社員の負担が軽いのは、そのつど毎日精算する方法**です。

なお、会社によっては預金の取引が多く、預金残高の照合など、預金の管理が毎日の仕事になることもあります（⊂⟩P 102 〜 105、116参照）。

経理で使う伝票の種類を知っておく

■■ 経理で使う伝票は、3伝票制が一般的

あとできちんと説明しますが、経理の1年間の仕事のゴールである決算は、毎日の取引を2つの側面に分けて記録する、仕訳という作業から始まります（☞ P 108 〜 113参照）。

仕訳は、経理の伝票を使って行うのが一般的です。

簿記の勉強では、仕訳伝票というものが使われますが、実際の会社の経理では、**入金伝票、出金伝票、振替伝票という3種類の伝票を使います。**

これを3伝票制と呼んでいます。

- **入金伝票**……現金を入金する取引で使う
- **出金伝票**……現金を出金する取引で使う
- **振替伝票**……現金の入出金をともなわない取引で使う

■■ 入金伝票・出金伝票を起票すると仕訳をしたことになる

入金伝票と出金伝票は、右図のような形式の伝票です。

一見すると、取引を2つの側面に分ける＝仕訳をしているようには見えませんが、これらの伝票を起票すると仕訳をしたことになります。

右図の例からわかるように、**入金（伝票）は左側（借方）が「現金」である取引で、出金（伝票）は右側（貸方）が「現金」である取引**になります。

■■ 振替伝票は現金が関わらない取引で使う

また振替伝票は、**左側（借方）も右側（貸方）も「現金」ではない取引に使います。**たとえば、売掛金になっていた売上代金が、普通預金口座に入金された場合は、現金の入出金はありません。このようなときに、振替伝票を使います。

M E **借方・貸方**：簿記では左側を借方、右側を貸方と呼ぶ。特別な意味はないので、そのまま覚えた
M O ほうがよい。借方と貸方の合計金額は必ず一致する。

経理で使う主な伝票の種類

入金伝票

《例》50,000円の商品を売って、現金で支払われた。

| ○/○ | （借方）現金 50,000 | （貸方）売上 50,000 |

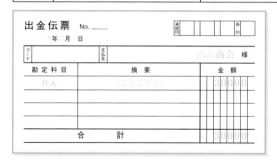

出金伝票

《例》30,000円の商品を仕入れて、現金で支払った。

| ○/○ | （借方）仕入 30,000 | （貸方）現金 30,000 |

振替伝票

《例》売掛金40,000円が振り込まれた。

| ○/○ | （借方）普通預金 40,000 | （貸方）売掛金 40,000 |

経理で使う帳簿の
種類を知っておく

■ 主要簿は仕訳帳（伝票）と総勘定元帳の2種類

　伝票で行った仕訳は、帳簿に転記します。帳簿の種類は大きく分けると、主要簿と補助簿の2種類です。

　主要簿には、仕訳帳（伝票）と総勘定元帳の2つがあります。

　以前は、仕訳をすべて帳簿上で行っていたので、仕訳帳という帳簿の名前が残っています。

　総勘定元帳は、取引ごとに行った仕訳をすべて勘定科目ごとに整理して転記する帳簿です。

　一方、**補助簿は会社が必要に応じて作成・記帳する帳簿**です。

　会社によって使っている帳簿と、使っていない帳簿があり、呼び方も違います。

　代表的な補助簿は、現金出納帳と預金出納帳です。

　その他、いまは取引の支払いの大半は後払いをする掛取引なので、売掛帳（得意先元帳）と買掛帳（仕入先元帳）も多くの会社で使っています。

　また、手形を多くやりとりする会社では、受取手形記入帳と支払手形記入帳、商品の種類が多く管理を徹底したい会社では商品有高帳なども使われます。

■ 会計ソフトでは、はじめに補助簿に入力する

　会計ソフトでは仕訳伝票だけでなく、補助簿から入力することを選べるものがほとんどです。**仕訳伝票や補助簿に入力すると、自動的に総勘定元帳に転記されます。**

　たとえば、現金出納帳に、ボールペンを1本、現金で購入したという取引を入力すると、総勘定元帳に「消耗品費」の増加と、「現金」の減少が転記され、伝票の形で見直すこともできます。

経理で使う主な伝票・帳簿の種類

仕訳伝票

(☞前項参照)

入金伝票
現金が入金する取引を
記録する伝票

出金伝票
現金が出金する取引を
記録する伝票

振替伝票
現金の入出金を
ともなわない取引を
記録する伝票

補助簿

現金出納帳
入金伝票と出金伝票から
現金の入出金を転記する
(☞P90)

売掛帳
(得意先元帳)
取引先別に売掛金の発生
と回収を記録・管理する
(☞P128)

受取・支払手形記入帳
手形の授受があったとき
の仕訳を転記する

預金出納帳
口座と取引文書などから
預金の入出金を転記する
(☞P104)

買掛帳
(仕入先元帳)
仕入先別に買掛金の発生
と支払いを記録・管理する
(☞P142)

商品有高帳
商品の種類別に有高(在
庫)を記録・管理する

主要簿 (+仕訳帳)

総勘定元帳
取引ごとに行った仕訳を
すべて勘定科目ごとに整理して転記する

Check!

起票と記帳はいつ行うか？

伝票の起票は、取引が発生するつど行います。現金の入出金は毎日発生するものなので、現金出納帳は毎日記帳し、現金残高との照合が必要です（☞P90参照）。預金出納帳は毎日記帳する必要はありませんが、できるだけこまめにチェックしましょう。売掛帳と買掛帳は、それぞれ発生したときと、回収・支払いがあったときに記帳します。

仕訳に必要な主な勘定科目を覚えておく

■ 勘定科目は会社ごとに決めていい

　伝票や帳簿への記入には、勘定科目が必要になります。**勘定科目とは「現金」や「旅費交通費」など、仕訳に必要な分類の名前**です。

　勘定科目は、会社ごとに決めることができます。下表は一般的によく使われる勘定科目ですが、重要なのは資産や負債など、どのグループ（勘定）に属しているかです。それがわかれば、110ページの図とあわせて、左側（借方）と右側（貸方）を正しく仕訳できます。

毎日の仕訳でよく使う主な勘定科目

勘定	勘定科目	内　容
		事業の元手である資本をどんな形で持っているか、資本の使いみち
資産	現金	会社にある現金や現金の代わりになる受取小切手など
	普通預金	自由に入出金できる普通預金口座の預金
	当座預金	手形や小切手が振り出せる当座預金口座の預金
	受取手形	受け取った手形のうち、まだ現金化していない分
	売掛金	掛けで販売した売上代金の未回収分で入金が予定されている分
	未収入金	備品の売却など売上げ以外の収入の未回収分
	立替金	相手負担の手数料や社員の雇用保険料など一時的な立替分
	仮払金	出張旅費の未精算分など内容が確定していない一時的な仮払分
	前払金	手付金など商品やサービスを受け取る前に支払った前払分
	短期貸付金	貸し付けたお金のうち、1年以内に返済期限が到来する分
	建物	会社などが所有する事務所、店舗、工場などの建物
	機械装置	工場で営業目的の製造・加工に使用する機械や設備
	工具器具備品	1年以上使用する10万円以上の工具、器具、備品
	車両運搬具	事業のために人や物を運搬する自動車、フォークリフトなど
	投資有価証券	会社が投資目的で所有する株式、債券、投資信託など
	差入保証金	敷金や保証金など、賃借などの保証金として差し入れている分

MEMO　**純資産**：事業の元手となる資本のうち、返済義務がないもの。資本金が代表的だが、会社の利益を内部留保した利益剰余（りえきじょうよ）金なども純資産となる（⇨P 218 参照）。

負債	事業の元手である資本のうち、外部に返済義務があるもの	
	買掛金	掛けで仕入れた商品やサービスの仕入代金の未払分
	支払手形	振り出した手形のうち、まだ期日が到来していない分
	未払金	備品の購入など仕入以外の支払いの未払分
	短期借入金	借り入れたお金のうち、１年以内に返済期限が到来する分
	預り金	社員が負担する源泉所得税など、後日支払うための預り分
	前受金	手付金など商品やサービスを引き渡す前に受け取った前受分
	長期借入金	借り入れたお金のうち、返済期限が１年を超えている分
費用	事業活動を行うために支出するさまざまな出費	
	仕入	売上げのために仕入れる商品やサービスの仕入代金
	租税公課	法人税・住民税・事業税以外の税金や、業界団体の会費など
	消耗品費	使用期間が１年未満または10万円未満の消耗品の購入費用
	旅費交通費	業務のための移動で支払う交通費、出張旅費など
	接待交際費	得意先などの接待や贈答品、慶弔見舞金などの費用
	福利厚生費	社員旅行費、慶弔手当、忘年会費のような福利厚生のための費用
	会議費	打ち合わせ時のコーヒー代、会議の際の茶菓子・弁当などの飲食代など
	新聞図書費	新聞の購読料、書籍・雑誌、統計データなどの購入代金
	修繕費	事業に使用する機械設備や車両などの修理・維持管理の費用
	支払保険料	社用車の自動車保険料、事務所の建物の損害保険料など
	役員報酬	会社の取締役など役員に定期的に支払う報酬
	役員賞与	会社の取締役など役員に一時的に支払う賞与や報奨金
	給与手当	社員に支払う給与手当と、給与とみなされる福利厚生費など
	賞与	社員に支払う賞与（ボーナス）
	支払手数料	自社負担の振込手数料や、税理士・弁護士などに支払う報酬
	外注費	部品の製造委託や、サービスを業務委託したときの費用
	通信費	電話、インターネット、郵便、宅急便など通信のための費用
	荷造運賃	物の送付にかかる費用のうち、商品など売上げに関わる物の分
	広告宣伝費	チラシ配布、DM送付、ネット広告など宣伝に関わる費用
	地代家賃	事務所、店舗、駐車場などの土地や建物の賃借料、共益金
	車両費	車検代など車両の使用にかかる費用
	水道光熱費	事務所、店舗などの上下水道代、電気代、ガス代
	雑費	少額でふだんは発生せず、他の勘定科目に分類できない経費
	支払利息	借入金や社債などに対して支払う利息や信用保証料など
	雑損失	少額で重要でなく、他の勘定科目に分類できない損失
収益	事業活動の結果として上げた本業と本業以外からの収入	
	売上	製品や商品・サービスの販売など本業で上げた収益
	受取利息	預貯金や貸付金などで受け取った利息
	雑収入	少額で重要でなく、他の勘定科目に分類できない収益

M E M O　掛け： 売買取引の際にすぐにお金を支払う現金取引ではなく、一定期間の取引をあとからまとめて支払うやり方を掛取引（かけとりひき）という。つまり掛けとは、いわゆる「ツケ」にあたる。

現金出納帳で
毎日の入出金を管理する

■■ 現金は手提げ金庫などで管理する

　会社では毎日、大小さまざまな金額の入出金があります。この現金を管理し、入出金をきちんと記録するのは経理の仕事の基本です。

　売上げや、仕入代金の支払いを振込みで行っている場合でも、社員の経費の精算や、会議用のお茶の購入といった現金の出し入れはあるものです。こうした少額の入出金に備えて、**一定額を預金から引き出しておき、手提げ金庫などに保管**しておきます。このような現金を通常の現金と分けて「小口現金」という勘定科目を使う場合もあります。

　また、売上げの入金や仕入代金の支払いを現金で行っている場合は、**レジや手提げ金庫で保管する現金の額を決めておく**方法も一般的です。その場合、毎日の営業が終了したあとに、保管金額を超えた分をＡＴＭから会社の口座に入金するようにします。

現金の管理

手提げ金庫などに保管

| 金融機関 | | 領収証 |

　預金から引き出して一定額を用意

　領収書などと引換えに入出金

■■ 入出金は領収書などとの引換えが原則

　このような入出金を管理するポイントは、必ず**領収書やレシートなど**の**書類と引換えに入出金**することです。慶弔見舞金などで領収書がない場合は、**出金伝票に記入して現金とともに保管**しておきます。

　こうすれば、当初の現金残高と、現在の現金残高＋領収書・出金伝票などの合計額が一致するはずなので、いつでも確認ができます。

ＭＥＭＯ　小口現金：日々発生する少額の支払いに備えるために前渡しされている一定金額の現金を処理する勘定科目。

■■ 現金出納帳に記帳して現金残高との一致を確認

　いったん領収書や出金伝票などで残した**入出金の記録は**、会計ソフト（☞P 114参照）の現金出納帳や伝票などに**記帳・入力**します。領収書や出金伝票の金額を記帳し終わると、現金出納帳の残高と、手提げ金庫などの現金残高は一致するはずなので、その照合を行うわけです。

　この記帳・照合は毎日、**就業時間の終わりが近づいて、もう入出金がないという時間帯に行うのが原則**です。2、3日分まとめて処理することもできますが、現金との照合の結果、もし残高が合わないときに、その日のうちだと原因が突き止めやすくなります。

　現金出納帳の残高と実際の現金残高が一致しない原因は、主に出金伝票の記入もれや、領収書の二重入力、10円、100円単位の入力ミスなどです。見当をつけて、原因を突き止めましょう。

現金出納帳の例

現金出納帳

令和○年

月日	勘定科目	摘要	収入	支出	残高
		前頁から繰越			153,240
4/10	消耗品費	ハードディスク代		10,000	143,240
4/10	雑損失	現金過不足		140	143,100
4/11	通信費	宅配便代		1,200	141,900
4/11	旅費交通費	○○タクシー代金		1,780	140,120

Check!

どうしても一致しないときは「現金過不足」にする

どうしても原因がわからず、現金出納帳の残高と現金残高が合わない場合は、たとえ10円でも自分のサイフからお金を出して帳尻合わせをしてはいけません。摘要を「現金過不足」、勘定科目は「雑損失」か「雑収入」として、合わない金額を現金出納帳に記載しましょう。

総務

労務

経理

領収書やレシートは
チェックして保存する

■■ 必要な記載事項にもれがないか確認

　領収書やレシートと引換えに現金を出金する場合は、領収書などが必要な条件を満たしているかチェックしましょう。

　インボイス制度（適格請求書保存方式）がスタートしたことにより、領収書や請求書などには、以下の項目が記載されていることが必要です。

　①発行者

　②取引年月日

　③8%（軽減税率）の対象品目

　④8%・10%に区分された、それぞれの合計額と消費税額

　⑤宛名

　⑥適格請求書発行事業者の登録番号

　これらが記載された領収書や請求書を「**適格請求書**」といい、それを**発行する事業者を「適格請求書発行事業者」**といいます。適格請求書発行事業者ではない事業者から発行された領収書などでは、支払った消費税を差し引くことができず、納める消費税額が増えてしまいます（☞P230参照）。

　領収書を受け取るときは、必ず区分された消費税額や登録番号などが記載されているものか、チェックしましょう。

　ちなみに、レシートには「宛名」がありませんが、宛名を除く項目が記載されていれば有効です。

■■ 出金伝票で出金するときの注意点

　次に、領収書などがもらえない出金で、出金伝票に記入した場合も注意が必要です。会議用のお茶を自動販売機で購入したような場合は、金額、数量、用途などをきちんと出金伝票に記録します。また、社内の福利厚生費で祝い金や慶弔見舞金を出金するときは、あらかじめ経営者と相談して慶弔規程をつくっておくようにします。

MEMO　インボイス制度：消費税を納める課税事業者に、現在の領収書などに代わり消費税をきちんと記した「適格請求書」などの発行を義務づける制度。

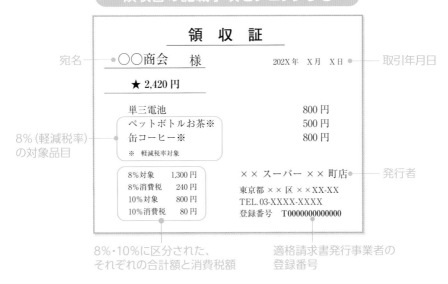

領収書の記載事項をチェックする

領 収 証

宛名 ── ○○商会　様　　　　202X 年　X 月　X 日 ── 取引年月日

★ 2,420 円

単三電池　　　　　　　　　　　800 円
8%（軽減税率） ── ペットボトルお茶※　　　　500 円
の対象品目　　　　缶コーヒー※　　　　　　800 円
　　　　　　　　　※　軽減税率対象

8%対象　　1,300 円　　　××スーパー ××町店 ── 発行者
8%消費税　　240 円
10%対象　　　800 円　　　東京都××区××XX-XX
10%消費税　　80 円　　　TEL.03-XXXX-XXXX
　　　　　　　　　　　　　登録番号　T0000000000000

8%・10%に区分された、　　　適格請求書発行事業者の
それぞれの合計額と消費税額　　登録番号

　では、社外の人の慶弔で、祝い金や香典を出金した場合はどうでしょうか。この場合は接待交際費の扱いになりますが、社内の慶弔規程は関係ないので、**別に証拠を残す必要があります。**

　たとえば、結婚式に持参した祝い金なら、結婚式の招待状が適当です。通夜や告別式の香典なら、返礼品に付いてくる礼状が証拠として使えるでしょう。どちらも、見舞金などを出した相手の名前と、日付などが記載されているので、確かに出金した証明になります。

　これらを他の領収書やレシートとともに保存するようにします。

Check!

切手や印紙は現金と同じと考えて管理する

切手や収入印紙（☞ P132参照）は金券ショップなどで簡単に売却して、換金することができるため、現金と同じと考えて管理する必要があります。事務用品などのように、誰でも自由に持ち出せるような管理をしてはいけません。手提げ金庫などに現金と一緒に保管し、そのつど必要な額を申し出てもらって、手渡しするようにします。

MEMO　**慶弔規程**：社員とその家族に対する慶弔見舞金について定めた規程。支給対象になる社員の条件や慶弔見舞金の種類、金額などについて定める。

社員の経費を
精算するときのルール

■■一般的な立替払いのルールを決めておく

　社員が使った少額の経費は、立替払いという方法で精算するのが一般的
です。社員がいったん立て替えて支払っておき、後日、領収書などをもと
に会社がその金額を社員に支払います。

　この立替払いの方法で経費の精算を行う場合は、そのルールをきちんと
決め、社員に周知しておきましょう。

　たとえば、事前の承認なく立替払いしてよい金額の限度や、上司の誰が
承認の権限を持つのかなどです。

　右図のように、一般的には限度額以内の立替払いでは、事後に上司の承
認を受けます。その承認書類としては、下の**経費精算書のフォームを用意
しておき、社員自身が記入して、上司の印をもらう**ルールにしておくと簡
単です。

　精算の件数が少ない場合は、出金伝票を使うこともできますが、出金伝
票の書き方をしっかり指導しておかないと間違いや記入もれが増えます。

立替払いの経費精算書の例

経費精算書

		承認印
		印

申請者　○○○○　印　　　　　　　　　　　　申請日 ○ 年 ○月○日

日付	摘要	支払先	金額	備考
4/15	梱包用テープ、ひも	○○商店	480	
4/18	会議用茶菓子※	○○ストア	940	5人出席

合　計		3,680	

■ そのつど精算するか、締切日を決めるか

精算の期間も重要です。通常は、**1週間や1ヵ月単位の締切日を決めて精算を行うほうが一般的で効率的**です。

給与計算上の締め日と合わせて経費精算の締切日とし、給与と一緒に精算金額を振り込むことにすると、現金精算の手間も省けます。

ただし、最長でも1ヵ月とすることです。それ以上に長くすると、領収書を紛失したり、社員が経費精算自体を忘れたり、締切日を過ぎて経費精算書が提出されたりといったミスが増えます。

立替払いで精算する場合の手順とルール

社員が経費を立て替えて支払う
・社員が立て替えて支払ってよい金額の限度は？
・経費の精算はそのつどか、期限を決めてまとめるか？

▼

その経費について上司の承認を受ける
・誰が、その経費の承認の権限を持つか？
・承認は経費精算書で行うか、出金伝票で代用するか？

▼

経費精算書などの提出を受けて精算する
・精算は現金で行うか、振込みで行うか？
・精算の期限は、最長でも1ヵ月以内とする

▼

現金出納帳への記入などの処理を行う
・勘定科目は経理のほうで決めると間違いが少ない
・旅費交通費が多い場合は、別の精算書を使用すると効率的

Check!

勘定科目の記入は経理担当者が行う

経費精算書の摘要欄には、経費の内容をわかりやすく書いてもらい、勘定科目の記入は求めないほうが無難です。接待交際費と会議費、福利厚生費の区別など、一般の社員にはわからない経理のルールがあります。出金伝票で代用する場合でも、勘定科目は経理で記入したほうがよいでしょう。

ただし、近年普及している社内精算システムでは、社員が勘定科目を選択するケースがほとんどです。このような場合は、間違いのないように選択肢を経理が設定するときに、わかりやすい言葉を使いましょう。

仮払いをしたうえで
経費を精算するときのルール

■■仮払いでは事前に上司の承認をもらう

　経費がある程度、高額の場合は、社員に立替払いを負担させるのはよくありません。そうしたときは、仮払いの制度を利用します。**会社が経費の見込額を先に出金し、経費を使ったあとで精算する**方法です。

　仮払いを行う場合の手順とルールは、右図のようになります。社員に先に現金を渡すわけですから、上司の承認は事後でなく、事前に受けることが必要です。

■■仮払申請書は必ず出してもらう

　その際は、必ず下のような仮払申請書をつくって、仮払いの承認を受けてもらうようにしましょう。

　形式的に思えるかもしれませんが、上司の承認が確実に確認できる他、申請書と引換えに現金を渡すルールにしておけば、領収書のような役割も果たします。確かに仮払いの現金を渡したことの、証明になるわけです。

仮払申請書を用意しておく

仮払申請書				承認印

申請者　〇〇〇〇　㊞　　　　　　　　　　申請日 〇 年 〇月〇日

仮払金額	￥ 50,000	仮払希望日	〇 年 〇 月 〇 日
目　的	A社役員等の接待		
購入物 参加者名 企業名　等	A社〇〇様　他4名		

MEMO **仮払金**：現金などの支出を一時的に記録する勘定科目。実際の勘定科目、金額などが確定した段階で振替えの処理をすると、その仮払金については残高がゼロになる。

仮払いで精算する場合の手順とルール

社員が仮払申請書に記入し 上司の承認を受ける
- 社員に仮払いとして支払ってよい金額の限度は？
- 誰が、その仮払いの承認の権限を持つか？

▼

仮払申請書に基づいて 社員に出金する
- 出金は、仮払申請書と引換えで行う
- 仮払申請書が出金の領収書のような役割を果たす

▼

現金出納帳への 記入などの処理を行う
- 精算まで待たず、仮払金を計上する
- 仮払金の計上は、仮払金を出金した日とする

▼

仮払額と実際の経費の 額の精算を行う
- 仮払金の精算はそのつどか、期限を決めてまとめるか？
- 経費精算書に仮払金額欄を加えると仮払経費精算書になる

▼

現金出納帳への 記入などの処理を行う
- 仮払金を実際に使った経費に振り替える仕訳をする
- 差額が出た場合は、現金の入金または出金をする

■::仮払いをした経費は2段階で処理する

　上図を見るとわかるように、現金出納帳などへの記入は精算を待たず、2段階に分けて行います。**第1段階は、仮払金の計上**です。現金出納帳などの残高がその分減って、精算までの間も、実際の現金の残高と一致します。

　そして**第2段階が、経費の精算**です。仮払金として計上してあった分を、支払った経費プラス、お釣りがあればお釣りの現金、不足があれば追加の現金と振り替える処理をします。

Check!

振替伝票などを使って振り替える

仮払金の精算などでは、現金の入出金をともなわない部分があるので、入金伝票や出金伝票は使えません。振替伝票などを使って振り替えます。仮払金を、経費プラス過不足の現金と振り替える仕訳です。

社員が使った
交通費の精算のしかた

■■交通費精算書で記入もれなどを防ぐ

　経費のなかでも、交通費は精算の件数が多いものです。しかも、他の経費と異なり、電車代やバス代では、通常、領収書がもらえないという特徴があります。

　そこで、**電車代やバス代の精算には行先や経路などの明細を記入して**もらいたいのですが、そのためには通常の経費精算書とは別に、専用の交通費精算書を用意しておくと便利です。

　下のような項目の記入欄を設けた交通費精算書を使えば、社員も迷うことなく、記入もれも防げます。

　この精算書では、通常の経費精算書のような領収書の添付は原則不要ですが、**タクシーを利用した場合は領収書を添付してもらう**ようにします。

明細が記入できる交通費精算書の例

交通費精算書

		承認印
		印

申請者　○○○○　印

申請日 ○ 年　○月○日

日付	行先	目的	利用機関等	利用経路	片/往	金額	番号
4/22	○○物産	仕入担当者商談	JR○○	○○-○○	往	480	
				合　計		480	

支払印

ＭＥＭＯ　**通勤手当**：社員が公共交通機関や自家用車などを使い、自宅から会社まで通勤する際にかかる費用を補助する手当（⇨P 154 参照）。

■旅費交通費となる経費とは

電車代やバス代などの交通費は「旅費交通費」という勘定科目になります。旅費交通費は、社員の業務上の移動のための経費が入る勘定科目です。ですから、業務中の電車代、バス代の他にも下図のような経費が旅費交通費とされます。

たとえば、社員の通勤も業務のための移動なので、通勤手当、通勤定期代なども旅費交通費になります。通勤手当は月額15万円を超えると給与とされて課税対象になることに注意してください（☞P 119参照）。

また、会社で契約している月極駐車場の料金は建物などと同じく賃借料ですが、移動先のコインパーキング料金は旅費交通費になります。

旅費交通費となる経費

業務上の移動の経費

・電車代、バス代
・タクシー代　　　　など

出張の経費

・出張中の移動の経費
・出張中の宿泊費
・出張手当、日当　　　など

通勤の経費

・通勤手当
・通勤定期代　　　など

クルマでの移動の経費

・ガソリン代※
・移動先の駐車場代
・高速道路料金　　　など

※車両費や燃料費の扱いも可能。

Check!

交通系ICカードにチャージしたら

SuicaやICOCAなどの交通系ICカードにチャージした場合は、いったん仮払金（☞P 96参照）などに計上し、使用したつど、その料金分を旅費交通費に振り替えるのが原則です。ただし、チャージした段階で全額を旅費交通費とする「簡便法」も認められます。その場合はICカードを業務上の交通費以外に使わないようにし、経路をプリントしてもらい、証憑とします。

MEMO **出張手当**：出張にともなう心身の負担や金銭的な負担増を補填する意味合いの手当。宿泊費の上限額などとともに、出張旅費規程をつくって決めておくとよい。

社員が使った
交際費の精算のしかた

■■ 交際費の範囲は意外に幅広い

　交際費は、勘定科目としては一般的に「接待交際費」といいますが、これも社員の精算が多い経費かもしれません。

　一般に接待交際費というと、得意先の接待の飲食代や、手みやげ代などが思い浮かびますが、社外に対する慶弔見舞金や祝い金、香典なども接待交際費になります。

　また、お中元やお歳暮にかかった費用、取引先の開店祝いに贈った花代など、品物の贈答にかかった費用も接待交際費です。

　じつは接待交際費は、税務上、原則として損金（☞ P 118参照）にできないことになっています。損金にできると、法人税などの計算のもととなる会社の所得が少なくなるので、税金が安くなります。しかし損金にできないと、会社の所得が増えて、そこから計算される税金も増えます。

　ただし、**資本金1億円以下などの会社には特例があり、下図のような範囲で損金にすることが可能です**。小さな会社では、損金にできなくて困ることはまずないでしょう。

交際費等を損金にできる範囲

どちらかを選べる

交際費のうち得意先などとの
接待飲食費の**50%**までの金額

交際費のうち**800万円**までの金額

資本金1億円以下
などの会社

※2024年3月31日までに開始する事業年度の特例

■■ 他の勘定科目にならないか注意する

　接待交際費の精算は、他の経費と同様に経費精算書を使って行います。金額が大きくなりそうなときは仮払いによる精算を行うことも同様です。

M E M O　**会議費**：社外、社内の会議や打ち合わせにかかる費用を計上する勘定科目。上記のように1万円を境に接待交際費と分けるのが一般的。

注意したいのは、接待交際費でない経費を接待交際費として処理してしまうことです。接待交際費は、税務調査が入った場合などにチェックされやすくなります。できるだけ総額を少なくしておきたいところです。

飲食代や贈答品代で、会議費、福利厚生費、広告宣伝費などにできる経費には下図のようなものがあります。とくに**1人あたり税抜き1万円以下の飲食代**は、日付、相手の名前と人数、金額、店の名前と住所、内容がわかる書類を残すことを条件に、**接待交際費としないでよいため**、よく使われているでしょう。

接待交際費以外にできる経費

- 社外との会議で出す茶菓子や弁当代など
- 社外との1人あたり1万円以下の飲食代

→ **会議費**

- 社員の慶弔見舞金や祝い金、香典など
- 忘年会の際の社員の飲食代など

→ **福利厚生費**

- 手みやげ代を含め1人1万円超の飲食代など
- 接待の相手の送迎に使ったタクシー代や旅行代など

→ **接待交際費**

総務

労務

経理

Check!

どこまで会議費にできるか

接待の一次会と二次会は、別の経費とみなせます。ですから、一次会は1万円以下の飲食で会議費、二次会は1万円超になったので接待交際費という区別が可能です。ただし、上図の例にあるように、飲食をした店の飲食物を手みやげとして渡し、合計が1万円超になると会議費にできません。また、キャバクラなどの店では、飲食が主な目的でない接待だと会議費にできません。

会社が取引する金融機関と預金の種類を知っておく

■■普通預金や定期預金以外も利用する

　売上げの入金や仕入代金の支払いにあたっては、振込みや振替えが欠かせませんから、預貯金の管理も経理の仕事の基本です。

　会社では、個人が利用する普通預金や定期預金以外にも、下表のような預金が使われます。それぞれ**利用目的が異なり、他の預金にはない特徴もある**ので、種類を知って上手に使い分けましょう。

会社で利用される預金の種類

普通預金	個人が利用する普通預金と同じく、預金残高の範囲で自由に入出金ができる。定期預金より利率は低いが、利息がつく。会社の主な取引の入出金に利用される。
当座預金	会社が振り出した手形や小切手の決済を行う。通常は残高の範囲内で決済されるが、特別な契約をした場合は残高不足のときでも、限度額の範囲内で決済が可能。利息はつかない。
通知預金	預入れ後7日間は引出しができず、その後も引出しには2日前に銀行に対する通知が必要。通常より高い利息がつくので、余剰資金を短期間預けるときに使う。
定期預金	余剰資金を、一定の満期まで預けて運用することを前提に利用する。普通預金より高い利息がつくが、途中解約するとペナルティの意味で、より低い金利が適用される。
定期積金	積立て型の定期預金。定額を積み立てるタイプと、自由に追加の積立てができるタイプがある。社員の賞与支払いや納税資金にあてることを目的に積立てを行う会社がある。
納税準備預金	会社が納める法人税や消費税などの納税資金専用に預け入れる。利息が非課税になる点が他の預金と異なる特徴だが、納税以外の目的で引き出すと課税扱いになる。

MEMO 振替え：一般に、同一金融機関の同一支店で、同じ名義の別口座（普通預金から当座預金など）に資金を移すことは振替えとして、振込みと区別する。

▪▪ 銀行以外にも取引する金融機関がある

　会社として取引する金融機関も、個人が利用するものとは異なることがあります。大きく分けると、**民間の金融機関と政府系の金融機関に分かれますが、それぞれの強み・弱みも異なります。**

　主な金融機関のそれぞれの特徴を知って、現在取引している金融機関が適切かどうかなどもチェックしてみましょう。

会社が取引する金融機関の種類

民間金融機関

都市銀行

　３大メガバンクなど。全国に支店網を持ち、利用できるＡＴＭの数も多い。個人から大企業まで、幅広い層を顧客にしている。ゆうちょ銀行も都市銀行に分類される。

地方銀行

　基本的には営業基盤を都道府県単位にしていたが、現在では合併により広域化が進んでいる。地域密着型で、中堅企業などを主な顧客とする。

信用金庫

　ある程度の地域を対象とする中小企業向け金融機関。銀行が株式会社であるのに対し、会員による共同組織とされているが、会員以外への融資なども扱う。

信用組合

　中小企業向け金融機関。信用金庫と同じく共同組織だが、信用金庫より狭い地域や、業種、職種別の組合員を対象として融資などを行う。

政府系金融機関

日本政策金融公庫

　合併前の前身である国民生活金融公庫、中小企業金融公庫などの業務を引き継ぐ。小さな会社や新規開業の会社が、最初に融資の相談をすべき金融機関とされている。

商工組合中央金庫

　商工中金と略される。「中小企業による、中小企業のための金融機関」を基本的な性格とする。中小規模の事業者を構成員とする団体、構成員に融資を行う。

総務

労務

経理

MEMO **預貯金**：通常の金融機関では預金と呼ぶが、ゆうちょ銀行では貯金と呼ぶので、金融機関にお金を預けること全般を指して預貯金という。

預金出納帳に記帳して 会社の預金を管理する

■■ 通帳や銀行印、キャッシュカードは別々に保管する

　実際の預金の管理にあたっては、預金通帳や銀行印、キャッシュカードの管理が一番の基本になります。最低限、**預金通帳や銀行印、キャッシュカードは別々の、それぞれ鍵のかかる場所に保管します**。

　そうすることで、万が一盗難の被害にあったときも、通帳と銀行印が同時に盗まれて、引き出されてしまうことを防げます。

　できれば、別々の担当者の管理にするとよいでしょう。たとえば銀行印とキャッシュカードは社長、通帳は経理という管理にして、キャッシュカードや銀行印が必要なときはそのつど社長に申し出て、借りるようにします。

　こうすれば、不正な使用は難しくなります。

■■ 口座ごとに預金出納帳を記帳する

　預金の入出金の管理については、**口座ごとに預金出納帳を作成して記帳**します。

　普通預金では、預金通帳の入出金の並びと、預金出納帳の並びが同じになります。現金の引出しや預入れも記録しますし、水道光熱費の引落しなども記録します。売上げなどの入金については、自社で発行した請求書などとつき合わせて金額を確認しましょう。

　もし請求書の金額と違っていたら、手数料などが差し引かれているのか、相手が振込額を間違えているのか、そのつど原因を追求して解決します。

　振込みなどの出金については、自社で行っているので原因不明の差額はないはずです。

ME　振込手数料：振込手数料は相手側の負担として差し引いて振り込む会社も多い。その場合、売上
MO　げなどは請求金額どおり計上し、振込手数料分を「支払手数料」の勘定科目で計上する。

預金出納帳の例

預金出納帳

○○銀行○○支店　普通預金

月日	勘定科目	摘要	預入	引出	残高
		前頁から繰越			885,240
4/10	買掛金	○○商会仕入代金支払い		264,000	621,240
4/10	売掛金	△△商店売上入金	107,800		729,040
4/15	水道光熱費	３月分電気代支払い		120,699	608,341

■■ 振込みや照会はネットバンキングが便利

　このような振込み、明細の照会などに便利なのがインターネットバンキング（ネットバンキング、オンラインバンキング）です。振込みや通帳記入のために、**金融機関の窓口やＡＴＭに出向く必要がなく、時間と手間が省けます**。

　振込手数料などは、ＡＴＭより安く設定されていることが多いので、経理部門としてコスト削減が可能です。

　また一部の金融機関を除いて24時間利用できる点も利便性が高いといえます。

　最近はワンタイムパスワードや、専用のセキュリティソフトを提供している金融機関も多く、かなり安全に使えるようになっています。

総務

労務

経理

Check!

ネット利用はセキュリティに注意！

ネットバンキングのＩＤとパスワードが流出すると、それだけで金銭的な被害をこうむるリスクが高くなります。最近は、ワンタイムパスワードを破る詐欺の手口も登場しているので、過信は禁物です。口座情報を盗みとろうとする不審な電話やメールには、絶対に対応しないことです。もちろん、キャッシュカードのパスワードも、厳重なセキュリティ対策をしておくことが重要です。

MEMO **ワンタイムパスワード**：１回だけ有効で、そのつど変わるパスワード。トークンと呼ばれる小型のパスワード生成機や、アプリを使って生成するタイプなどがある。

会社のクレジットカードを使ったときの精算のしかた

クレジットカードを使った経費は2段階で処理

　会社によっては、法人契約のクレジットカードを使い、社長がカードで経費を支払っているケースなどがあるかもしれません。

　クレジットカードで経費を支払った場合、**代金が精算されるのは会社の口座から引き落とされた日**です。しかし、経費自体はカードを使用した日に発生しているので、2段階の処理をする必要があります。

　クレジットカードで支払った経費を精算する手順は、右図のようになります。

仕訳は2回行う

　第1段階の処理は、経費の計上です。しかし、その代金は実際に支払っていないので、未払金になります。たとえば社長が、**3万円の接待交際費をクレジットカードで支払ったとき**は、振替伝票などで次のような仕訳を行います（仕訳については110ページで解説）。

接待交際費	30,000	未払金	30,000

　この記入は、社長には難しいでしょうから、経理のほうで領収書の内容を聞き取って、記入したほうがいいでしょう。この未払金は利用代金が引き落とされるまで残ることになります。

　そして第2段階として、**代金が引き落とされた日に、その日付で**次のような仕訳を行います。

未払金	30,000	普通預金	30,000

　普通預金から利用代金が引き落とされた分、3万円減り、未払金はプラスマイナスゼロとなります。

ME
MO
未払金：事業を行うなかで短期間発生して、支払われる未払いの費用を計上しておく勘定科目。一種の借金だが、比較的短期間で支払われて解消される点が異なる。

経費をクレジットカードで支払った場合の精算の手順

経費をクレジットカードで 支払い、領収書をもらう	・領収書やレシートは、必ずもらうようにする ・最低でもカードの利用伝票（お客様控えなど）はもらう

▼

領収書を経理に提出し 経費の内容を報告する	・カードで支払った日が、経費が発生した日となるので、 できるだけ早く領収書の提出と報告を行ってもらう

▼

経理で振替伝票への 記入などの処理を行う	・振替伝票などで経費と、未払金の計上を行う （経費を未払金に振り替える）

▼

カード利用代金が会社の 口座から引き落とされる	・クレジットカード利用代金が引き落とされた日が、未払 金を支払った日となる

▼

経理で預金出納帳への 記入などの処理を行う	・預金出納帳などに、カード利用代金の引落しを記入 ・振替伝票などで、未払金を預金に振り替える

■ クレジットカードでも領収書は必ずもらう

　クレジットカードで支払ったときでも、領収書は必ずもらうようにします。カードの利用明細が送付されてきたり、ウェブページから印刷できたりしますが、**利用明細は領収書の代わりになりません**。利用した内容が、記載されていないからです。

　また、消費税が10％か軽減税率（8％）かも、利用明細ではわからないので、領収書は必要になります。

　お店が領収書やレシートを発行しない場合は、最低でもお客様控えなどと書かれた利用伝票を持ち帰り、経理に提出するよう徹底してください。

Check!

クレジットカードで商品の仕入れをしたときは？

経費の支払いでなく、販売する商品の仕入れなどでクレジットカードを使った場合は、未払金でなく買掛金（ ⇨ P 23参照）とします。経費の勘定科目の代わりは「仕入」という勘定科目です。

総務

労務

経理

毎日の記帳から
決算までの流れを知っておく

■■ 1件1件の記帳から決算書がつくられる

　現金や預金、売上げなど、毎日のお金の動きや取引の内容を伝票や帳簿に記録していくのは、**年度が終わったら決算を行い、決算書をつくるため**です。決算とは、1年間の経営成績や、期末時点での財政状態をまとめる作業のことで、その目的は次の3つです。

> ・経営者や社員が経営状況を正しく知って、経営に役立てる
> ・取引先、銀行その他の関係者に、会社の経営状況を正しく伝える
> ・決算の結果をもとに、法人税などの正しい申告・納付を行う

　また決算書とは、1年間の経営成績を示す「損益計算書」や、期末時点での財政状態を示す「貸借対照表」など、財務諸表とも呼ばれるものです。つまり、毎日行う1つひとつの記録の集大成が、決算書になるのです。

■■ 伝票や帳簿は複式簿記でつくられる

　決算書は社外の人にも見せるものなので、会社ごとにバラバラのものにならないように、つくり方には共通のルールが決められています。それが複式簿記です。

　複式簿記のルールでは、右図のような流れで、1件1件の記帳から決算書を作成するように定められています。

　記帳の対象になる取引とは、お金や商品などが動いたときです。商品やお金などが動かない段階、たとえば契約しただけでは取引としません。

　次に、1つの取引を2つの側面に分けて見ます。たとえば「接待交際費を現金3万円で支払った」という取引なら、「接待交際費という経費が3万円増えた」、その一方で「現金が3万円減った」という具合です。

　これが、仕訳です。**仕訳は複式簿記のカナメ**といってもよい**段階**です。

ＭＥＭＯ **複式簿記**：仕訳の段階で、2つの側面に分けることが「複式」の名前の由来。仕訳は2つの勘定科目に分けるとは限らず、3つ以上の複数の科目を左右（借方・貸方）に分けることもある。

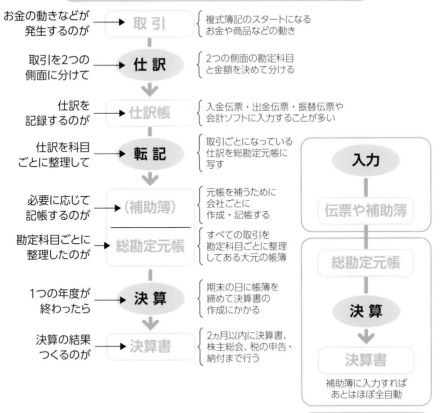

仕訳は取引ごとに行うので、それをまとめた仕訳帳（⤷ P 86 参照）では勘定科目ごとに残高がどうなっているのかわかりません。そこで**別の帳簿に、勘定科目ごとに整理**します。

　以前は手書きで書き写していたので、この作業は、転記といいます。**転記するのは他の補助簿と総勘定元帳**です。

　ここまでの記帳を１年間（会計年度という）繰り返し続け、**期末を迎えると帳簿を締めて、決算が始まります。**

　もちろん、同時平行で次の年度の記帳も始まるわけです。これは毎年度ひと巡りするサイクルで、「簿記一巡の手続き」などと呼ばれています。

会社で発生する
取引の仕訳を知っておく

■ 仕訳は勘定科目を見つけて左右に配置する

　仕訳は1つの取引を2つの側面に分けて見ることですが、それにはまず**2つの側面の適切な「勘定科目」を見つける**ことが必要です。たとえば、商品を売ったら「売上」、それが掛取引だったら「売掛金」です。

　勘定科目が見つかったら、それぞれを左側と右側に配置します。どちらが左側（借方）で、どちらが右側（貸方）かを決めるには、下図を思い浮かべるとよいでしょう。

　これは**決算書の貸借対照表と損益計算書をあらわす図**ですが、それぞれ**資産・負債・純資産、費用・利益・収益のグループ（勘定）に分かれています**。見つけた勘定科目は、このどれかの勘定に属しているものです。

　たとえば、「売上」は収益、「売掛金」は資産になります。その勘定が増える場合は左右の同じ側に、減る場合は左右の反対側に配置すれば、正しい仕訳ができます。

仕訳の借方・貸方を決めるしくみ

貸借対照表

借方（左側）	貸方（右側）
資産	負債
	純資産

損益計算書

借方（左側）	貸方（右側）
費用	収益
利益	

※それぞれP218、220を参照

■ 伝票には日付・金額・摘要も記入する

　勘定科目と借方・貸方が決まったら、伝票などに仕訳を記録します。勘定科目の他に記録が大事なのは、取引の日付、金額、それに摘要です。

　右図で、仕訳のしくみと伝票への記入を確認してください。

MEMO **貸借対照表・損益計算書**：ある時点での会社の財政状態をあらわすのが貸借対照表。一定期間の収益と費用をあらわすのが損益計算書。期末の決算で作成される（☞ P218、220 参照）。

取引を2つに分ける仕訳の例（売掛金の例）

取引 4月20日、商品AB 3個を、30,000円で△△商店に掛けで売った

2つの側面に分けて見る

売掛金 が増えた   **売上** が増えた
↓   ↓
資産の増加 （同じ側）   **収益の増加** （同じ側）

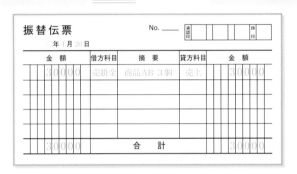

振替伝票　No.____

○年4月20日

金　額	借方科目	摘　要	貸方科目	金　額
30000	売掛金	商品AB 3個	売上	30000
30000		合　計		30000

取引 5月10日、△△商店の売掛金30,000円を現金で集金した

2つの側面に分けて見る

現金 が増えた   **売掛金** が減った
↓   ↓
資産の増加 （同じ側）   **資産の減少** （反対側）

5/10	（借方）現金　30,000	（貸方）売掛金　30,000

入 金 伝 票　No.____

○年5月10日

コード　　　　支払先　　　　　　　　　　　　△△商店　様

勘 定 科 目	摘　要	金　額
売掛金	商品AB 3個	30000
合　　計		30000

MEMO **左右の一致**：貸借対照表の借方（資産）の合計と、貸方（負債＋純資産）の合計金額は必ず一致
する。損益計算書も借方の合計と貸方の合計金額は一致する。

売掛金・買掛金の仕訳のしかたを知っておく

■■売掛金を口座振込みで回収したときの仕訳

　売掛金は、実際には預金口座への振込みで回収するケースが多いでしょう。**振込みで回収した場合の仕訳例**を見てみましょう。

《例》5月10日、△△商店の売掛金30,000円が普通預金に振り込まれた。

5/10	（借方）普通預金　　30,000	（貸方）売掛金　　30,000

　普通預金が3万円増えて（資産の増加）、その分3万円の売掛金が減った（資産の減少）という取引です。資産の勘定は左側（借方）なので普通預金の増加は借方、売掛金の減少は借方の反対側で右側（貸方）になります。

■■買掛金を口座振込みで支払ったときの仕訳

　反対に、商品などを**掛けで仕入れた場合の仕訳例**を見てみましょう。

　右図のように、商品の仕入れは「仕入」という経費（費用の増加）です。それを掛けで仕入れたのですから、もう一方は「買掛金」が増えたこと（負債の増加）になります。また、費用、負債は110ページの図で、左側（借方）、右側（貸方）にあるので、仕訳も同じ側になります。この買掛金を支払ったときは、右下の図のように反対側の仕訳になります。

> ### Check!
> ### 振込払いは振替伝票、現金払いは出金伝票
>
> 右下の図では振込みで支払って現金が動いていないので、振替伝票で仕訳をしています。もし現金で支払ったら、出金伝票の出番です。出金伝票は、振替伝票でいえば下の仕訳をします。
>
> | 6/10 | （借方）買掛金　　24,000 | （貸方）現金　　24,000 |
> | --- | --- | --- |

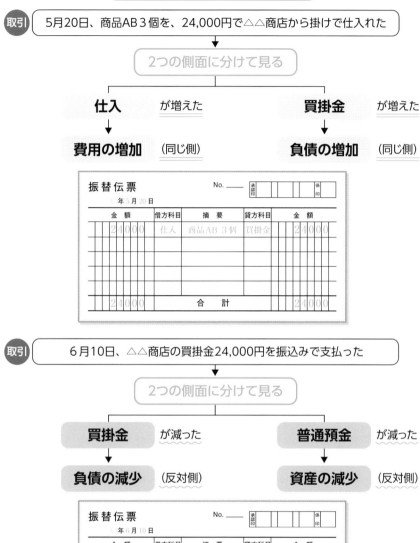

会計ソフトでの入力のしかたを知っておく

■■ 会計ソフトに入力すると仕訳したことになる

　一般的な会計ソフトでは、**現金出納帳などの補助簿や伝票に入力すると、自動的に仕訳をしたことになります**。現金出納帳は、仕訳の一方が現金となることと同じです。

　そこで、現金出納帳に入力する項目も、仕訳と同じく取引の日付、金額、摘要、それに現金の相手勘定科目になります。相手勘定科目とは、仕訳をしたときの反対側の勘定科目のことです。摘要には、現金の入出金の相手と、取引の内容が必要です。

　なお、入出金の伝票や振替伝票を起票してから、現金出納帳などに入力する方法もありますが、会社によっては伝票を起こさないで直接、会計ソフトに入力するやり方をしている場合があります。その場合は領収書や、レシートなどを見ながら直接、現金出納帳などに入力します。会計ソフトには伝票形式の入力画面があるものもあり、その場合は会計ソフトの伝票に入力すれば自動的に転記されます。

■■ 売掛帳などでも入力する項目は同じ

　預金出納帳や売掛帳、買掛帳などでも、入力する項目は同じです。右下の図は売掛帳（得意先元帳）の例ですが、得意先別のページになっている

> **Check!**
>
> ### 消費税は税込みか、税別か？
>
> 消費税は税込みで記帳する方法と、税別で記帳する方法があります。どちらを採用してもかまいませんが、必ずどちらかに統一する必要があります。税込みと税別の伝票が入り混じっていても、仕訳・入力の段階で統一します。右下の図の売掛帳は、税別で入力した例です。

ME **会計ソフト**：決算書の作成までを行うものが基本だが、販売管理や顧客管理などまで行うものも
MO ある。更新するときにいろいろ検討してみよう。

ので、入力はこの例のようになります。

　なお、現金出納帳は毎日入力しますが（☞ P 90参照）、売掛帳などは、**件数がごく少ない会社では月に１回の入力で充分な場合もあります。**

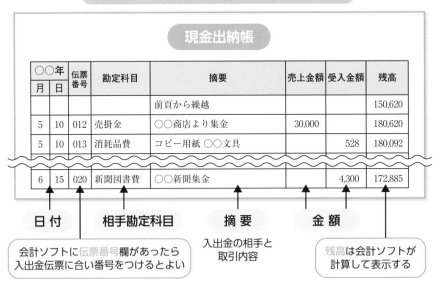

会計ソフトに入力する項目

現金出納帳

○○年		伝票番号	勘定科目	摘要	売上金額	受入金額	残高
月	日						
				前頁から繰越			150,620
5	10	012	売掛金	○○商店より集金	30,000		180,620
5	10	013	消耗品費	コピー用紙 ○○文具		528	180,092
6	15	020	新聞図書費	○○新聞集金		4,300	172,885

日 付
会計ソフトに 伝票番号 欄があったら入出金伝票に合い番号をつけるとよい

相手勘定科目

摘 要
入出金の相手と取引内容

金 額

残高は会計ソフトが計算して表示する

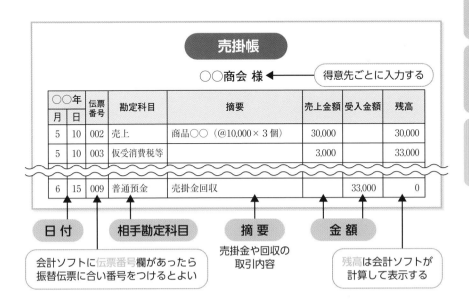

売掛帳

○○商会 様 ← 得意先ごとに入力する

○○年		伝票番号	勘定科目	摘要	売上金額	受入金額	残高
月	日						
5	10	002	売上	商品○○ （@10,000× 3 個）	30,000		30,000
5	10	003	仮受消費税等		3,000		33,000
6	15	009	普通預金	売掛金回収		33,000	0

日 付
会計ソフトに 伝票番号 欄があったら振替伝票に合い番号をつけるとよい

相手勘定科目

摘 要
売掛金や回収の取引内容

金 額

残高は会計ソフトが計算して表示する

MEMO **軽減税率の入力：**消費税が８％の軽減税率の対象となっているものの場合、会計ソフトでは８％を選べるようになっている。

預金の残高を確認して出納帳の残高と照合する

■■預金の残高を確認しないとミスにつながる

　現金出納帳と現金の残高を確認するように、**預金出納帳の残高と預金通帳の残高も一致の確認が必要**です。預金出納帳の残高が実際の残高と違っていると、代金の二重振込みや代金回収のもれなど、ミスの原因になります。

　普通預金では、預金通帳と照合します。当座預金では通帳がない代わりに、当座勘定照合表というものが郵送されてきます。当座勘定照合表は、通帳のように当座預金の入金と出金、残高を記載した書類です。

　定期預金では、同じく郵送されて来る利息の計算書などと照合します。

　インターネットバンキングを行っている場合は、これらをリアルタイムで照会することができて便利です。

■■当座預金は残高が一致しないことが多い

　とくに当座預金は、**当座勘定照合表と預金出納帳の残高が一致しないこと**が多々あります。たとえば自社の小切手（☞P 238参照）を振り出したり、受け取った小切手を取立に出したり、あるいは夜間金庫に当日の売上げを預け入れたりといった使い方をするためです。

　主な不一致の原因には、右上の図のようなものがあります。

■■小切手を受取り、振出しした場合の仕訳

　ここで、小切手による代金決済の仕訳例を見てみましょう。まず、小切手を受け取った場合、小切手は金融機関に持ち込めばすぐに現金化できるため、現金と同様の扱いをします（☞P 238参照）。借方を「現金」の勘定科目の増加として記帳します。

《例》7月10日、B社から売掛金100,000円を小切手で支払われた。		
7/10	（借方）現金　100,000	（貸方）売掛金　100,000

MEMO **小切手の取立・取付**：受け取った小切手は通常、自社の取引銀行に現金化を依頼する。これを取立といい、銀行に取立を依頼することを取付という。

次に、自社が小切手を振り出した場合は、貸方を「当座預金」の勘定科目の減少として記帳します。

《例》 ８月１日、Ｃ社に買掛金 200,000 円を小切手で支払った。

8/1	（借方）買掛金　200,000	（貸方）当座預金　200,000

当座預金の残高が一致しない主な理由

修正処理

小切手を	作成したが まだ相手に渡していない	未渡小切手（みわたし）	当座預金出納帳に加算
	相手に渡したが まだ取立されていない	未取付小切手（みとりつけ）	当座勘定照合表から減算
	相手から渡されたが まだ取立に出していない	未取立小切手（みとりたて）	当座勘定照合表に加算
預金から	引落しされたが まだ連絡が来ていない	引落連絡未通知（ひきおとしれんらくみつうち）	当座預金出納帳から減算
預金に	銀行の営業時間外に 入金した	時間外預入れ	当座勘定照合表に加算
出納帳に	記入を間違えた	誤記入	当座預金出納帳に加算か減算

小切手の受取り・振出しの仕訳

小切手を **受け取った**	●小切手はすぐに現金化できるため、現金と同様と考える ●受け取った時点で、借方に「現金」の勘定科目で記帳する（そのまま預け入れたら「普通預金」）
小切手を **振り出した**	●会社が小切手で支払う（小切手を振り出す）場合は、会社の当座預金の口座から引き落とされる ●振り出した時点で、貸方に「当座預金」の勘定科目で記帳する

時間外預入れ：夜間金庫などを利用して時間外に預け入れた場合、銀行の入金処理は翌日となるので会社の記録と１日のズレが生じる。

経費として
計上できないものに注意

■ 経費はより少なく、損金はより多く

　現金や預金から出金するもののうち、最も件数が多いのは経費でしょう。社員の旅費交通費を現金精算したり、水道光熱費が預金から引き落されたり、さまざまな経費が毎日、出金されています。

　経費が出金されると、会社に残る現預金はその分減るので、たとえボールペン1本でもより安いものを選ぶなど、経費削減の努力が大切です。

　「損金」とは、税務上の費用（経費など）として、法人税（☞P 224参照）の計算の際に差し引ける金額のことです。反対に、税務上の収益（売上げなど）として税金の計算に足されるものを「益金」といいます。

　損金が多いほど会社の所得が少なくなり、かかる税金も少なくなります。ただし経費には、損金になるものと、そうでないものがあります。

■ 経費なのに損金にならないものに注意

　会社にとっては経費でも、税務上は損金にならないものの例としては、右図のようなものがあります。

　たとえば**10万円以上（一定の条件を満たす会社は30万円以上）の備品などを購入すると、その備品は固定資産になり、一度に損金にできなくなります。**毎年、決められた減価償却の手続きをして、その減価償却費だけしか損金になりません。その分、会社の税金が増えて、最終的に残る利益が減るわけです（☞P 204参照）。ですから、同じ備品なら10万円未満のものを探すなど、できるだけ損金になる分を増やす努力も大切です。

■ 経費なのに勘定科目が変わるものに注意

　同じ経費でも、**処理する勘定科目が変わるものにも注意**が必要です。たとえば、4泊5日以内で社員の半数以上が参加する社員旅行の費用は福利厚生費ですが、それ以上は給与となります。

MEMO 固定資産：1年以上、使用、または投資目的で保有する資産。土地・建物などの有形固定資産、特許権などの無形固定資産、投資有価証券などの投資その他の資産に分類される（☞P204参照）。

損金にならない経費の例

原則として10万円以上の備品など	修繕などにかかった費用のうち修繕費として認められない支出	法人税法で損金と認められない役員報酬
↓	↓	↓
固定資産として減価償却する	固定資産として減価償却する	会社としては経費だが損金にはならない

　会社は給与も損金にできますが、給与扱いになると社員が個人的に納める税金が増えて、手取りを減らす結果になるので注意しましょう。

　似たような例として、通勤手当の処理もあります。社員の通勤定期代などを支給する通勤手当は、**月額最大15万円までは旅費交通費にできますが、それを超えた額は給与として支給されるため、課税対象となります。**

　社員旅行と同じく、会社はどちらも損金にできますが、社員は給料の手取りが増えることなく、税金が増えます。

　一方、上図の損金にならない経費の例のうちでも一定の条件を満たさない役員報酬、たとえば業績が良かったときに支払う賞与を、役員に支給した場合は「役員賞与」となり、損金になりません。役員が個人的に納める税金は、役員報酬でも役員賞与でも変わりませんが、会社の税金は増えることになるので注意しましょう。

Check!

損金になる税金と、ならない税金

固定資産税や自動車税、印紙税（収入印紙）などの税金は「租税公課」という勘定科目で経費（損金）になります。また法人税と法人住民税は損金にできず、決算で算出された利益をもとに計算して納税します。なお、利益から算出される法人事業税は損金になりますが、勘定科目は「法人税等」とします。

MEMO　使途不明金・使途秘匿金：使いみちが不明なのが使途不明金で、支払った相手もわからないのが使途秘匿金（しとひとくきん）。使途不明金は損金にできず、使途秘匿金にはペナルティが課される。**119**

会計ソフトを使った
軽減税率の入力のしかた

● 軽減税率導入で必要になった区分経理とは

　2019年の消費税の軽減税率の導入以降、**10%対象と8％対象の売上げ・仕入れなどは、分けて入力することが必要**になっています。これを消費税の区分経理といいます。

　売上げと仕入れに8％対象の商品が含まれる会社では対応済みでしょうが、経費に含まれる8％対象にも区分経理が必要です。注意しましょう。

　たとえば、来客用の飲み物と紙コップを買ったという場合、下のように領収書には総合計金額と別に、10%対象と8％対象の合計金額が記載されているはずです。この2つは、別々に入力しなければなりません。

　きちんと区分経理をしないと、消費税の申告の際に支払った消費税を差し引くこと（仕入税額控除）ができません。

```
          領収書
お茶※      150 円
紙コップ    100 円

〈合計〉
10%    100 円 （消費税 10 円）
8%     150 円 （消費税 12 円）
合計    272 円
                 ※は軽減税率対象
```

○／○	（借方）会議費（10%）　110	（貸方）現金　110
○／○	（借方）会議費（8%）　162	（貸方）現金　162

Check!

区分記載請求書等の保存も必要

10％対象と8％対象の合計を分けて記載した領収書などを「区分記載請求書等」や「適格請求書」といいます。消費税の申告の際に支払った消費税を差し引く（仕入税額控除）ためには、これらの保存も必要とされています。

第 4 章

毎月決まって
行う仕事

得意先への
代金請求の流れを知っておく

■■ 売上代金の請求は毎月、締め日に合わせて行う

　毎月決まって行う仕事のうち、重要なものの1つが売上代金の請求です。商品などを売り上げても、代金を請求して回収できなければ会社は資金に詰まります。「回収なくして売上げなし」といわれるゆえんです。

　消費者に直接販売する店舗のような商売を除き、通常の会社同士の取引では、代金の回収はずっとあとになります。**締め日ごとにその期間の売上げを合計し、請求書を発行する形をとる掛取引**がふつうです。そして、その回収は、翌月は当たり前で、翌々月、翌々々月も珍しくありません。

　そのような取引で売上代金を請求する仕事は、締め日に合わせて毎月、決まった頃に行う仕事になります。

■■ 締め日で締めて、売上げを請求する

　締め日とは、得意先との間で取り決める請求のサイクルの最終日のことです。よく、支払日とともに取り決められます。

　たとえば「月末締め・翌月末支払い」の場合は、今月の月初から月末までの売上げを合計し、翌月はじめ（できれば5日頃）に請求書を発送すると、翌月末に支払われます。5日に請求書を発送したら、5日が請求日です。

　締め日と支払日は月末と決まっているわけではなく、会社同士で自由に取決めできるので、「20日締め・翌月末支払い」「15日締め・翌々月15日支払い」などの取決めも可能です。しかし、一般的には「月末締め・翌月末支払い」が最も多い締め日と支払日でしょう。

　売上げが発生した時点から代金が支払われるまでは、売掛金になります。代金が振り込まれて、売掛金が預金に振り替えられる日まで、きちんと売掛金の管理をしなければなりません（☞ P 128参照）。

　なお、**振込みで支払われた場合は、通帳などに入出金の明細が残るため、その後の領収書の発行が不要とされることがあります。**

■■意外に重要な売上げの計上基準

　売上げと売掛金の計上は、請求書を発送した請求日でなく、売上げがあった日付で行います。どの時点で売上げがあったとするかは、納品した日とするのが一般的です（納品基準）。

　ただし、納品より前の、出荷した日にしたり（出荷基準）、納品よりあとの、得意先が検収した日にする（検収基準）ことも可能です。これを売上げの計上基準といいます。

　どの基準を採用することもできますが、すべての売上げは採用した基準で計上しなければなりません。また、特別な理由もなく変更もできません。

売上代金請求の流れ

納品書の作成・発送　売上げ

納品書の作成・発送　売上げ

納品書の作成・発送　売上げ

得意先との間で取り決める　締め日

請求書の作成　売上げの合計

請求書の発送　請求日

支払期限までに支払われる　支払日

入金の確認

領収書の作成・発送

Check!

支払いサイトの期間

「月末締め・翌月末払い」のサイクルのことを、支払いサイトといいます。支払いサイトは、自社が売掛金を回収するまでの期間は短いほうがよく、買掛金の支払いサイトは長いほうがよいとされます。売掛金の回収までの支払いサイトが長いと、その間に準備しておくべき資金の額が多くなるため、資金繰り（ P149参照）が厳しくなりかねないからです。

MEMO **検収**：納品された商品などを検品して収受すること。検収基準は納品を受けた側が商品の品質検査や動作確認などに時間がかかる場合などに採用される。

総務

労務

経理

得意先に
納品書や受領書を発行する

■ 納品書で納品した内容を確認してもらう

　商品などの納品に際しては、納品書を発行します。納品書は、納品した品名・数量・単価・金額などを記載し、**納入した商品などに間違いがないか、得意先に確認してもらう文書**です。

　納品した側は、売上げの計上をその納品の記録をもとに行うので、この確認には重要な意味があります。**商品などと同梱して送り、得意先の手に渡るようにする**のが一般的です。

　ここまでは販売の業務範囲で、経理の仕事とはされない会社もありますが、小さな会社では納品書の発行も経理の仕事とされることがあります。

　会計ソフトなどのフォーマットを使うことも多いでしょうが、市販の用紙に手書きでもかまいません。ネット上のテンプレートをダウンロードして使用したり、自分で作成する場合は、右図のような**記載項目のもれがないか、チェックしてください。**

　なお、単価や金額を記載しない納品書もよく見かけますが、記載してもしなくても、どちらでも問題ありません。

■ 受領書で確かに納品したことを証明してもらう

　納品書とともに発行されるのが、受領書（物品受領書）です。**納品を受領したことを、得意先に証明してもらう文書**です。その意味合いからいえば、受領した側が発行するものですが、通常は相手の手間を省くために納品する側が作成し、受領印をもらう形をとります。

　納品書とともに、得意先の手に渡るように送るのが一般的です。

　自社による配送ではなく、宅配便などで納品する場合は、得意先に返送してもらう手間を省くために、受領書の添付を省略することもあります。

　記載項目は、納品書とほぼ同じです。というより、納品書と同じ内容でなければ受領書としての役割を果たさないでしょう。

納品書・受領書の記載項目

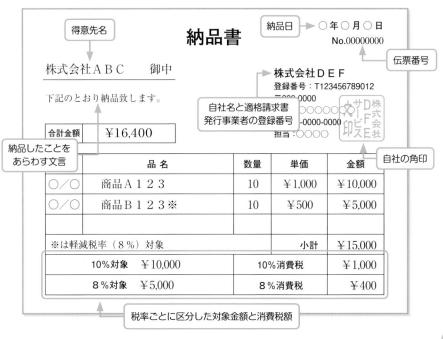

納品書

得意先名
株式会社ＡＢＣ　　御中

下記のとおり納品致します。

納品日　○年○月○日
No.00000000

伝票番号

株式会社ＤＥＦ
登録番号：T123456789012
〒○○○-○○○○
自社名と適格請求書
発行事業者の登録番号
-0000-0000
担当：○○○○

自社の角印

合計金額	￥16,400

納品したことを
あらわす文言

	品　名	数量	単価	金額
○／○	商品Ａ１２３	10	￥1,000	￥10,000
○／○	商品Ｂ１２３※	10	￥500	￥5,000
※は軽減税率（８％）対象			小計	￥15,000
10％対象　￥10,000		10％消費税		￥1,000
８％対象　￥5,000		８％消費税		￥400

税率ごとに区分した対象金額と消費税額

受領書

受領日　○年○月○日
No.00000000

伝票番号

株式会社DEF　　御中

下記のとおり受領致しました。

株式会社ABC
登録番号：T987654321098

自社名と適格請求書
発行事業者の登録番号

受領印

受領印
押印欄

合計金額	￥16,400

受領したことを
あらわす文言

	品　名	数量	単価	金額
○／○	商品Ａ１２３	10	￥1,000	￥10,000
○／○	商品Ｂ１２３※	10	￥500	￥5,000
※は軽減税率（８％）対象			小計	￥15,000
10％対象　￥10,000		10％消費税		￥1,000
８％対象　￥5,000		８％消費税		￥400

税率ごとに区分した対象金額と消費税額

総務

労務

経理

請求書を作成して得意先に発送する

■■ 請求書は間違いなく作成し、販売担当の確認を受ける

　継続的に取引をしている得意先に対しては、取り決めた締め日を過ぎたら請求書を作成し、発送します。ここからは、ほとんどの会社で経理の仕事です。

　請求書は、文字どおり得意先に代金の支払いを請求する文書です。**請求もれや発送もれがあるとトラブルのもとになるので、慎重に間違いなく作成して発送する**ようにします。

　そのために、**販売の担当者に確認をしてもらう**のもよい方法です。確認が済んだ印として、担当社員に確認印を押してもらいます。

　販売の担当者が確認するのにも、ある程度の時間がかかりますから、その分もスケジュールに入れて、早めに請求書の作成を進めたいものです。

　右図は、継続的に取引をしている得意先用の請求書の例です。適格請求書発行事業者の登録番号や消費税の8％・10%の記載が必要です。

■■ 「請求書在中」と記し、振込先口座を記載する

　納品書や受領書は商品と同梱して送りますが、請求書の発送は、**商品などとは別にして郵便などを利用**するのが一般的です。

　その際は、**封筒の表面に「請求書在中」と記載する**か、スタンプを押すなどしておくと確実です。一般の文書などにまぎれて廃棄されたり、開封もれなどのトラブルが防げます。

　また、振り込む相手の手間を省くため、請求書のどこかに**振込先口座を記載しておく**のも一般的です。

　毎回振込みされているから必要ないと考えがちですが、得意先の担当者がどのように振込み作業をしているかわからないので、毎回同じでも記載しておくのがマナーです。

請求書の記載項目

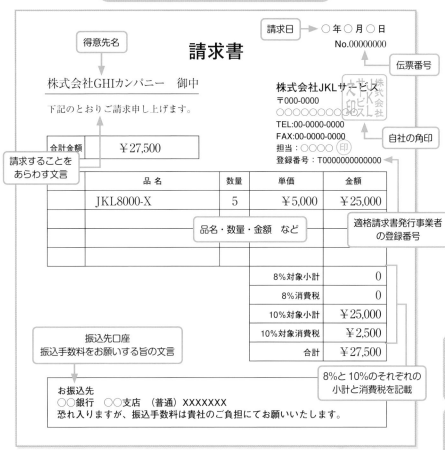

得意先名

請求書

株式会社GHIカンパニー　御中

下記のとおりご請求申し上げます。

請求日 → ○年○月○日
No.00000000

伝票番号

株式会社JKLサービス
〒000-0000
○○○○○○○○○○○○○○
TEL:00-0000-0000
FAX:00-0000-0000
担当：○○○○ (印)
登録番号：T0000000000000

自社の角印

合計金額	¥27,500

請求することを
あらわす文言

品　名	数量	単価	金額
JKL8000-X	5	¥5,000	¥25,000

品名・数量・金額　など

適格請求書発行事業者
の登録番号

8%対象小計	0
8%消費税	0
10%対象小計	¥25,000
10%対象消費税	¥2,500
合計	¥27,500

振込先口座
振込手数料をお願いする旨の文言

8%と10%のそれぞれの
小計と消費税を記載

お振込先
○○銀行　○○支店　（普通）XXXXXXX
恐れ入りますが、振込手数料は貴社のご負担にてお願いいたします。

Check!

振込手数料が先方負担であることも記載

代金支払いの振込手数料を先方負担でお願いする場合も、その旨を請求書に明記しておくのが確実です。ただし、負担をお願いするわけですから、次のようにできるだけていねいな表現にします。

「恐れ入りますが、振込手数料は貴社のご負担にてお願いいたします」

もちろん、締め日、支払日の取決めをしたときに決まっていれば、それに従います。

売掛帳を作成して売掛金を管理する

■■売掛金の計上は得意先によって変わる

　売掛金の締め日は、それぞれの得意先との取決めで決まるので、得意先によってバラバラになることがあります。同じ日に納品しても、ある得意先は今月分の請求で、別の得意先は来月分の請求、といったことも起こりえます。得意先が、当社の仕入れの計上基準（☞P 139参照）と異なる売上計上基準（☞P 123参照）を採用していると、さらに差が生じます。そうした得意先の件数が多いと、経理としてはかなり混乱するかもしれません。

　そのようなときのために**売掛帳（得意先元帳）を作成**して、**売掛金を管理**します。

　売掛帳とは右図のように、**得意先ごとに売上金額と受入金額（入金額）、摘要などを記入し、そのつど売掛金の残高を計算していく**ものです。

　得意先の数だけページを作成して、そのつど記入しておくと、その得意先の売掛金がどれだけ残っているか、リアルタイムでわかります。残高がゼロになったら、売掛金はいったん全額が回収されたということです。

　また、売掛金の発生（掛売上げ）と回収（入金）がすべて記録されるので、その得意先にいつ、どれだけの売上げがあり、代金がいつ、どれだけ支払われたかを、いつでも見ることができます。

　会計ソフトを使用している場合は、売掛金の補助科目として得意先名を設定しておくと、売掛帳と同じものを見ることが可能です。

■■売掛帳の記入は売掛金の仕訳をしているのと同じ

　売掛帳を作成して売掛金を管理している場合は、取引のつどの売上げを売掛帳に記録していくので、取引のつどの売上げの段階での仕訳を省くこともできます。売掛帳に記入するということは、**仕訳の片方が「売掛金」となる仕訳をしている**のと同じことなのです。たとえば、売上金額を記入したときは、次のような仕訳をしたことになります。

MEMO　**補助科目**：仕訳に使用する勘定科目の内訳項目。会計ソフトで売掛金の補助科目に得意先を設定すると、得意先ごとの売掛金残高がひと目でわかる。

《例》6月15日、ABC商会に商品Yを180,000円、掛売りした。

6/15	（借方）売掛金　180,000	（貸方）売上　180,000

また、受入金額を記入したときの仕訳は、次のようになります。

《例》7月31日、ABC商会から売掛金180,000円が振り込まれた。

7/31	（借方）普通預金　180,000	（貸方）売掛金　180,000

この場合、実際の売掛金の仕訳は、請求書ごとに行えばよいことになります（☞次項参照）。

売掛金を管理する売掛帳の記入例

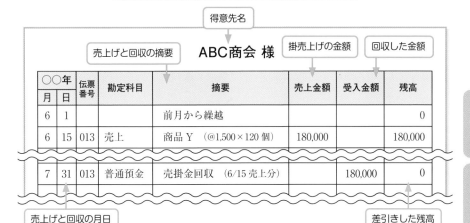

得意先名

ABC商会 様

売上げと回収の摘要

掛売上げの金額

回収した金額

○○年		伝票番号	勘定科目	摘要	売上金額	受入金額	残高
月	日						
6	1			前月から繰越			0
6	15	013	売上	商品Y　（@1,500×120個）	180,000		180,000
7	31	013	普通預金	売掛金回収　（6/15売上分）		180,000	0

売上げと回収の月日

差引きした残高

Check!

売掛金とするのは売上げの未収分だけ

たとえば、不要になった機械を業者に売却して、その代金が後払いだった場合、売掛金と同じようにあとで入金するお金が発生します。しかし、このような後払いは、売掛金としてはいけません。「未収金」とします。売掛金が本業での営業取引で生じる後払いを計上するのに対して、未収金は営業取引以外の取引で生じる後払いを計上する勘定科目です。

売掛金に関する
いろいろな仕訳のしかた

■■ 売掛金計上の基本的な仕訳

　売掛金については、売上げの計上時と代金の入金時に基本的な仕訳が必要になりますが、それ以外にいろいろな仕訳が必要になることがあります。

　ここで売掛金に関する仕訳をまとめておきましょう。

　まず、**掛売上げが発生したときの仕訳**は、前項で説明したようになります。

《例》6月15日、ABC商会に商品Yを180,000円、掛売りした。

6/15	（借方）売掛金　180,000	（貸方）売上　180,000

　売掛金が発生したつどに記録する場合も、請求書の発行時に記録する場合も同じです。日付は売掛金が発生した日になります。

　ただし、請求書には締め日までの取引の合計金額もあわせて記します。

■■ 請求額と実際の入金額が異なるときの仕訳

　売掛金を回収したとき、すなわち**口座に振込入金されたときの基本的な仕訳**は次のようになります。前項の売掛帳の記入と同じ仕訳になります。

《例》7月31日、ABC商会より売掛金180,000円が振り込まれた。

7/31	（借方）普通預金　180,000	（貸方）売掛金　180,000

　ただ入金に関しては、請求額と実際の入金額が異なる、いろいろなケースがあります。

　たとえば、振込手数料がこちら持ちで、手数料が差し引かれた額が入金した場合は、**振込手数料を足し、実際の入金額と振込手数料の合計が、売掛金の請求額と同じになる仕訳**になります。

ME **仮受金**：入金の理由が不明な場合の他、最終的な金額が未確定な場合などに一時的に使用する勘
MO 定科目。本来の勘定科目と、正確な金額がわかったら振替処理をする。

《例》売掛金 180,000 円のうち、振込手数料 110 円を差し引いた額が振り込まれた。

7/31	（借方）普通預金　179,890 　　　　支払手数料　　　110	（貸方）売掛金　180,000

　上のケースとは逆に、得意先の締め日との関係などから、実際の入金額が売掛金より多くなるときもあります。

　その場合は、**売掛金の残高がマイナスになってしまわないように、「仮^{かり}受金^{うけきん}」として処理**します。

《例》請求した売掛金 180,000 円の他に、別の 70,000 円の掛売り分もあわせて振り込まれた。

7/31	（借方）普通預金　250,000	（貸方）売掛金　180,000 　　　　仮受金　　70,000

　また、はじめての得意先で、事前に内金などを受け取っていて、残金を売掛金としていた場合は、**内金分を「前受金^{まえうけきん}」として計上しておき、売上げを計上する時点で売掛金が減る仕訳**をします。

　あとは入金時に左ページの基本的な仕訳をすれば、売掛金の残高はゼロになります。

《例》掛売りする 200,000 円のうち、7 月 20 日に内金 50,000 円を受け取り、7 月 25 日に納品した。

7/20	（借方）現金　　　　50,000	（貸方）前受金　50,000

7/25	（借方）前受金　　　50,000 　　　　売掛金　　150,000	（貸方）売上　200,000

《例》その後、8 月 31 日、残金 150,000 円が振り込まれた。

8/31	（借方）普通預金　150,000	（貸方）売掛金　150,000

MEMO **前受金**：手付金や内金の名目で、商品などの代金の一部を前もって受け取ったときに使用する勘定科目。売上げが計上できる時点になったら、売上げに振り替える。

領収書は
金額に応じて印紙を貼る

■■ 領収書が必要な場合と不要な場合

売上代金の支払いを受けたら、領収書を発行します。振込みで支払われた場合は領収書が不要の場合もあるので、とくに領収書を請求されなければ、作成して送付しなくてもさしつかえありません。

ただし、小切手や約束手形を受け取った場合でも、領収書の発行を求められたときは作成して渡す必要があります。現金の場合もそうですが、受け取ったその場で発行するのが原則です。

領収書を発行する場合は、パソコンなどで作成する他、市販の用紙に手書きで記入することもできます。外回りの営業員などは、そうしているケースもあるでしょう。

手書きの場合は、通常の記載項目の他、金額の頭に「¥」、末尾に「-」をつけることに注意してください。外回りの営業員にも教えてあげて、会社として、きちんとした領収書を発行するようにしましょう。

パソコンで作成する場合などの記載項目は、領収書のチェックに関する説明を参考にしてください（☞ P 92 参照）。

■■ 領収書に貼る収入印紙の額

領収書の発行で注意する点は、金額5万円以上の領収書には印紙税がかかるということです。つまり、収入印紙を貼る必要があります。

収入印紙の額は「印紙税額の一覧表」でわかります。一覧表には契約書や通帳など、さまざまな収入印紙の額が一覧で記載されていますが、そのなかで「売上代金に係る金銭または有価証券の受取書」というのが、売上代金の領収書の印紙税額になります。右表がそれです。売上代金以外の領収書では、右表の下のように別の印紙税額になるので注意してください。

なお、収入印紙を貼ったら忘れずに消印をしましょう。消印は収入印紙の再利用を防止するために必要です。

MEMO　契約書の印紙税：各種の契約書のうち、印紙税法で定める課税文書に該当し、契約金額が1万円以上のものは所定の収入印紙を貼る必要がある。

領収書の印紙税額

●売上代金の領収書の印紙税額●

５万円未満	非課税
100万円以下	200円
100万円を超え200万円以下	400円
200万円を超え300万円以下	600円
300万円を超え500万円以下	1,000円
500万円を超え1,000万円以下	2,000円
1,000万円を超え2,000万円以下	4,000円
2,000万円を超え3,000万円以下	6,000円
3,000万円を超え5,000万円以下	1万円
5,000万円を超え1億円以下	2万円
受取金額の記載のないもの	200円
営業に関しないものなど	非課税

※１億円超は国税庁のホームページなどを参照してください。

●売上代金以外の領収書の印紙税額●

５万円未満	非課税
５万円以上	200円
受取金額の記載のないもの	200円
営業に関しないものなど	非課税

総務

労務

経理

Check!

消印のない収入印紙は無効

領収書に収入印紙を貼ったら必ず印紙と領収書にかかるように消印（割印ともいう）を押さなくてはなりません。印紙は貼っただけでは印紙税を納めたことにはなりません。消印をしてはじめて納税が認められます。また、もし必要な印紙が貼られていないことが税務調査などで発覚した場合は、領収書を発行した側に過怠金というペナルティが課されることもあります。

MEMO 地方消費税：10％のうち2.2％（軽減税率８％のうち1.76％）。消費税とともに国に申告・納付し、地方消費税分が後日、国から地方自治体に払い込まれる。

売掛金回収の
手順を知っておく

■■ 売掛金はスムーズに回収できるとは限らない

　売掛金の回収は、請求書を作成・発送して得意先からの支払いを待ちますが、予定された支払日に正しい金額が入金され、スムーズに回収が完了するとは限りません。金額に過不足があったり、入金が遅れたり、ときには数ヵ月間に渡って、得意先からの入金がないこともあります。そのような場合の対応のしかたを知っておきましょう。

　まず、最も基本的な対応の前提として、売掛帳だけの記録以外に、**得意先ごとの締め日と支払日の一覧をつくっておく**ことです。カレンダー形式にしておき、締め日が来たら請求書の作成にとりかかるようにすると、請求書の発送もれや発送遅れが防げます。

　また、支払日が来たら、**必ずその日か翌日に、入金と入金額のチェックをする**決まりにしておくことです。そうすれば、何か問題があったときにもただちに対応できます。

■■ 問題が発生したら営業の担当者と対応する

　支払日に請求書どおりの金額が入金されていれば、その売掛金の回収は完了です。しかし入金額の過不足や、入金がないなどの問題があったときは、**まず社内の営業の担当者などに確認します**。得意先との間で、納品後に返品や値引きなどがあり、その情報が納品書に反映されていなかったりする可能性があるからです。

　また、得意先の都合で支払いが数日遅れるなど、営業の担当者からの情報が、経理に伝えられていないこともあります。

　営業の担当者に確認しても、問題の原因がわからないときは、**営業の担当者から得意先に問い合わせてもらいましょう**。得意先の単純なミスの可能性も高いので、電話か訪問をして、まずは口頭で問い合わせてもらいます。

　それで問題が解決すれば、その売掛金の回収は完了です。

ME　**内容証明郵便**：一定の形式で、郵便局が内容を証明してくれる郵便。支払いの督促の場合は、内
MO　容は催告書（催促の内容を伝える文書。☞次項参照）などになる。

しかし、それでも支払われないときは、営業の担当者と対応を相談する必要があります。営業の担当者が口頭での交渉を続けるか、文書による督促(とく)に切り替えるなどの選択肢があります。

文書による督促で解決しなければ、内容証明郵便、法的手続きへと進むことになりますが、この段階になったら経営者に報告を上げ、判断をあおぐことが必要です（☞次項参照）。

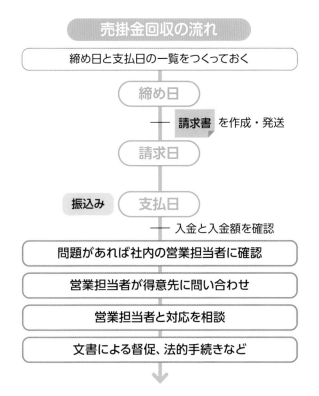

売掛金回収の流れ

締め日と支払日の一覧をつくっておく

締め日

—— **請求書** を作成・発送

請求日

振込み　支払日

—— 入金と入金額を確認

問題があれば社内の営業担当者に確認

営業担当者が得意先に問い合わせ

営業担当者と対応を相談

文書による督促、法的手続きなど

総務

労務

経理

Check!

売掛金には時効がある

売掛金には時効があります。「権利を行使できると知ったときから5年」というのが法律の定めです。以前は、売上代金の種類によって1〜3年でしたが、2020年4月以降は法律改正により5年に統一されています。古い時効の知識で年数を覚えていた人には教えてあげてください。

ME
MO **法的手続き**：相手が内容証明郵便による催告書に応じない場合に、簡易裁判所に調停を申し立てたり、調停が整わない場合は訴訟を起こす、など。

支払いがされない場合の督促・回収のしかた

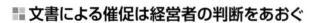

文書による催促は経営者の判断をあおぐ

営業の担当者による問い合わせや交渉にも応えず、売掛金が支払われないときは、経営者の判断をあおいで、文書による催促の段階に進みます。まずは、右図のような**督促状を送付する**のが一般的です。

督促状は、請求書の再送付のようなものなので、挨拶もきちんと入れ、ていねいな言葉づかいを心がけます。入れ違いに入金されることも考え、その文言も入れましょう。「記」として、請求の内容も添えます。

催告書でも支払われないときの法的手続き

督促状を受け取った相手が、支払資金の手当をする時間も考慮して、1週間程度は待ちます。それでも支払ってもらえないときに、次の段階として送付するのが催告書です。**催告書は、より強い表現で支払いを迫る文書**で、通常は内容証明郵便で送付します。

ここまでで、本来の支払日からある程度の時間が経過しているので、相手の資金繰りもできて、何らかの解決が見られることが多いものです。

しかし、**それでも支払われないときは、法的手続きしか方法がありません**。経営者や弁護士が相談して、法的手続きに進むことになります。

簡易裁判所に調停を申し立てる他、60万円以下の未払金額であれば、**少額訴訟制度の利用も可能**です。

> **Check!**
>
> ## トラブる前の与信管理
>
> 得意先との売掛金に関するトラブルを防ぐには、予防策を講じることも大切です。初回の取引は現金払いにする、得意先に決算書を提出してもらって信用調査をする、売掛金の上限を設定してそれ以上は掛売りをしない、などの対策があります。これを与信管理といいます。

支払われないときの督促と回収の方法

督促状を送付する

〇年〇月〇日

〇月分ご請求金額お支払いのお願い

拝啓
時下ますますご清祥のこととお慶び申し上げます。
平素より格別のお引き立てを賜り、ありがたく厚く御礼申し上げます。
さて、〇年〇月〇日付でご請求を申し上げました〇月分売掛金につきまして、本日時点でご入金の確認ができておりません。つきましては、ご確認のうえ、至急お支払いいただきますようお願い申し上げます。
なお、本状と行き違いにご入金いただいておりました際は、失礼の段ご容赦のほどお願い申し上げます。

敬具

記
ご請求内容　……

支払いに応じない場合は…

催告書を送付する

ポイント

①内容証明郵便で送付する
➡内容証明郵便なら確実に相手に届き、催告書を送った証拠を残せる。

②督促状よりも強い表現を用いる
➡「期限内にお支払いいただけない場合は、法的手段等による解決を図らせていただきます」など、強い表現で支払いを迫る。

調停申立て

通常は訴訟を提起する前に、簡易裁判所に調停を申し立てる。調停で解決しない場合に、訴訟になる。

少額訴訟制度

60万円以下の金銭の支払いを求める場合に利用可能。申立費用が安く、原則として１日で結審し、即日判決。

※売掛金の時効５年に注意（☞前項参照）

仕入先への代金支払いの流れを知っておく

■■ 支払いをきちんと行い、仕入先との信頼関係を守る

　売上代金の請求とともに重要なのが、仕入代金の支払いです。

　取り決めたルールに従って支払わなければ、会社同士の信頼関係を損なってしまいます。信頼関係が崩れれば、在庫切れ時の緊急仕入れや品薄商品の優先的な割当てなど、仕入れ業務に支障が出ることもあります。

　支払期日を守ってきちんと支払うことは、重要な仕事なのです。

■■ 請求書を受け取って、支払いを準備する

　仕入代金の支払いは、仕入先から見れば売上代金の請求ですから、仕入代金支払いの流れは売上代金請求の流れを、仕入れた側から見たものになります。

　つまり、仕入先と取り決めた締め日になると、仕入先はその期間の仕入れ（仕入先から見れば売上げ）を合計し、買掛金の請求書を作成して送ってきます。その請求書は、仕入先の担当者が作成したものですから、受け取った側は内容を確認しなければなりません。

　締め日までに仕入れた分は、納品書を受け取っているはずですから、**それらの納品書の内容と違いがないか確認**をします。

　違いがあれば、仕入先に指摘して原因を追求し、問題がなければ支払日に代金を振り込む準備をしましょう。

　支払日に代金を振り込むと、通帳などにその記録が残るので、領収書の受取りは必ずしも必須ではありません。

　継続した取引を始める時点で仕入先と相談し、領収書の発行を求めるかも取り決めておくのがふつうです。

　仕入れの時点から代金を支払うまでは、買掛金になります。その後、代金を振り込んで買掛金が預金に振り替えられる日まで、きちんと買掛金の管理をしましょう（⇨P142参照）。

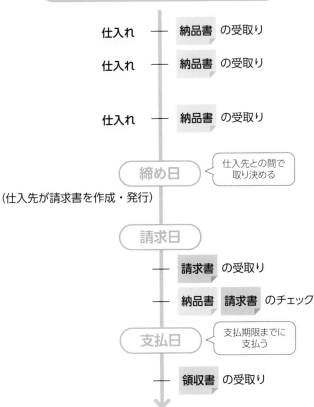

仕入れ ── 納品書 の受取り

仕入れ ── 納品書 の受取り

仕入れ ── 納品書 の受取り

締め日 ◁ 仕入先との間で取り決める

（仕入先が請求書を作成・発行）

請求日

── 請求書 の受取り

── 納品書 請求書 のチェック

支払日 ◁ 支払期限までに支払う

── 領収書 の受取り

総務

労務

経理

Check!

仕入れの計上にも基準がある

仕入れと買掛金の計上は、請求書を受け取った日でなく、仕入れがあった日付で行います。どの時点で仕入れがあったとするかは、売上げの計上基準（⤳ P123参照）と同じく、いくつかの基準から選択することが可能です。納品した日とする納品基準が一般的ですが、仕入先が出荷した日とする出荷基準、こちらが検収した日とする検収基準などもあります。仕入れの計上基準によっても日付が２、３日ずれ、仕入れの属する期間が変わることがあります。どの基準を採用しても、すべての仕入れを同じ基準で計上し、理由なく変更できない点も売上の計上基準と同じです。

仕入先からの
納品書や請求書を受け取る

受け取った請求書のチェックは確実に行う

　仕入先への代金支払いの流れは前項のとおりですが、ここでは流れのなかで注意するポイントをあげておきましょう。

　まず、前項でも説明したように、**納品書と請求書のチェックを確実に行うことです**。買掛金の仕訳は納品を受けた段階などで行いますから、請求に間違いがあると買掛金の支払いに誤差が生じてしまいます。

　また会社によって、納品書などを受け取る担当者は異なるものです。納品書と請求書を経理担当者が受け取る会社もあれば、納品書だけは仕入担当者が受け取る場合もあります。

　どの場合でも、**納品書や請求書ができるだけ早く、確実に経理に届く**ように、仕入担当者と相談しておきましょう。

　また、請求書の段階で、仕入担当者の確認を受けるしくみにしておくのもよい方法です。

　その場合は、仕入代金支払いの振替伝票を起票し、係印欄に仕入担当者の確認印を押してもらうようにします。

電子請求書の保存に要注意

　最近は、紙の請求書に代えて、メールやウェブで請求書のデータをやりとりする会社も増えてきました。

　電子請求書には、**メールにＰＤＦのデータが添付されて送られて来る方法と、ウェブ上に請求書のデータがアップロードされて、それをダウンロードする方法**があります。

　2022年1月より電子帳簿保存法が改正され、このようなデータで受け取った請求書などを保存するときの決まりがつくられました。法改正に対応したソフトウエアサービスを利用するか、検索しやすいファイル名をつけて検索しやすいところに保存するなどです。

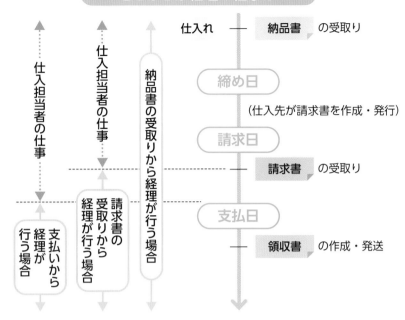

どこからが経理の仕事か

仕入れ　──　**納品書**　の受取り

締め日

（仕入先が請求書を作成・発行）

請求日

請求書　の受取り

支払日

──　**領収書**　の作成・発送

納品書の受取りから経理が行う場合

請求書の受取りから経理が行う場合

仕入担当者の仕事

支払いから経理が行う場合

仕入担当者の仕事

Check!

電子帳簿保存法の改正への対応

2024年1月の法改正は、①電子帳簿等保存、②スキャナ保存、③電子取引に分けられます。

①電子帳簿等保存は、会計ソフトなどで帳簿づけをした場合、総勘定元帳や売掛帳などの書類や、自社がパソコン等で作成した請求書や領収書の控えを電子的に保存することが義務づけられました。

②スキャナ保存は、紙で受け取った領収書や請求書などをスキャナで取り込んで保存することです。

③電子取引とは、メールなどで受け取った請求書や領収書といった証憑だけでなく、ネットショップのような電子取引で購入したものの領収書等も電子ファイルとして保存する義務です。

保存するときは、法改正に対応したシステムを利用することや、税務署の職員が検索しやすいファイル名をつけるように決められています。

買掛帳を作成して買掛金を管理する

■■買掛帳を作成すればバラバラの仕入先が管理できる

売掛金の売掛帳での管理（☞ P 128参照）と同様に、買掛金の管理のために**買掛帳（仕入先元帳）も作成・記入する**のがふつうです。

買掛金の締め日も、それぞれの仕入先との取決めで決まるので、仕入先によって変わることがあるからです。同じ日に仕入れても、ある仕入先は今月分の請求、別の仕入先は来月分の請求といったことが起こりえます。

そうした**仕入れの締め日と支払日の混乱を防いでくれるのが買掛帳**です。

■■買掛帳で買掛金を管理するには

買掛帳では右図のように、**仕入先ごとに仕入金額と支払金額を記入し、そのつど買掛金の残高を計算**します。

仕入れて買掛金が増えたときは残高が増え、支払って買掛金が減ったときは残高が減るか、ゼロになります。

ただし継続的な取引では、締め日以後、支払日までの間に次の仕入れが発生することが多いので、実際にゼロになることはあまりありません。これは、売掛帳の売掛金残高の場合も同じです。

買掛帳によって、**その仕入先の買掛金残高がどれだけあるかを、リアルタイムで知る**ことができます。また、仕入先からいつ、どれだけ仕入れて、代金をいつ、どれだけ支払ったかを見ることも可能です。

会計ソフトを使用している場合は、買掛金の補助科目として仕入先名を設定しておくと、買掛帳と同じものを見ることができます。

■■買掛帳の記入を買掛金の仕訳で見てみると

買掛帳を作成している場合は、納品書にそって仕訳することもできますが、そのつどの仕入段階での仕訳を省くことも可能です。この場合、買掛金の仕訳は受け取った請求書ごとに行います（☞ P 146参照）。

売掛帳と同様、買掛帳に記入すると、どんな仕訳をしたことになるのかも見ておきましょう。

《例》5月15日、商品A 144,000円分を、掛けで仕入れた。

5/15	（借方）仕入 144,000	（貸方）買掛金 144,000

《例》6月30日、商品Aの買掛代金144,000円を振込みで支払いした。

6/30	（借方）買掛金 144,000	（貸方）普通預金 144,000

買掛金を管理する買掛帳の記入例

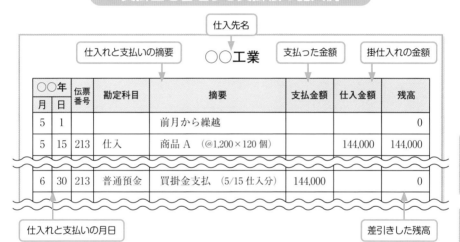

仕入先名

仕入れと支払いの摘要　○○工業　支払った金額　掛仕入れの金額

○○年		伝票番号	勘定科目	摘要	支払金額	仕入金額	残高
月	日						
5	1			前月から繰越			0
5	15	213	仕入	商品A　（@1,200×120個）		144,000	144,000
6	30	213	普通預金	買掛金支払　（5/15仕入分）	144,000		0

仕入れと支払いの月日

差引きした残高

総務

労務

経理

Check!

仕入れの未払分以外は買掛金にしない

たとえば機械を購入して、その代金を後払いにした場合、その未払分は買掛金でなく未払金（☞P 106参照）とします。未払金は、営業取引（商品の仕入れや原材料の購入）以外の取引で生じる未払いを計上する勘定科目です。

買掛金の
仕訳例①

■■支払いの種類に応じて支払い準備をする

　買掛金の支払いには、口座振込みの他、現金、手形、小切手などが使われます。たとえば前項と同じく、5月15日に商品Aを144,000円で仕入れた場合、支払方法の違いによって仕訳は次のように変わります。

●口座振込みによる支払い

《例》6月30日、商品Aの買掛代金144,000円を振込みで支払った。

6/30	（借方）買掛金　144,000	（貸方）普通預金　144,000

●現金による支払い

《例》5月15日、商品Aの仕入代金144,000円を現金で支払った。

5/15	（借方）買掛金　144,000	（貸方）現金　144,000

●手形による支払い

《例》5月15日、商品Aの買掛代金144,000円を、手形を振り出して支払った。

5/15	（借方）買掛金　144,000	（貸方）支払手形　144,000

●小切手による支払い

《例》5月15日、商品Aの買掛代金144,000円を、小切手を振り出して支払った。

5/15	（借方）買掛金　144,000	（貸方）当座預金　144,000

　なお、こちらが小切手で支払ったのではなく、得意先が振り出した小切手を受け取って売掛金を回収した場合は、次のような仕訳になります。

●小切手による売掛代金の回収

《例》5月15日、商品Bの売掛代金100,000円を、小切手を受け取って回収した。

5/15	（借方）現金　100,000	（貸方）売掛金　100,000

■■ 仕入れにかかった諸経費の扱いにも注意

　実際の仕入れでは、買掛代金の他にさまざまな経費がかかるものです。**運賃や手数料、商品にかけた保険料などの諸経費**です。

　これらの諸経費は、販売のためにかかった場合は経費（販売費及び一般管理費）となりますが、仕入れのためにかかった場合は仕入れ（売上原価）に含めるのがルールです。これらを仕入れの「付随費用」といいます。

　たとえば、商品の買掛代金とともに、商品にかけた保険料も合わせて振込みで支払った場合の仕訳を見てみましょう。

《例》６月30日、掛買いした商品Ａの仕入代金と、商品Ａにかけた保険料の合計145,000円を振込みで支払った。

6/30	（借方）仕入　145,000	（貸方）普通預金　145,000

　ただ、この処理では、仕入代金と、付随費用である保険料が一緒になってしまい、それぞれいくらかわかりません。そこで、仕入れの補助科目（☞P128参照）として「付随費用」を設定する場合もあります。

《例》６月30日、掛買いした商品Ａの仕入代金144,000円と、商品Ａにかけた付随費用である保険料1,000円を、一緒に振込みで支払った。

6/30	（借方）仕入　　　144,000 　　　　付随費用　　　1,000	（貸方）普通預金　145,000

総務

労務

経理

> **Check!**

仕入原価と製造原価の違いは？

売上原価は、販売業では仕入原価、製造業では製造原価となります。仕入原価は、購入代価（仕入代金）と付随費用の合計です。一方、製造業の製造原価には材料費、労務費、経費が含まれます。労務費とは製造にかかった人件費、経費は製造にかかった諸経費のことです。どちらも、販売業では経費（販売費及び一般管理費）になりますが、製造業では製造原価になります。これが、製造業の原価計算のルールです。製造業の経理では、このような原価計算の知識も必要になることを覚えておきましょう。

ＭＥＭＯ　売上原価： 決算書（損益計算書）では、売上原価と経費（販売費及び一般管理費）を区別する。まず売上高から売上原価だけを引いて、第１段階の利益（売上総利益）を算出する。

買掛金の仕訳例②

掛仕入れをしたとき

　買掛金にまつわる、いろいろな仕訳のしかたを知っておきましょう。

　まず、**掛仕入れをしたときの仕訳**は、次のようになります。

《例》5月15日、商品Aを144,000円で掛仕入れした。	
5/15	（借方）仕入　144,000　（貸方）買掛金　144,000

　次に、**買掛金を支払ったときの仕訳**は、支払方法ごとに前項で見たとおりです。ただし、請求額と実際の支払額が異なる場合があります。

　たとえば、振込手数料を先方が負担する取決めになっているのに、振り込む際にこちらの口座から手数料が引き落とされてしまう場合は、あらかじめ手数料を差し引いた額を振り込みます。

《例》6月30日、商品Aの買掛代金144,000円を振り込む際に、振込手数料110円を仕入先に負担してもらう。	
6/30	（借方）買掛金　144,000　（貸方）普通預金　143,890／支払手数料　110

※さらに、次の仕訳をすることで、支払手数料が相殺され、普通預金の残高も実際のものと一致する。

6/30	（借方）支払手数料　110　（貸方）普通預金　110

　つまり、右上の図のように、買掛金から差し引いた振込手数料分を口座から引き落とされる振込手数料にあてているので、こちらの手数料負担はプラスマイナス・ゼロになるわけです。手数料は先方負担になります。

　逆に、振込手数料をこちらで負担する場合は、144,000円を振り込んだうえで、引き落とされた手数料110円について、上の仕訳を行います。

代金の全部または一部を前払いしたとき

　仕入先の締め日との関係などから、請求額が買掛金の残高よりも多くな

振込手数料を先方負担にした場合

買掛金は全額
支払ったことに
なる

買掛金

実際の振込額

振込手数料

振込手数料分を
差し引いて
振り込む

買掛金の一部を
振込手数料に
あてている

る場合もあります。そのようなときは買掛金の残高がマイナスになってしまわないように、「前払金」として処理します。**前払金は商品の引渡しを受ける前に代金を支払ったときに使う勘定科目です。**

《例》６月30日、商品Ａの買掛代金 144,000 円に加えて、まだ引き渡されていない商品Ｂの買掛代金 50,000 円分も、一緒に振り込んで支払った。

| 6/30 | （借方）買掛金　144,000
　　　　前払金　　50,000 | （貸方）普通預金　194,000 |

　また、はじめての仕入先で、代金の前払いを求められたときも、この前払金を使った仕訳をします。

《例》５月10日、商品Ｃの買掛代金 100,000 円を、引渡し前に振り込んで支払った。

| 5/10 | （借方）前払金　100,000 | （貸方）普通預金　100,000 |

《例》その後、５月15日に前払い済みの商品Ｃが引き渡された。

| 5/15 | （借方）仕入　100,000 | （貸方）前払金　100,000 |

　さらに、買掛代金の全額ではなく、一部を内金として前払いした場合は、あとで商品が引き渡された時点で、残りの代金が買掛金となります。

《例》商品Ｃを仕入れる前に内金 50,000 円を支払い、その後、商品Ｃが引き渡された。

| 5/10 | （借方）前払金　50,000 | （貸方）普通預金　50,000 |
| 5/15 | （借方）仕入　100,000 | （貸方）前払金　50,000
　　　　買掛金　50,000 |

総務

労務

経理

MEMO **前払金**：前渡金（まえわたしきん、ぜんときん）ともいう。商品や原材料仕入れの前払い代金。用途や金額が未確定の前払いは、仮払金として区別する。

買掛金の
支払い忘れを防ぐ

日頃の買掛金管理が大切

　売掛金の管理と同様に、こちらから支払う買掛金の管理も重要です。請求額を支払日に間違いなく支払うことはもちろんですが、それ以前に**買掛金の日頃の管理**をしっかりしておくと、いろいろなメリットがあります。

　たとえば、請求書が来る前に支払総額がわかるので、請求書が届いてから資金不足に気づいてあわてるようなことがなくなります。また仮に請求書が間違っていたとしても、こちらの記録と照合してすぐにわかります。

締め日と支払日の一覧、買掛帳をつくっておく

　基本的な買掛金管理の方法として、得意先と同様に、**仕入先ごとの締め日と支払日の一覧をつくっておく**ことです。カレンダー形式なら、締め日が到来した時点ですぐに支払日を確認し、支払いの準備を始められます。

　また、前項までに解説してきたように、請求書が到着したら納品書や買掛帳の記録と照合することは、仕入先の請求書に何か問題があったときにも、ただちに対応できます。

　買掛帳の記録や納品書と、請求書の内容が一致し、すぐに支払いの準備にとりかかれば一番いいのですが、もし問題があったときは、右図にあるように、**社内の仕入れの担当者などに確認**します。

　仕入れの担当者に確認しても、問題の原因がわからないときは、**仕入れの担当者から仕入先に問い合わせてもらう**のがふつうの対応です。仕入先のミスの可能性もあるので、文書などにはせず、口頭で問い合わせてもらいます。

　問題が解決すれば、支払いの準備にとりかかれるでしょう。

　支払いは、仕入先の銀行口座への振込みによる会社が多いと思いますが、手形、小切手、現金払いなど、仕入先との取決めがある場合はそれに従います。

振込み以外の手形、小切手、現金払いの支払いでは、下図にあるように領収書の受取りも必須です。

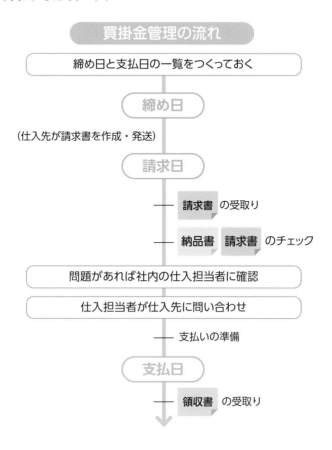

買掛金管理の流れ

締め日と支払日の一覧をつくっておく

締め日

（仕入先が請求書を作成・発送）

請求日

— **請求書** の受取り

— **納品書** **請求書** のチェック

問題があれば社内の仕入担当者に確認

仕入担当者が仕入先に問い合わせ

— 支払いの準備

支払日

— **領収書** の受取り

Check!

支払いの準備で資金繰りが必要になることも

振込みなどによる支払いでは、支払日に請求金額分の残高がなければなりません。残高が不足する場合は、資金繰りが必要になります。売掛金の入金があるまで仕入先に支払いを待ってもらうとか、金融機関で借入れをするなどの方法がありますが、資金繰りは担当者ひとりでの対処はムリです。小さな会社で支払資金が不足する場合は、経営者に報告を上げて、経営者に対応してもらうのが賢明です。

MEMO **資金繰り**：さまざまな支払いなどで会社の資金が底をつかないように、金融機関から借り受けるなどして調達・運用し、やりくりすること。

社員の給与の支払い方には
ルールがある

■■ 賃金支払いの5原則を知っておこう

　仕入先への支払いと同様に大事なのが、社員への給与の支払いです。何かの手違いで支給が遅れたり、支給額を間違ったりしたら、会社に対する信頼は一気に崩れます。モチベーションは下がり、会社の業績にも影響が及ぶでしょう。

　給与については、**以下にあげる労働基準法の「賃金支払いの5原則」**というものが定められています。賃金というのは、大ざっぱにいうと労働基準法における「給与」の呼び方です。

　「賃金支払いの5原則」は、次のようなものです。

原則①　通貨払い……現金で支払う。商品の現物支給などは不可。

　通貨払いには、口座振込みやデジタルマネーでの支払い（☞P157参照）も認められます。ただし、本人の同意があって、本人名義の口座に振り込み、午前10時までに引き出せる、などの条件があります。

原則②　直接払い……本人に支払う。親や配偶者に支払うのは不可。

　直接払いとは、未成年者の給与を親に支払ったり、妻の給与を夫に支払うなどは認められないということです。

原則③　全額払い……一部を後払いにする、協定なしの天引きなどは不可。

　全額払いは、たとえば社員旅行の積立金の天引きなども対象です。労使協定なしに、会社が天引きすることは認められません。ただし、税金や社会保険料などは協定なしで天引きできます。

原則④　毎月1回以上払い……1ヵ月以上の間隔をあけた支給日は不可。

　2ヵ月に1回の支払いは認められません。月2回払いや、週払いなどは問題ありません。

原則⑤　一定期日払い……支給日は毎月○日と期日を決める。

　「毎月第4○曜日」などの決め方は不可になります。曜日にすると、毎

MEMO　**最低賃金**：都道府県別に定められ、毎年秋に改定されている。額は厚生労働省のホームページで確認できる。都道府県別、産業別の特定最低賃金も定められている。

月の支給日がずれてしまうので、一定期日とはいえないからです。

以上のような内容は、就業規則や給与規定などに「給与の支払い」といった項目をつくって明記しておきます。

■最低賃金を下回っていないか確認する

給与の額については会社が決めることができますが、都道府県別に定められた最低賃金以上にしなければなりません。最低賃金を下回る給与を支払っていた場合は、過去にさかのぼって差額の支払いを命じられたり、罰金が課せられたりするので、毎年確認が必要です。

最低賃金は時給で示されているので、**月給制の場合は下のような計算で時給に換算すると、最低賃金以上であることの確認が可能**です。

計算式の月給には職務手当などが含まれますが、通勤手当、残業手当や賞与は含まれません。1ヵ月の所定労働時間（P 67参照）は、年間の所定労働時間を計算してから12ヵ月で割って、1ヵ月の平均を求めます。

最低賃金以上を確認する計算式 （月給制の場合）

毎月支払われる基本的な賃金
↓

$$最低賃金 \leq \frac{月給}{1ヵ月平均所定労働時間}$$

↑
1日の所定労働時間 × 年間労働日数 ÷12ヵ月

Check!

時給制、日給制、年俸制などの場合は？

給与の支払い方には月給制の他、時給制、日給制、年俸制などもあります。役員は年俸制、正社員は月給制、パート・アルバイトは時給制といった決め方も可能です。ただし、役員以外は最低賃金以上にする必要があります。日給の場合は1日の所定労働時間、年俸の場合は年間の所定労働時間で割って、最低賃金を下回っていないかチェックします。

ME **特定最低賃金**：都道府県別に、特定の産業について定められている最低賃金。適用対象となる労
MO 働者などは詳細に定められており、自社が該当していないか確認が必要。

社員の給与計算の
流れを知っておく

■■給与の支払額は毎月変わる

　給与は、**基本給と手当で構成**されています。手当のなかでも時間外労働手当などは毎月、支給額が変動するものです。また、時間外労働では割増賃金（☞次項参照）を支払うので、その計算も毎月変わってきます。

　さらに、支給額が変わると、給与から天引きする雇用保険料（☞P 160参照）、源泉所得税（☞P 162参照）などの額も変わります。

　以上のような理由で、**給与の支払額は変わってくる**ので、下図のような流れで毎月、給与計算を行う必要があります。

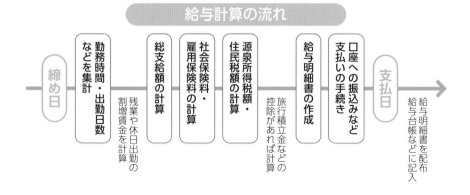

給与計算の流れ

| 締め日 | 勤務時間・出勤日数などを集計 | 総支給額の計算 残業や休日出勤の割増賃金を計算 | 社会保険料・雇用保険料の計算 | 源泉所得税額・住民税額の計算 旅行積立金などの控除があれば計算 | 給与明細書の作成 | 口座への振込みなど支払いの手続き | 支払日 給与明細書を配布 給与台帳などに記入 |

■■給与の支払額の計算方法

　まず、**総支給額を計算するには、右上の表のような基本給と手当を計算**します。基本給は毎月固定ですが、手当には固定額のものと、変動するものがあります。

　また、基本給と時間外・深夜・休日労働手当の支払いは法律で定められていますが、それ以外の手当は就業規則などで定めたものを支払います。

● 給与として支給する項目 ●

固定	基本給	給与のベースとなるものを固定給として支給
	役職手当	管理者に対して職責などに応じて支給
	住宅手当	住宅にかかる費用の補てんとして支給
	家族手当	家族を扶養する費用の補てんとして支給
	通勤手当	職場への通勤費用（補てん）として支給
変動	時間外労働手当	法定労働時間を超える労働に対して支給
	深夜労働手当	午後10時〜午前5時の深夜労働に対して支給
	休日労働手当	法定休日（週1日の休日）の労働に対して支給

　これらを合計した総支給額から、**税金や保険料などを天引きしたうえで支給**しなければなりません。総支給額から控除する（天引きする）項目には、法定のものと、労使協定で定めたものがあります。

● 給与から控除する項目 ●

法定	健康保険料	健康保険料の社員負担分を控除（☞P 158）
	厚生年金保険料	厚生年金保険料の社員負担分を控除（☞P 158）
	介護保険料	40歳以上65歳未満の社員負担分を控除（☞P 158）
	雇用保険料	雇用保険料の社員負担分を控除（☞P 160）
	所得税等	給与所得の源泉徴収税額表にあてはめて控除（☞P 164）
	住民税	特別徴収税額通知書により控除（☞P 162）
協定	**財形貯蓄、社員旅行積立金、社宅・寮の使用料、給食費など**	

　給与の支払額の計算ができたら、**給与明細書を作成し、振込みなど支払いの準備**をします。支払日当日には振込みなどが行われ、各社員に給与明細書を配布します。

Check!

源泉徴収は社員サービスではなく会社の義務

所得税などの控除は源泉徴収、住民税の控除は特別徴収といいます（☞P 162参照）。源泉徴収や特別徴収は、社員の納税を代行するサービスではなく、給与の支払者（会社）の義務であると法律で定められています。社会保険料についても、社員が負担する保険料と、会社が負担する保険料を、合わせて納付する義務があると法律に書かれています。

MEMO **源泉徴収**：会社などが支払いをする際に、支払額から所得税などに相当する税額をあらかじめ徴収（天引き）して、国などに納付する制度。

残業手当と
通勤手当を計算する

■残業手当は割増率ごとに計算して合計する

　給与計算のなかで、最も時間がかかるのは残業手当の計算です。**残業手当は、時間外労働手当、休日労働手当、深夜労働手当の合計ですが、**それぞれの組み合わせで賃金の割増率が違ってきます（⇒P 78参照）。割増率ごとに、労働時間を集計しなければなりません。

　また、労働時間に掛ける1時間あたりの賃金は、時給や日給では単純ですが、月給制ではかなり複雑です。右図は月給制の場合で時間外労働を計算する式ですが、**1時間あたりの賃金を計算するためには、まず1ヵ月の平均所定労働時間を計算する**必要があります。

　そのうえで、「月給」を1ヵ月平均所定労働時間で割りますが、この場合の、「月給」には、**家族手当、扶養手当、通勤手当、住宅手当、その他臨時の手当や賞与は含めない**ことになっています。その計算もしなければなりません。

　ただし、**この計算は最初の1回だけ**です。1回計算すれば、次の給与改定があるまで、同じ1時間あたり賃金の額が使えます。

　もっとも、割増率ごとの労働時間の集計は、毎月行わなければなりません。そして、右図の式で割増率ごとの残業手当を計算します。

■通勤手当は所得税と社会保険料などの計算に注意

　通勤手当は毎月定額の他、日数×日額で支払われることもあり、きちんと把握しておく必要があります。源泉徴収（所得税の天引き）の計算の際は、給与の金額に含めない一方で、**社会保険料などの計算の際は給与に含める**といった違いがあるからです。

　また、源泉徴収の計算時の給与に含めない、非課税となる通勤手当の金額は、通勤の方法と距離により、右表のように細かく定められています。この限度額を超えた額は非課税にならないので、源泉徴収を計算するときの給与の金額に加えることが必要です。注意しましょう。

残業手当の計算方法

（例）月給制の時間外労働の場合

1ヵ月の平均所定労働時間
= （365日 − 年間所定休日）× 1日の所定労働時間 ÷ 12ヵ月

1時間あたり賃金 = 月給 ÷ 1ヵ月の平均所定労働時間

時間外労働手当	=	時間外労働時間数	×	1時間あたり賃金	×	125%

※残業の種類別割増率
- 法定時間外労働……125%
- 法定休日労働………135%
　（深夜労働 ………… 25%）
- 法定時間外&深夜労働………150%
- 法定休日&深夜労働…………160%
- 月60時間超の法定時間外…150%

通勤手当の非課税限度額

区　分		課税されない金額
交通機関または有料道路を利用している人に支給する通勤手当		1ヵ月あたりの合理的な運賃等の額（最高限度150,000円）
自動車や自転車などの交通用具を使用している人に支給する通勤手当	通勤距離が片道55キロメートル以上	31,600円
	通勤距離が片道45キロメートル以上55キロメートル未満	28,000円
	通勤距離が片道35キロメートル以上45キロメートル未満	24,400円
	通勤距離が片道25キロメートル以上35キロメートル未満	18,700円
	通勤距離が片道15キロメートル以上25キロメートル未満	12,900円
	通勤距離が片道10キロメートル以上15キロメートル未満	7,100円
	通勤距離が片道2キロメートル以上10キロメートル未満	4,200円
	通勤距離が片道2キロメートル未満	全額課税
交通機関を利用している人に支給する通勤用定期乗車券		1ヵ月あたりの合理的な運賃等の額（最高限度150,000円）
交通機関または有料道路を利用する他、交通用具も使用している人に支給する通勤手当や通勤用定期乗車券		1ヵ月あたりの合理的な運賃等の額との金額との合計額（最高限度150,000円）

給与計算④

給与明細書を作成して 給与を振り込む

■■ 振込みで支払う場合でも、給与明細書は必ず渡す

　給与計算では、源泉所得税や社会保険料の計算も行いますが、その納付期限は翌月10日や翌月末です。実際には、社員への給与の支払日のほうが先に来ることになります。

　それまでに、**給与明細書を作成し、振込みなどの手続きを済ませなければなりません。**

　給与の支払いを振込みで行っている場合も、必ず給与明細書を作成し、支払日に社員各自に渡すことが必要です。右図が給与明細書の例です。

給与計算のスケジュール

（15日締め・25日支払いの場合）

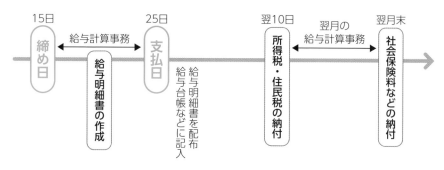

Check!

税金の申告納付もインターネットでできる

給与の振込みだけでなく、社員の所得税などの申告・納付もインターネットを使ってできます。e-Tax（イータックス、国税電子申告・納税システム）を利用する方法です。地方税である住民税については、eL-TAX（エルタックス、地方税ポータルシステム）で申告の一部や納税などができます。

MEMO **給与台帳**：労働基準法で作成・保管が義務づけられている、社員の賃金などの支払状況を記載した台帳。賃金台帳、労働者名簿、出勤簿を合わせて法定三帳簿という（☞ P263 参照）。

■■振込依頼書か、インターネットバンキングを利用

給与を振込みで支払う場合は、金融機関所定の振込依頼書に記入して振込みを依頼します。インターネットバンキングを利用すると、金融機関の窓口に出向くことなく、給与振込みの手続きができて便利です。

給与を振込みで支払う場合は、**支払日の午前10時までに引き出せる状態になっている**ことが、支払条件の１つになっています。

給与明細書の例

令和○年 ○月分　　給与支払明細書

所属	社員番号	氏名
営業	035	新星太郎

勤怠	出勤日数	残業時間	欠勤日数	有休日数	有休残日数
	20	10			8

支給	基本給	役職手当	残業手当	通勤手当	
	180,000		30,000	10,000	

控除	健康保険	介護保険	厚生年金	雇用保険	社会保険合計
	11,000	2,002	20,130	1,320	34,452
	所得税	住民税			
	3,910	8,700			

総支給額	控除合計額	差引支給額
220,000	47,062	172,938

※ 2024年6月からの所得税・住民税の定額減税の実施により、月次減税額の控除を行った場合は、給与明細に実際に控除した金額を表記することが義務づけられている。

Check!

給与のデジタルマネーでの支払い

現在は、給与を現金払いする以外の方法として、銀行や証券会社以外に、PayPayなどのデジタルマネー業者の口座へも振込むことができるようになりました。銀行や証券会社と同様で、会社と社員の同意や労使協定が必要です。

社員の社会保険料を
給与から天引き・納付する

■ 当月の給与から前月の社会保険料を差し引く

社員の給与から天引きし、会社負担分とあわせて納付する社会保険料は、健康保険料と厚生年金保険料です。40歳から65歳未満の社員は、介護保険料も天引きされますが、その分は健康保険料の計算に含まれています。

それぞれの保険料額は、標準報酬月額に保険料額表（☞P 177参照）の保険料率（毎年３月に改定あり）を掛けた金額です。料率に変更が出ますが、10月から翌年９月までは原則として毎月、表の同じ欄を見ます。標準報酬月額とは、４月〜６月の支払い分の３ヵ月の給与の平均を算出したものです。

給与からの天引きで注意したいのは、**前月分の社会保険料の社員負担分を、当月分の給与から天引きする**という点です。

またパートなどの短時間労働者についても、週の所定労働時間、または月の所定労働日数が正社員の４分の３以上の場合は、社会保険の対象です。

■ 納付する社会保険料の額は通知書（告知書）でわかる

社会保険料の半分は会社負担分ですが、これは計算する必要がありません。毎月20日頃に、**日本年金機構（窓口は年金事務所）か健康保険組合から郵送されて来る保険料納入告知額・領収済額通知書**などに、社員全員と会社負担の社会保険料を合計した額が記載されています。社会保険料は社員と会社の折半なので、会社負担分は通知書（告知書）に記載された額の半分です。この通知書をもとに社員の給与から社会保険料を天引きします。

ただし、通知書（告知書）には子ども・子育て拠出金（☞P 62参照）という項目があり、これは全額、会社が負担しなければなりません。

■ 納付は納付書か口座振替で行う

社会保険料の**納付の期限は翌月末**です。社会保険料は前月分を給与から

MEMO 社会保険の加入対象者：2024年10月より、従業員51人以上の企業は、①週20時間以上で、②月額賃金8.8万円以上で、③契約期間２ヵ月超で、④学生でない人（☞P 289参照）。

差し引き、郵送されて来る通知書にも前月分の金額が記載されているので、納付期限は通知書を受け取った当月末に会社負担分と社員負担分をあわせて納付します。

納付の方法には、納付書による方法と、口座振替の方法があります。

納付書による納付では毎月20日頃、日本年金機構などから保険料納入告知書が郵送されてきます。これを金融機関の窓口に持参して、納付します。必要な事項は印刷されているので、とくに記入の必要はありません。

口座振替の場合は、保険料納入告知額・領収済額通知書が送られてきます。これは、当月末に振り替えられる社会保険料額の告知と、前月末に振り替えられた額の通知書が1枚になったものです。

納付書による納付を行っていて、口座振替に変更したいときは、日本年金機構（窓口は年金事務所）などに「健康保険厚生年金保険保険料口座振替納付（変更）申出書」を提出します。

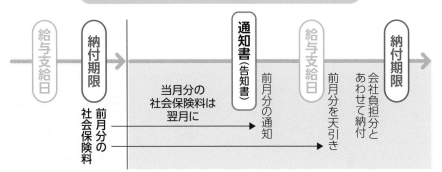

社会保険料の天引きと納付の流れ

Check!

社会保険料の料率は？

各保険料率は、都道府県や年度ごとに変わります。2024年7月現在の東京都については、以下の料率になっています。

・健康保険料率……9.98％。介護保険の対象者は下の介護保険料率をプラスして11.58％
・介護保険料率……1.60％
・厚生年金保険料率……18.300％

これらの料率は、それぞれ会社と社員で折半します。

総務

労務

経理

社員の雇用保険料を 給与から天引きする

■■雇用保険料は毎月天引き、労災保険料は天引きしない

広い意味の社会保険料（⤸P 58参照）には、労働保険料も含まれます。労働保険料は、労災保険料と雇用保険料の2つです。

労災保険料は、全社員の賃金合計に労災保険料率を掛けて計算します。ただし、**労災保険料は全額が会社負担なので、社員の給与からの天引きは行いません**。給与計算には関係しないわけです。

一方、**雇用保険料は、本人負担分（被保険者負担分）を給与から天引きする**必要があります。雇用保険料は、労災保険料と合わせて年1回の納付（概算で前払い）なので（⤸P 180参照）勘違いしそうですが、天引きは毎月の給与（と賞与）から行うのが決まりです。

なお、以前は65歳以上の対象者（高年齢被保険者）について、雇用保険料が免除されていましたが、現在は高年齢者からも天引きが必要になっています。

また、パートやアルバイトについても、**所定労働時間が週20時間以上で、31日以上の雇用が見込まれる場合は雇用保険の対象**です。注意しましょう。

■■雇用保険料は総支給額が変わるつど計算する

天引きする本人負担分の計算は、右図のように賃金総額に雇用保険料率を掛けて行います。

賃金総額とは、給与計算でいえば総支給額のことです（⤸P 152参照）。源泉徴収の計算などと違って、通勤手当なども含むので注意が必要になります。

また、社会保険料と違い（⤸前項参照）、毎月一定額の天引きではなく、**総支給額が変わるたびに計算しなければならない**点も要注意です。総支給額には時間外労働手当も含まれるので、ほとんどの場合、毎回計算することになると考えたほうがよいでしょう。

MEMO **被保険者**：保険をかけられている人。保険料を支払い、保険の給付を受ける。保険者は反対に、保険料を受取り、保険の給付を行う。雇用保険の場合、保険者は国。

■ 雇用保険料率は改定されることがある

　雇用保険料率は**業種によって異なる**ので、建設業の会社などは注意してください。また、年度ごとに料率が改定されることもあるので、毎年３月末頃に厚生労働省のホームページで発表される、年度ごとの雇用保険料率を確認しましょう。

　下表は2024年度の料率ですが、左から順に、給与から天引きして社員本人が負担する被保険者負担分、会社が負担する事業主負担分、合計の雇用保険料率となっています。

　なお、労災保険料も含めて、**労働保険料は概算で前払いをする**しくみで（☞ P 180参照）、精算は年間の賃金確定後の翌年の更新時です。

社員の給与から天引きする雇用保険料の計算

通勤手当なども含む賃金の総額(総支給額)

本人負担分 ＝ 賃金総額 × 被保険者負担率

雇用保険料率(2024年度)

事業の種類 ＼ 負担者	労働者負担	事業主負担	雇用保険料率（合計）
一般の事業	6/1,000	9.5/1,000	15.5/1,000
農林水産・清酒製造の事業	7/1,000	10.5/1,000	17.5/1,000
建設の事業	7/1,000	11.5/1,000	18.5/1,000

Check!

労災保険料の料率は？

労災保険料の料率は、事業の種類（労働の危険度など）によって1,000分の2.5から1,000分の88までの間で、細かく定められています。厚生労働省のホームページなどで確認してください。

MEMO **事業主（じぎょうぬし）**：事業を経営している個人や法人。会社の場合は社長個人でなく、会社自体が事業主。

所得税の源泉徴収と住民税の特別徴収のしくみ

■■ 給与からの源泉徴収・特別徴収とは

　給与計算では、所得税と住民税の控除、つまり天引きを行います。所得税は本来、自分で申告納付をするのが原則ですが、**会社に勤めて給与を受け取っている人は、会社が給与から控除（徴収）し、納付するように、**法律で定められています。このしくみが、所得税の源泉徴収です。

　一方、住民税は市区町村などが税額を計算して、税額（納税）通知書を送ってきます。個人事業主などは、納税通知書に従い自分で納税をしますが、**給与を受け取っている人は、会社に特別徴収税額決定通知書という書類が送られてきて、給与から徴収する**ことになっています。これが住民税の特別徴収です。自分で住民税を納付するのは、普通徴収といいます。

■■ 所得税は今年の分を毎月、源泉徴収する

　給与からは所得税と住民税の両方を徴収（控除）しますが、2つの税金はしくみがまるで違うので注意が必要です。

　所得税は、次項で説明する**「給与所得の源泉徴収税額表」で概算した税額を、毎月、支給額から控除し、翌月10日までに納付**します。控除額は概算なので、毎年年末には年末調整を行います。

　所得税は1月から12月の暦年の所得に対してかかるので、年末調整は必ず12月に行います。会社の年度末は関係ありません。

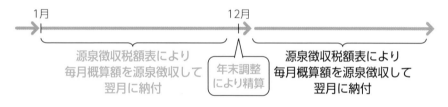

所得税の源泉徴収のしくみ

1月		12月	
源泉徴収税額表により毎月概算額を源泉徴収して翌月に納付		年末調整により精算	源泉徴収税額表により毎月概算額を源泉徴収して翌月に納付

MEMO **年末調整**：社員は毎月の給与から所得税を天引きされるが、1年間で納めるべき本来の所得税額を年末に会社が計算し直し、税務署や市区町村に提出する作業のこと（☞ P186 参照）。

▧▧住民税は前年の分を6月～翌年5月に特別徴収する

　それに対して、住民税の特別徴収は、会社が毎年１月31日までに提出する給与支払報告書（☞Ｐ190参照）から始まります。提出先は、１月１日現在で社員の住民登録がある市区町村です。

　提出を受けた市区町村は、給与支払報告書から住民税額を計算し、５月末までに会社宛てに特別徴収税額決定通知書という書類を送ってきます。

　会社は、**通知書の金額に基づいて、6月の給与から翌年5月の給与まで、特別徴収を行います**。このようなしくみのため、毎年6月には給与の手取り額が変わることを、社員にも教えてあげてください。

　また、住民税は前年の所得に対してかかるので、仮に退職した場合でも、前年の給与に対して翌年の納税が求められます。退職して所得がなくなっても納税通知書が届くので、該当者には注意してあげてください。

　なお、住民税とひと口にいいますが、じつは道府県民税と市町村民税の合計です（東京都では個人都民税と個人区市町村民税）。特別徴収した税額の納付は、いずれも翌月10日までに行います。

住民税の特別徴収のしくみ

総務
労務
経理

> **Check!**
>
> ### 所得税は申告納税方式、住民税は賦課課税方式
>
> 所得税は国が課税する国税であり（管轄するのは税務署）、住民税は都道府県や市区町村が課税する地方税です。この２つは課税方法が異なり、所得税は自主的な確定申告による納税や、会社など給与支払者が源泉徴収して納税する方法（申告納税方式）なのに対して、住民税は地方自治体が税額を計算して通知し、それをもとに納税します（賦課課税方式）。

MEMO 所得：１年の収入から、その収入を得るためにかかった必要経費や、法律で定められている各種の控除を差し引いた残りの額が、所得税のかかる所得（課税所得）となる。

社員の所得税と
住民税を計算・納付する

■■所得税は源泉徴収税額表から計算する

　社員の給与から天引きする所得税の額は、「給与所得の源泉徴収税額表」**の月額表を使って求めます**。この表は、国税庁のホームページからその年の最新のものがダウンロードできます。

　右図のように、左端の列に給与の金額があり、その右側に税額が並んでいます。

　給与の金額は、その社員の総支給額から通勤手当と社会保険料、雇用保険料を差し引いた金額です。通勤手当は、非課税限度額を超えると、超えた分は差し引けないので注意してください（⇨P 155参照）。

　税額の欄は甲欄と乙欄がありますが、この違いは、**その社員の扶養控除等申告書**（⇨P 270参照）**が提出されているかどうか**です。**提出されていない場合は、乙欄の税額を源泉徴収します。**

　提出されている場合は、甲欄の税額です。

　扶養親族等の数という欄があります。扶養親族とは、その社員が扶養している配偶者、16歳以上の子、親などのことで、扶養控除等申告書で確認できます。

　なお、本人や扶養親族等が一定の障害者や寡婦、勤労学生などの場合は、該当者を1人として人数に加算するルールです。この加算の対象者は税額表に説明があるので確認しておきましょう。

　その社員の給与の金額の行と、甲欄の扶養親族等の数の列が交差する欄の税額が、扶養控除等申告書の提出がある人の税額となります。

　源泉徴収をした金額は、**翌月10日までに納付する**ことが必要です。

　ただし、給与の支払人数が**10人未満の会社は、税務署に申請すると、納付を7月と1月の年2回にまとめる**ことができます。源泉所得税の納期の特例という制度です。

MEMO **月額表**：「給与所得の源泉徴収税額表」の月額表は月給の他、半月ごと、10日ごとなどに給与を支給する場合に使用する。その他、1日ごとや1週間ごとに支払うときに使う日額表がある。

■■■住民税は特別徴収税額決定通知書で通知される

　前項で解説したとおり、住民税の特別徴収は、源泉徴収と違って表などから計算する必要がありません。**毎年５月末頃に会社宛てに送られてくる特別徴収税額決定通知書**に特別徴収する税額が記載されています。

　特別徴収をした金額は、所得税と同じく、**翌月10日までに納付**します。ただし、支払人数が**10人未満の会社は申請すると、納付を12月と６月の年２回にまとめられる**、市・県民税特別徴収税額の納期の特例があります。

給与所得の源泉徴収税額表の使い方（月額表）

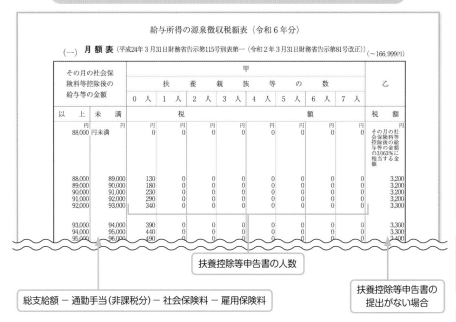

給与所得の源泉徴収税額表（令和６年分）

（一）　**月　額　表**（平成24年３月31日財務省告示第115号別表第一（令和２年３月31日財務省告示第81号改正））　（〜166,999円）

その月の社会保険料等控除後の給与等の金額		甲								乙
		扶　養　親　族　等　の　数								
		0 人	1 人	2 人	3 人	4 人	5 人	6 人	7 人	
以　上	未　満	税				額				税　額
円 88,000 円未満	円	円 0	円 0	円 0	円 0	円 0	円 0	円 0		円 その月の社会保険料等控除後の給与等の金額の3.063%に相当する金額
88,000	89,000	130	0	0	0	0	0	0	0	3,200
89,000	90,000	180	0	0	0	0	0	0	0	3,200
90,000	91,000	230	0	0	0	0	0	0	0	3,200
91,000	92,000	290	0	0	0	0	0	0	0	3,200
92,000	93,000	340	0	0	0	0	0	0	0	3,300
93,000	94,000	390	0	0	0	0	0	0	0	3,300
94,000	95,000	440	0	0	0	0	0	0	0	3,300
95,000	96,000	490	0	0	0	0	0	0	0	3,400

扶養控除等申告書の人数

総支給額 − 通勤手当(非課税分) − 社会保険料 − 雇用保険料

扶養控除等申告書の提出がない場合

Check!

現金で納めるときは納付書を添える

所得税を現金で納めるときは、金融機関か税務署の窓口で納付書を添えて行います。納付書は年末調整の書類と一緒に会社に送られてきます。住民税の納付書は市区町村から郵送されたものを使用します。

MEMO　源泉所得税：給与や報酬を支払う際に、支払者が本人に代わって源泉徴収（天引き）して、納付する所得税。

各種の報酬を支払うときも源泉徴収をする

給与以外にも源泉徴収する報酬・料金がある

給与計算ではありませんが、会社ではない**個人事業主に各種の報酬や料金を支払うときにも、所得税の源泉徴収が必要**です。たとえば、会社のチラシやポスター、名刺などの制作を個人事業主に依頼したときのデザイン料や原稿料、税理士や社会保険労務士に支払う料金などが源泉徴収の対象になります。

その場合、源泉徴収税額表は用いず、右図のような計算式で税額を計算します。税率は、所得税10％にプラスして、復興特別所得税が所得税額の2.1％加算されているため、10.21％となっています（2037年分まで）。

また、１回の支払額が100万円を超える場合は、超えた分の税率は20.42％です。

消費税については、インボイス制度に登録している適格請求書発行事業へは、本体価格で源泉徴収税額を計算し、消費税額を足します。そうでない事業者への消費税については、社内で方針を決定し、方針に沿います。

源泉徴収が必要な報酬・料金とは

源泉徴収の対象になる報酬・料金としては、まず**原稿料や講演料、写真撮影料、デザイナー料などです**。次に弁護士、公認会計士など、**特定の資格を持つ人（士業）に支払う報酬・料金**です。税理士、社会保険労務士、中小企業診断士などに支払う報酬も対象になります。

この場合、報酬の名目は関係ありません。相手が個人事業主ならば源泉徴収を行います。

納付期限は原則として翌月10日

納付の期限は、**原則として翌月10日**です。ただし、**源泉所得税の納期の特例**（☞前項参照）**を受けている場合は、税理士など士業の報酬・料**

MEMO **個人事業主**：一般に、株式会社などの「法人」を設立せず、「個人」で事業を営んでいる人のこと。

金についてのみ、年２回にまとめることが認められます。

また、納税の際に添える納付書も、士業の報酬については給与所得・退職所得等の所得税徴収高計算書（納付書）という書類を用います。

それ以外の個人事業主の報酬については、報酬・料金等の所得税徴収高計算書（納付書）という書類を用い、納税期限は翌月10日になります。

なお、報酬・料金の源泉徴収をした場合は、**税務署に支払調書の提出が必要**です（☞ P 194 参照）。期限は翌年１月までとなっています。

報酬・料金の源泉徴収のしかた

計算例①　個人のデザイナーにパンフレットのデザイン料10万円を支払った

$100,000$円 $× 10.21\% = 10,210$円 ＜源泉徴収税額

（注意）１円未満の端数が出たときは１円未満切捨て

計算例②　司法書士に報酬30万円を支払った

$(300,000$円 $- 10,000$円$) × 10.21\% = 29,609$円 ＜源泉徴収税額

（注意）司法書士、土地家屋調査士、海事代理士に限って、支払う金額から１万円を差し引く

計算例③　作家に著作権使用料130万円を支払った

$1,000,000$円 $× 10.21\% + (1,300,000$円 $- 1,000,000$円$) × 20.42\%$
$= 163,360$円 ＜源泉徴収税額

（注意）100万円を超えた額に対する税率は 20.42%

計算例④　本体価格80万円、消費税額８万円の原稿料の請求書を支払った

$800,000$円 $× 10.21\% = 81,680$円 ＜源泉徴収税額

（注意）支払額は 800,000 円−81,680 円+80,000 円（消費税）=798,320 円となる

Check!
消費税の支払いに注意が必要な個人事業主

インボイス制度により、適格請求書発行事業者以外に支払った消費税は、会社が納める消費税から差し引くことができません。その分、多くの消費税を納める必要があるのです。個人事業者の中には、適格請求書発行事業者にならない人もいるので、取引を始める前に確認が必要です。

ME　復興特別所得税：東日本大震災からの復興財源確保のために創設された税金。所得税額の 2.1%が、
MO　2013 年分から 2037 年分までの 25 年間課税される。

月次試算表をつくって経営の判断に役立てる

● 月間の経営成績と財政状態を見る

経理の毎月の仕事として、月次試算表をつくっている会社もあります。月次試算表とは、年間の決算書をつくる過程で作成される試算表を、**月間の経営成績と財政状態に限ってつくる試算表**です。

その主な目的は、経営成績や財政状態をスピーディに把握して、経営の判断に役立てることにあります。つまり、今月の経営成績などを翌月、社長や社員が見て、悪いところがあれば仕事のやり方を変え、よいところがあればさらに押し進めます。

試算表は、決算書の貸借対照表と損益計算書とほぼ同じものですから（☞ P 216 参照）、月次試算表があればそうした経営判断が可能です。年度の決算書は 1 年に一度しかつくられませんから、月次試算表でないとそのようなスピーディな判断はできません。

● 会計ソフトなら月次試算表も簡単

経理で会計ソフトを利用している場合は、月次試算表も簡単な操作でつくることができます。会計ソフトでない場合は少し面倒ですが、少額のもれやわずかなミスは無視して、簡便につくることも可能です。

税務署や株主総会に提出するものではないので、経営の判断に役立てるという目的が果たせれば、それでも充分なのです。

Check!

試算表からさらに進めて月次決算も

月次試算表をさらに進めて、年度の決算と同じ手続きで月次の決算書をつくることもあります。それが月次決算です。ただ、決算整理（☞ P 201 参照）など、年度の決算と同じ手続きをするので作業はかなり大変になります。経営の判断に役立てるという目的なら、月次試算表で充分でしょう。

第5章

その時期がきたら
行う仕事

贈り先や品目はリスト化し
毎年更新していく

■中元・歳暮の送付は時季外れにならないように

　お世話になった取引先やその担当者には、日頃の感謝の気持ちを込めてお中元やお歳暮を贈ります。

　一般的に、お中元やお歳暮は一度贈ったら毎年贈り続けるのがしきたりとされていますので、**贈り先、贈答品目や金額はリスト化し、毎年更新していくようにする**と便利です。また、お中元を贈った方にはお歳暮も贈るのがマナーですので、**どちらかにする場合はお歳暮を贈ります**。一度だけお礼をしたい場合は、のし紙の表書きを「御礼」としましょう。

　取引先の会社宛てに送る場合は、常温で日持ちのするものや、大人数で分けられる個包装の菓子、飲み物の詰め合わせなどが喜ばれます。相手の印象に残るという意味では、毎回同じものを贈るというのも有効です。また、地方の会社なら、その地方の特産品などを贈るのもよいでしょう。

　一方、お中元やお歳暮をいただいた場合は、**必ずすぐに礼状を出すか、電話やメールでお礼を伝えましょう**。お礼状のひな型をつくり、翌年以降の作業時間を短縮します。受け取った場合も、各部署に贈られてきたものを1つのリストにまとめておきましょう。

お中元・お歳暮などを贈る時期・金額・表書き

表書き	時　期	金　額
お中元	7月初旬〜7/15頃 ※1	3,000〜5,000円程度
暑中御見舞	7/16〜8/6頃	―
残暑御見舞	8/6〜9月初旬	―
お歳暮	12月上旬〜12/20頃	3,000〜5,000円程度
お年賀	元旦〜1/7 ※2	―
寒中御見舞	1/8〜立春	―

※1）地域によっては月遅れで8月の場合もあり　　※2）関西は元旦〜1/15

■ マナーを欠いた年賀状にならないように

年賀状は、取引先とのコミュニケーションを図ったり、疎遠になっていたビジネス相手との旧交を温めるのに有効なツールです。

年賀状は元旦に届くのが礼儀です。取引先など会社宛てに送る場合は、**遅くとも相手の仕事始めには届くようにしましょう。**

宛先や部署、肩書きの間違いは大変失礼にあたるので、住所録は毎年更新しておきましょう。

宛て名の法人の種類は㈱、㈲などと略すのは失礼にあたります。株式会社、有限会社と表記しましょう。

また、賀詞は「賀正」「迎春」など２文字の簡略的な表現は控え、「謹賀新年」など４文字にするか、「謹んで新年のお慶びを申し上げます」といった文章にします。

挨拶文には、句読点を入れないのがルールです。「去る」「切れる」「終わる」など不吉なことを連想させる言葉も使わないようにしましょう。

取引先やお客様から届いた喪中はがきは、きちんとファイリングしておき、誤って年賀状を送ってしまわないようにしましょう。**法人には喪中がない**ので、取引先の役員などが亡くなった場合でも年賀状を出すことは問題ありません。ただし、家族経営などの場合で会社としての喪中はがきが届いた場合は控えましょう。

Check!
災害や病気のお見舞いは相手の状況を最優先に

取引先が地震や水害、火事などに見舞われた場合は、まず相手の安否を確認しましょう。先方に直接電話をするか、それが難しい場合は管轄の役所などに問い合わせます。直接駆けつけることは、かえって相手の迷惑になることもありますし、二次災害の恐れもありますから、相手が置かれている状況を最優先に考えた対応が必要です。お見舞いは、落ち着いた頃を見計らって、現金や相手が必要とするものを贈りましょう。逆に、こちらが病気や災害のお見舞いをいただいた場合は、病気や被災状況が回復したことや業務を再開したことを報告し、お礼を伝えます

MEMO **年賀状で使わない言葉：**「去」という文字は「去る」を連想させて縁起が悪いので、年賀状では「去年」とはいわず「昨年」や「旧年」とする。「旧年中は大変お世話になりました」など。

社員の給与を
年に一度、見直す

社員の給与は年1回、見直される

　社員の給与は、仕事の成果や能力、勤続年数などに応じて、年に一度、見直しを行うのがふつうです。この給与の見直しを**「給与の改定」といい、通常、年1回行います**。給与の改定には、昇給や降給があります。若い世代の場合は、昇給されるケースが多いでしょう（定期昇給）。

　どれだけ昇給するかは、経営者や上司が人事考課を行って決めます。人事考課とは、社員の仕事の成果や職務遂行能力を評価することです。

　経営者や上司には、社員に不公平感などが残らないように、公正な人事考課が求められます。また、**昇給の幅なども公正なものになるように、賃金表に定めておく**のが一般的です。賃金表がない場合、インターネットでひな型を探して、参考にするとよいでしょう。

昇給する金額は賃金表で定めておく

　賃金表とは、給与の段階的な金額と、それぞれの条件を定めた表です。

賃金表の例

賃金表（職能給の号俸表の例）

3級職			5級職		
号俸	金額（円）	ピッチ※（円）	号俸	金額（円）	ピッチ（円）
1	158,000	2,000	1	228,000	2,000
2	160,000	2,000	2	230,000	2,000
3	162,000	2,000	3	232,000	2,000
33	222,000	1,000	33	292,000	1,000
34	223,000	1,000	34	293,000	1,000

※ピッチ＝号間ピッチ。1号あたりの賃金額の差

MEMO **職能給**：社員の職務遂行能力を基準にして金額を決める賃金制度。

賃金表にも、いろいろな形式があります。左表は、ごくシンプルな職能給の例です。この場合、「3級職」などの「等級」は社員の昇進によって上がり、「号俸」は主に勤続年数や人事考課によって上がります。**昇進するほど、勤続年数が増えて人事考課がよいほど、金額が増えるしくみ**です。

■■ 自社の給与体系を理解しておく

ただし、多くの会社では職能など1つの要素で給与の金額を決めることはせず、複数の要素の合計で給与を決めています。

たとえば、下図のように職能給と、社員の年齢に応じて上がる年齢給を基本給とし、それに各種の手当を加えるという具合です。

この場合、別に年齢給の賃金表も定めておき、さらに職務給なども定めているならその賃金表も定めておくことになります。

このような会社ごとの給与のしくみを、**給与体系または賃金体系といいます**。給与の改定にあたっては、自社の給与体系の理解が大切です。

給与体系の例

給与	基本給	職能給	他に勤続給、職務給、能力給、業績給、歩合給　など
		年齢給	
	手当	役職手当 時間外手当 休日出勤手当	他に資格手当、営業手当、家族手当、子女教育手当、通勤手当　など

Check!

定期昇給とベースアップの違いは？

定期昇給とは別に、社員全体の給与を上げるのがベースアップ（ベア）です。賃金表でいえば、定昇では社員ごとの等級や号俸を上げるのに対し、ベアでは賃金表の金額全体を一律に上げることになります。ベースアップは、物価の上昇（実質的な給与の目減り）に対応するためや、社員全体の待遇を改善して人材を確保するために行います。

MEMO **職務給**：社員が担当する職務・職責・役割などを基準に金額を決める賃金制度。

標準報酬月額を算定する 社会保険の定時決定

■■ 標準報酬月額は4月～6月支給の給与から算定

　給与の改定があると、納付する社会保険料の額も変わります。

　社会保険のしくみでは、**年に一度、給与の支給額を届け出て、1年間の健康保険料と厚生年金保険料を決める**ことになっています。

　これが、社会保険の「定時決定」です。

　給与の額が大きく変わったときは、年の途中でも届け出て変更しなければなりません が、こちらは「随時改定」といいます（☞ P 178参照）。

　次項で説明しますが、**社会保険料の額は社員ごとの標準報酬月額と、健康保険料率・厚生年金保険料率で決まります**。ですから、定時決定の基本は、新しい標準報酬月額を決めることです。

　社員ごとの標準報酬月額が決まるには、まずその年の4月から6月に支給した分の社員各自の給与（報酬月額）を、算定基礎届（健康保険・厚生年金保険被保険者報酬月額算定基礎届）に記入して、日本年金機構（窓口は年金事務所）や健康保険組合に提出します。

　算定基礎届は、右のような書式です。報酬月額の対象となるのは、基本給の他、役職手当や家族手当、住宅手当、残業手当、通勤手当などの諸手当です。逆に対象とならないのは、賞与の他、実費精算分の携帯電話代や永年勤続の表彰金、慶弔見舞金などです。

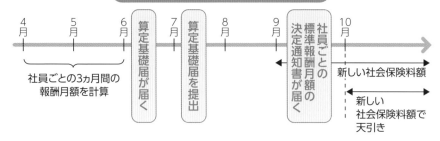

社会保険料の定時決定とは

| 4月 | 5月 | 6月 | 算定基礎届が届く | 7月 | 算定基礎届を提出 | 8月 | 9月 | 社員ごとの標準報酬月額の決定通知書が届く | 10月 |

- 社員ごとの3ヵ月間の報酬月額を計算
- 新しい社会保険料額
- 新しい社会保険料額で天引き

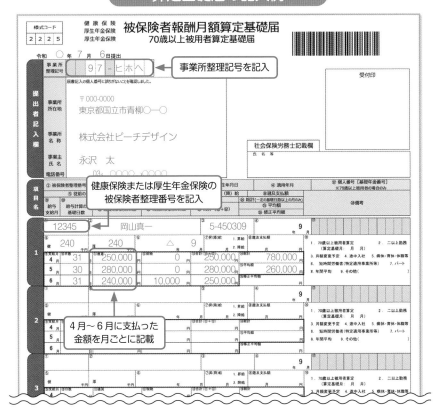

■■算定基礎届を提出すると通知書が送られて来る

算定基礎届の用紙は、日本年金機構などから会社宛てに6月に送られて
きます。用紙の提出期間は、7月1日から10日頃です。

提出すると、9月中に標準報酬月額の決定通知書が送られてきます。

Check!

まとめて支給する通勤定期代は要注意

報酬月額には通勤手当を含みますが、4月から6月の間に6ヵ月分の通勤定期
代を支給した場合は、そのまま記入すると標準報酬月額が高くなります。そう
したときは通勤定期代を月割にして、各月の報酬月額に含めます。

天引き・納付する額を決める
社会保険の保険料額表

■■決定通知書をもとに天引きする

　前項の算定基礎届を提出すると、標準報酬月額の決定通知書が送られて
きます。

　この標準報酬月額は9月分の給与から翌年8月分の給与まで適用されま
す。実際に、給与からの天引きするのは10月支給分の給与から、翌年9
月支給分の給与までです（⇨P158参照）。

■■保険料額表にあてはめる

　社会保険料は、健康保険・厚生年金保険それぞれに、「標準報酬月額 保
険料率」で計算されますが、**実際に天引き・納付する金額は、保険料額表
にあてはめて求めます。**

　保険料額表は、左端に標準報酬月額の等級と月額が、右側にそれぞれの
健康保険料と厚生年金保険料が記載されています。

　標準報酬月額の等級は、健康保険が50等級、厚生年金保険が32等級に
分かれています。

　健康保険料の額は、40歳未満と40歳以上で変わります。40歳以上65歳
未満が納める介護保険料の有無によって2つに分かれているのです。

　また社会保険料は、本人と会社負担が折半です。表には全額と折半額が
併記されています。

　標準報酬月額は通常、1年間変更されませんが、健康保険料率と介護保
険料率は毎年3月に改正されます。厚生年金保険料率は18.3％で固定され
ています。

　健康保険料率は都道府県ごとに異なりますが、介護保険料率は全国一律
です。料額表は、常に最新のものを使うようにしましょう。

　なお、社会保険料を納付するときは、会社が全額を負担する子ども・子
育て拠出金も一緒に納めます（⇨P62参照）。

社会保険料の保険料額表の見方

（協会けんぽ・2024年度・東京都の例）

令和6年3月分（4月納付分）からの健康保険・厚生年金保険の保険料額表

・健康保険料率：令和6年3月分〜 適用　・厚生年金保険料率：平成29年9月分〜 適用
・介護保険料率：令和6年3月分〜 適用　・子ども・子育て拠出金率：令和2年4月分〜 適用

（東京都）　　　　　　　　　　　　　　　　　　　　　　　　　　　　　　　　　（単位：円）

標準報酬		報酬月額		全国健康保険協会管掌健康保険料				厚生年金保険料（厚生年金基金加入員を除く）	
				介護保険第2号被保険者に該当しない場合		介護保険第2号被保険者に該当する場合		一般・坑内員・船員	
				9.98%		11.58%		18.300%※	
等級	月額			全額	折半額	全額	折半額	全額	折半額
		円以上	円未満						
1	58,000		〜 63,000	5,788.4	2,894.2	6,716.4	3,358.2		
2	68,000	63,000 〜	73,000	6,786.4	3,393.2	7,874.4	3,937.2		
3	78,000	73,000 〜	83,000	7,784.4	3,892.2	9,032.4	4,516.2		
4(1)	88,000	83,000 〜	93,000	8,782.4	4,391.2	10,190.4	5,095.2	16,104.00	8,052.00
5(2)	98,000	93,000 〜	101,000	9,780.4	4,890.2	11,348.4	5,674.2	17,934.00	8,967.00
6(3)	104,000	101,000 〜	107,000	10,379.2	5,189.6	12,043.2	6,021.6	19,032.00	9,516.00
7(4)	110,000	107,000 〜	114,000	10,978.0	5,489.0	12,738.0	6,369.0	20,130.00	10,065.00
8(5)	118,000	114,000 〜	122,000	11,776.4	5,888.2	13,664.4	6,832.2	21,594.00	10,797.00
9(6)	126,000	122,000 〜	130,000	12,574.8	6,287.4	14,590.8	7,295.4	23,058.00	11,529.00
10(7)	134,000	130,000 〜	138,000	13,373.2	6,686.6	15,517.2	7,758.6	24,522.00	12,261.00
11(8)	142,000	138,000 〜	146,000	14,171.6	7,085.8	16,443.6	8,221.8	25,986.00	12,993.00
12(9)	150,000	146,000 〜	155,000	14,970.0	7,485.0	17,370.0	8,685.0	27,450.00	13,725.00
13(10)	160,000	155,000 〜	165,000	15,968.0	7,984.0	18,528.0	9,264.0	29,280.00	14,640.00
14(11)	170,000	165,000 〜	175,000	16,966.0	8,483.0	19,686.0	9,843.0	31,110.00	15,555.00
					8.9		9.9	40,260.00	20,130.00
					9.9		9.9	43,920.00	21,960.00
					9.9		11.9	47,580.00	23,790.00
	250,000	250,000 〜	270,000	25,948.0	12,974.0	30,108.0	15,054.0	51,240.00	25,620.00
	270,000	270,000 〜	290,000	27,944.0	13,972.0	32,424.0	16,212.0	54,900.00	27,450.00
	290,000	290,000 〜	310,000	29,940.0	14,970.0	34,740.0	17,370.0	58,560.00	29,280.00
	310,000	310,000 〜	330,000	31,936.0	15,968.0	37,056.0	18,528.0		
24(21)	340,000	330,000 〜	350,000	33,932.0	16,966.0	39,372.0	19,686.0	62,220.00	31,110.00
25(22)	360,000	350,000 〜	370,000	35,928.0	17,964.0	41,688.0	20,844.0	65,880.00	32,940.00
26(23)	380,000	370,000 〜	395,000	37,924.0	18,962.0	44,004.0	22,002.0	69,540.00	34,770.00
27(24)	410,000	395,000 〜	425,000	40,918.0	20,459.0	47,478.0	23,739.0	75,030.00	37,515.00

標準報酬月額の等級と月額
※カッコ内は厚生年金保険の等級

算定のもとになった報酬月額

40歳未満の健康保険料

40歳以上の健康保険料

厚生年金保険料

Check!

協会けんぽの健康保険料率は都道府県で変わる

協会けんぽの健康保険料率は、都道府県ごとに定められています（厚生年金保険料率は全国で共通）。たとえば2024年度の健康保険料率の場合、東京都が9.98％なのに対して、北海道は10.21％となっています（介護保険料率を除く）。協会けんぽに加入している会社では、必ず会社が所在する都道府県の最新の保険料額表を使うようにします。介護保険料の料率は全国一律です。

MEMO **介護保険第2号被保険者**：40歳から64歳までの被保険者。健康保険料率に介護保険料率（2024年度の場合で1.60％）が加わる。

総務

労務

経理

給与が2等級以上変わったら
社会保険の随時改定

■■年の途中で給与が大きく変わったら随時改定を行う

前項で、標準報酬月額は通常、1年間変わらないといいましたが、（残業手当などでなく）固定的な給与が大きく変わった場合は別です。**変わった月から3ヵ月間の給与の平均で、それ以前の標準報酬月額と2等級以上の差が出た場合は、標準報酬月額自体を変更**しなければなりません。

ただし、3ヵ月ともに支払基礎日数が17日以上あることが条件なので、長期の欠勤などによる場合を除きます。

このような年の途中での社会保険料の変更手続きを、社会保険の「随時改定」といいます。

まとめると、次の3つの条件がそろったときに、社会保険の随時改定が必要になります。

- 基本給や固定の手当など**固定的な賃金の額が変わった**
- 3ヵ月間の給与の平均で**標準報酬月額が2等級以上変わった**
- 3ヵ月間ともに**給与の支払基礎日数が17日以上あった**

社員の基本給などが変わったときは、3ヵ月間待って、上の3つの条件に該当しているか、判断するとよいでしょう。

このような2等級以上の給与の変更を、3ヵ月間経過したあとに判定するためにも、保険料額表は必要です。

■■随時改定には報酬月額変更届を提出

標準報酬月額の変更は、変更があって3ヵ月目の給与支給後に、報酬月額変更届（健康保険・厚生年金保険被保険者報酬月額変更届）を日本年金機構（窓口は年金事務所）などに提出します。この報酬月額変更届の提出は、できるだけ早く行うことが必要です。

報酬月額変更届を提出すると、標準報酬月額の改定通知書が送られて来るので、変更があった月から4ヵ月目の社会保険料、すなわち5ヵ月目の天引きと納付から、新しい標準報酬月額による社会保険料を適用します。

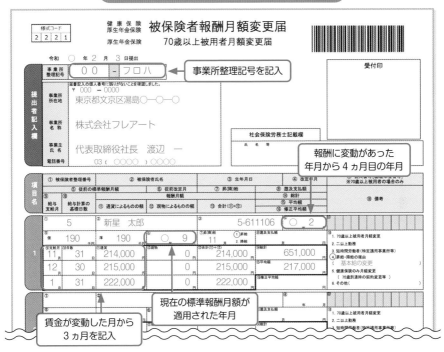

報酬月額変更届の記入例

Check!

健康保険組合とは？

健康保険は、大手企業や同業・同種の企業が集まって設立した健康保険組合と、それ以外の協会けんぽ（全国健康保険協会管掌健康保険）に大別されます。

中小企業の多くは、協会けんぽが運営する健康保険に加入しますが、業界に健康保険組合がある場合、その組合の健康保険に加入する中小企業もあります。

健康保険組合の場合、保険料率は、一定の範囲内でその組合が独自に決めることができるという特徴があります。

労働保険の年度更新を行う

▟ 年に1回行う労働保険の年度更新

　社会保険が毎月納付なのに対して、雇用保険と労災保険をあわせた労働保険の申告・納付は年1回です。

　前年度に1年分の概算を前払いしておき、今年度の申告で前年度分の精算と、今年度分の概算前払いをするというしくみです。これを「労働保険の年度更新」といいます。

　労働保険は、4月1日から翌年3月31日までを保険年度としますが、労働保険の年度更新では、まず保険料申告書（労働保険概算・確定保険料申告書）が5月下旬頃に都道府県の労働局から会社宛てに郵送されてきます。この申告書は、一事業に対して原則1枚で、労災保険・雇用保険それぞれの賃金総額、確定保険料、それに一般拠出金の額の申告が可能です。今年度の概算保険料の申告もできます。

　そこで、**前年度の賞与や時間外手当、通勤手当、家族手当などを含めた給与を集計して賃金総額を算出し、申告書に必要事項を記入したうえで、保険料を添えて、6月1日から7月10日までの間に管轄の労働基準監督署や銀行などに提出**します。

　ただし、概算保険料の額が40万円以上の場合は、7月10日に加えて、10月31日、1月31日の3回に分けて納付することも可能です。口座振替で納付する場合は、9月6日、11月14日、2月14日が納付日になります。手数料はかかりません。

　なお、雇用保険料と労災保険料の料率については161ページで説明したので参照してください。

▟ 納付額は前年度の差額に今年度分をプラスマイナスする

　申告書には、1ヵ月平均の労働者数、雇用保険被保険者数も記入します。
　確定保険料は、前年4月1日から当年3月31日までの給与の額を集計

ME MO **労働保険料の計算に含まれない手当**：実費精算分の出張手当や慶弔見舞金などは含まれないが、上記以外にも住宅手当や役職手当などは含まれる。

して算出します。

この確定保険料を参考に、今年度の見込額を概算するわけですが、前年度と比べて大きな変動が見込まれない限りは、**前年度の賃金総額に今年度の保険料率を掛けて概算保険料を計算します。**

ここでいう大きな変動とは、2倍以上か、2分の1以下の大きな変動のことです。

最後に、今年度の納付額の計算です。まず、前年度の確定保険料から前年度の概算保険料を引くと、差額がプラスなら不足、マイナスなら還付になります。

この**不足額または還付額を、今年度の概算保険料にプラスマイナスしたものが、今年度の納付額**です。

なお、本人が納める雇用保険料は、毎月の給与から天引きします。

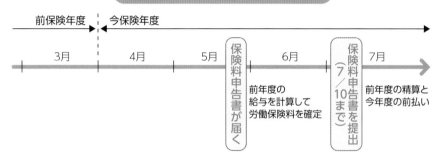

Check!
一般拠出金も全額会社負担

労働保険料とあわせて、一般拠出金を申告・納付します。一般拠出金とは、石綿（アスベスト）健康被害者の救済費用にあてるため、労災保険に加入するすべての事業主に負担が求められる拠出金です。拠出金率は一律1,000分の0.02となっています。

三六協定を締結し
労基署に協定届を提出する

■■ 社員の代表を選んで協定を締結する

　社員に残業や休日出勤をしてもらうためには、社員（労働者）と会社（使用者）で三六協定を結ばなければなりません。三六協定の有効期間は1年間で、会社ごとに就業規則により起算日を決めます。年に一度の仕事となる三六協定の締結と、労働基準監督署への届出の手順は次のとおりです。

> ①社員のなかから**社員の代表を選ぶ**
> ②社員の代表と**三六協定を締結する**
> ③労働基準監督署に**三六協定届を提出する**

　労働組合のない会社では、社員の過半数を代表する者と協定を結ぶことになっています。この過半数代表者は、管理者ではない者のなかから投票や挙手で選び、会社の意向に応じて選ばれてはならないとされています。

■■ 協定に必要な事項を確認する

　三六協定で、協定する必要がある事項は次のとおりです。

三六協定に必要な事項

□労働時間を延長し、または休日に労働させることができる場合
□労働時間を延長し、または休日に労働させることができる社員の範囲
□対象期間（1年間に限る）　□1年の起算日　□有効期間
□対象期間における 　●1日　●1ヵ月　●1年　について、労働時間を延長して労働させることができる時間または労働させることができる休日
□時間外労働＋休日労働の合計が 　●月100時間未満　●2～6ヵ月平均80時間以内　を満たすこと

（パンフレット「時間外労働の上限規制」より引用）

MEMO **働き方改革**：厚生労働省の定義によれば「働く人々が、個々の事情に応じた多様で柔軟な働き方を、自分で『選択』できるようにするための改革」となっている。

以上のような内容を記入して、労働基準監督署に提出するのが三六協定届です。最新の様式は、働き方改革による労働基準法の改正で、以前のものとは変わっているので注意してください。

この様式は、厚生労働省のホームページなどでダウンロードできます。

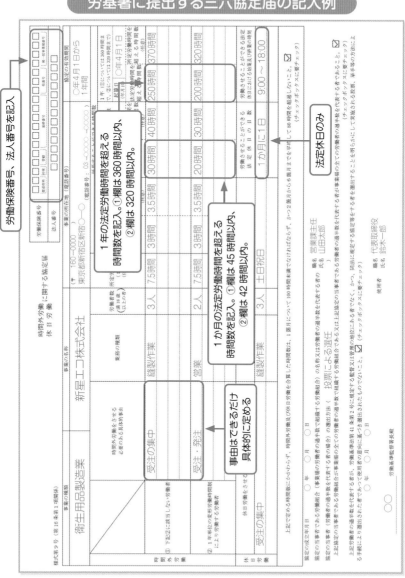

労基署に提出する三六協定届の記入例

社員の賞与から
社会保険料と所得税を天引きする

■■天引きする社会保険料は給与と計算方法が異なる

　社員に**賞与を支給するとき**も、**社会保険料と税金を天引き**します。賞与から天引きする社会保険料は、給与と同じく、健康保険料（介護保険料）、厚生年金保険料、雇用保険料の３つです。

> ・**健康保険料** ＝（標準賞与額×保険料率）÷ 2
> ・**厚生年金保険料** ＝（標準賞与額×保険料率）÷ 2
> ・**雇用保険料** ＝賞与金額×被保険者負担率

　健康保険料と厚生年金保険料の計算に使う標準賞与額とは、賞与の実際の支給額から千円未満を単純に切り捨てたものです。保険料率は、177ページの保険料表の項目見出しにある保険料率を使い、掛けた結果の２分の１を本人負担分として天引きします。

　届出は、**賞与の支給日から５日以内に、賞与支払届（健康保険・厚生年金保険被保険者賞与支払届）という書類を、日本年金機構（窓口は年金事務所）などに提出する**ことが必要です。

　翌月に、保険料納入告知書が郵送されて来るので、毎月の社会保険料とともに、その月の月末までに納付します。

　雇用保険料は、給与と同じ計算方法です（☞P 161参照）。労災保険は、全額会社負担なので天引きしない代わりに、年度更新の賃金総額の計算に含めて納付します（☞P 180参照）。

■■源泉徴収する所得税も給与と違う表にあてはめる

　税金では、源泉所得税の天引きが必要です。住民税については、賞与からの特別徴収は行いません。天引きする源泉所得税の計算は、賞与支給額に源泉徴収税額の算出率を掛けます。

MEMO **賞与不支給報告書**：2021年4月から賞与の支払いを予定していた月に、賞与を支給しなくなった場合、賞与不支給報告書という書類の提出が義務化された。

$$源泉所得税 = 社会保険料等控除後の賞与金額 × 算出率$$

　算出率の表（賞与に対する源泉徴収税額の算出率の表）は、源泉徴収税額表と同じく甲乙欄と、扶養親族等の数欄に分かれています。

　そして、扶養親族の数に応じて、前月に支給した社会保険料等控除後の給与等の金額をあてはめ、該当する行の左端を見ると、賞与支給額（社会保険料等控除後）に掛ける税率がわかるしくみです。

　あてはめるのは「前月の社会保険料等控除後の給与等の金額」であって、賞与の金額でないことに注意してください。

　賞与から源泉徴収した所得税は、納付書（所得税徴収高計算書）に給与の源泉所得税とあわせて記入し、支給月の翌月10日までに税務署や金融機関で納付します。

賞与に対する税率の表（一部分）

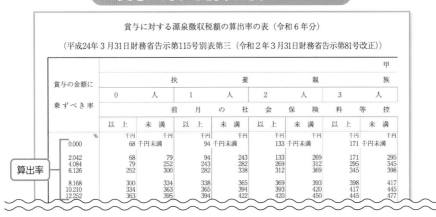

賞与に対する源泉徴収税額の算出率の表（令和6年分）

（平成24年3月31日財務省告示第115号別表第三（令和2年3月31日財務省告示第81号改正））

賞与の金額に乗ずべき率	扶養		親	族			甲	
	0 人		1 人		2 人		3 人	
	前 月 の 社 会 保 険 料 等 控							
	以 上	未 満	以 上	未 満	以 上	未 満	以 上	未 満
％	千円	千円	千円	千円	千円	千円	千円	千円
0.000	68 千円未満		94 千円未満		133 千円未満		171 千円未満	
2.042	68	79	94	243	133	269	171	295
4.084	79	252	243	282	269	312	295	345
6.126	252	300	282	338	312	369	345	398
8.168	300	334	338	365	369	393	398	417
10.210	334	363	365	394	393	420	417	445
12.252	363	395	394	422	420	450	445	477

算出率

Check!

賞与の支給額はどう決める？

賞与の支給額は、就業規則や給与規程、賞与規程などに定めがあるものです。定めがない場合は、経営者などに前回どのように決めたかを確認します。はじめての支給で前例がない場合も、経営者などに相談するとよいでしょう。支給時には、給与と同じように賞与支払明細書をつくって配布します。

年末最後の給与で 社員の年末調整を行う

■■ 年末調整は源泉所得税の精算

　年末の給与では、年末調整を行います。年末調整とは、**毎月の給与と賞与から納めた所得税と、1年間で納めるべき所得税を精算する**作業です。

　じつは、給与所得の源泉徴収税額表による源泉徴収（☞P164参照）は概算で、年間で納める正しい税額とはどうしても差が出ます。また、所得税では個人の事情に応じて各種の所得控除ができるので、たいていの場合、源泉徴収した税額は過払いの状態になっています。所得税は1月から12月の賞与を含む所得に対してかかるので、その精算を12月に行うというわけです。

　年末調整では、右図のようなことをすべて行う必要があります。11月頃に税務署から「年末調整のしかた」という小冊子が送られて来るはずなので、それを見れば計算のしかたや、税率などが理解できるでしょう。**年末調整に必要な書類の用紙も、それに同封されています。**

　この年末調整の作業では、11月に社員に提出書類の配布などを行い、市区町村や税務署に提出する給与支払報告書などの期限は1月31日です。

■■ 給与所得控除や各種の所得控除などを行う

　右図のなかで、給与所得控除というのは**給与所得者だけに認められる所得控除**です。いわば、サラリーマンの必要経費として控除が認められる金額といえます。また、各種の所得控除とは、個人の事情に応じて税金を安くする制度です（☞次項参照）。

　住宅ローンがある人には、住宅ローン控除（住宅借入金等特別控除）という税額控除を差し引ける可能性があります。

　ただし、この税額控除を利用するには**控除の初年度に本人が確定申告を行う必要があります。**2年目以降は年末調整でできます。

　復興特別所得税は、東日本大震災からの復興の財源として、2013年からの25年間、課税されている税金です。

MEMO　**所得控除**：本人や家族の状況、災害や病気・ケガなど、個人の事情に応じて所得税を安くしてくれる制度。税金の計算のもとになる所得の金額から、一定額を差し引く（控除する）。

年末調整で行うこと

総支給額を計算する
各社員の1月～12月の給与と賞与の総支給額を集計する(通勤手当などの非課税手当分は除く)

▼

給与所得控除を差し引く
給与所得者に認められる給与所得控除を差し引く(控除額は総支給額により変わる)

▼

各種の所得控除を差し引く
扶養控除、各種保険料控除などを差し引く(人により差し引ける所得控除と控除額が異なる)

▼

税率を掛けて税額を計算する
所得控除後の給与所得に税率を掛けて税額を計算する(税率は給与所得により変わる)

▼

税額控除を差し引く
住宅ローン控除がある人は税額から税額控除額を差し引く(初年度は本人の確定申告が必要)

▼

復興特別所得税を計算する
所得税額の2.1%の復興特別所得税を税額に加える(2037年分まで)

▼

所得税等の過不足を精算する
納付済みの源泉所得税と正しい年税額の差額を計算して社員に還付または追加徴収する

▼

過不足分を加えて納税する
12月に精算した所得税等の過不足分を1月10日(納期の特例の場合は1月20日)までに納付する

▼

給与支払報告書などを提出する
給与支払報告書と源泉徴収票を作成して1月31日までに市区町村などに提出し本人に交付する

総務

労務

経理

Check!

給与等が2,000万円を超える人は確定申告

給与等の収入が2,000万円を超える人は、給与所得者であっても、本人が所得税の確定申告をしなければなりません。また、地代や原稿料などの副収入の所得が20万円を超える人や、2ヵ所以上から給与をもらっている人なども確定申告が必要です。社員に該当者がいる場合は教えてあげましょう。

M E
M O **税額控除**：税額を計算したあと、その税額から一定額を差し引ける制度。所得控除が計算のもとになる課税所得の金額を少なくするのに対し、税額控除では税額そのものが少なくなる。

扶養控除等申告書などを
社員に提出してもらう

■■所得控除のための申告書を提出してもらう

　年末調整の仕事で大きな比重を占めるのが、各種の所得控除です。社員それぞれに適用されるかどうかを判定し、適用される場合は金額を計算しなければなりません。

　そのために必要なのが、下表にあげた申告書です。

　これらの申告書は、国税庁のホームページや税務署などから入手し、それを該当する社員に配布し、記入したものを事務に提出してもらうという流れです。

　年末調整の計算を始める時点では、記入済みの申告書が手元にそろっているようにしたいものですが、記入にもある程度の時間がかかるでしょうから、早めに配布しておく必要があります。

　なお、**保険料控除申告書や住宅借入金等特別控除申告書は、社員から申し出てもらい、用紙を渡して記入してもらう**ものです。該当する社員は自分から申し出てもらうよう、あらかじめ社員に周知しておきます。

　また、年の途中で前の会社を退社し、いまの会社に入社した社員については、**前の会社が発行した源泉徴収票も年末調整の計算に必要**です。

年末調整で提出してもらう申告書

申告書名	対象になる社員
給与所得者の扶養控除等（異動）申告書	年末調整の対象になる社員全員
給与所得者の保険料控除申告書	生命保険料や地震保険料を支払っている人
給与所得者の基礎控除申告書 兼 給与所得者の配偶者控除等申告書 兼 所得金額調整控除申告書	基礎控除、配偶者（特別）控除、所得金額調整控除が受けられる人
給与所得者の（特定増改築等）住宅借入金等特別控除申告書	住宅ローンの残高があり、初年度に確定申告をした人

■■申告書の記入内容から所得控除を行う

　年末調整で控除できる所得控除は、下表のようになっています。それぞれの社員の所得から控除できるかは、提出を受けた申告書の記入内容で判定が可能です。

　なお、**所得金額調整控除は、基礎控除や給与所得控除の改正にともない2020年に新設された**もので、所得税額の大幅な増加が見込まれる場合に、税負担を軽減するしくみになっています。

年末調整の所得控除と税額控除

	控除の名称	対象になる社員など
所得控除	基礎控除	要件なく対象者全員が控除される。所得に応じて最高48万円
	扶養控除	16歳以上の扶養親族ごとに、年齢に応じた額を控除
	配偶者控除	配偶者の所得48万円以下。本人の所得1,000万円超は控除なし
	配偶者特別控除	配偶者の所得133万円以下。本人の所得1,000万円超は控除なし
	勤労学生控除	本人が通学しながら働いている勤労学生。一律27万円
	寡婦控除	ひとり親控除に該当しない配偶者と離別した人。所得制限あり
	ひとり親控除	要件を満たす未婚のひとり親に対する控除。一律35万円
	障害者控除	本人または扶養親族が障害者。障害の内容等により最高75万円
	地震保険料控除	地震保険料を支払った人。地震保険料の額により最高5万円
	生命保険料控除	生命保険料を支払った人。保険の種類と保険料により最高4万円
	社会保険料控除	社会保険料を支払った人。給与から実際に差し引かれた額の全額
	小規模企業共済等掛金控除	企業型確定拠出年金や個人型確定拠出年金（iDeCo）などの掛金を支払った人
税額控除	所得金額調整控除	扶養親族が23歳未満や所得の金額などの一定の要件を満たす人
	住宅借入金等特別控除	初年度は本人が確定申告、2年目から年末調整で税額控除

Check!

こんな社員にも確定申告をすすめよう

年末調整では控除できない所得控除もあります。1年に多額の医療費（10万円超など）を支払った人に対する医療費控除、災害や盗難などで被害をこうむった人に対する雑損控除、寄附をした人に対する寄附金控除です。これらに該当する人は、年末調整のあとで確定申告をすると、納めた所得税が戻ってくる（還付される）可能性があります。該当する人には教えてあげましょう。

MEMO **ひとり親控除：**結婚の有無に関わらず、すべてのひとり親家庭に公平な税制支援を行うことを目的として、2020年度税制改正により新設された。

給与支払報告書と源泉徴収票を作成・提出する

▓▓ 1月10日までに年末調整の所得税を納付する

年末調整で精算した所得税の過不足額は、翌年1月10日までに納付しなければなりません（納期の特例の場合は1月20日）。納付は、年末調整の場合でも、毎月の納税と同じ納付書（所得税徴収高計算書）を使いますが、「年末調整による不足税額」欄と「年末調整による超課税額」欄に記入する点が違います。この欄に、**社員全員の不足額と超過額の合計金額を記入して、納付**します。

▓▓ 1月31日までに給与支払報告書と源泉徴収票

そして、1月31日までに、源泉徴収票と給与支払報告書を作成し、社員の住所地の市区町村（と税務署）に提出します。

といっても、**この2つは同じ記載内容で、手書きのものでは複写式**です。1枚目と2枚目は市区町村に提出する給与支払報告書（個人別明細書）で、市区町村へは必ず2枚同じものを提出するルールになっています。

3枚目は、税務署に提出する源泉徴収票です。ただし、税務署への提出が必要なのは、次のような人とされています。

- 年末調整をした人で、給与などの支払金額が**500万円を超える人**
- 年末調整をした役員で、給与などの支払金額が**150万円を超える人**
- 年末調整を**しなかった人**
  （給与などが**2,000万円を超えた人**も含む）　　など

災害による被害で源泉徴収を猶予された人や、源泉徴収税額表の乙欄などで計算している人については、別の定めがあります。

税務署に提出する必要がない人については、3枚複写のものを使います。4枚目は、本人に交付する源泉徴収票です。

MEMO　源泉所得税の徴収猶予：災害により一定の損害を受けた人は、一定の要件を満たすと源泉所得税等の徴収を猶予される制度がある。納税した分についても還付の申請ができる。

給与支払報告書と源泉徴収票の記入例

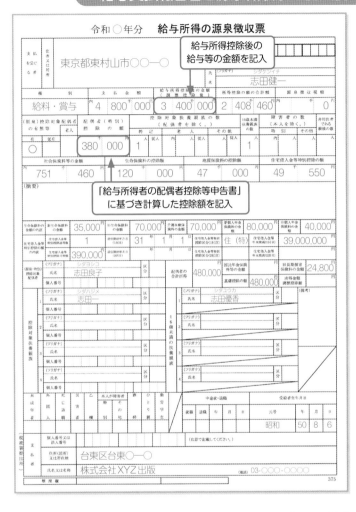

令和○年分　給与所得の源泉徴収票

給与所得控除後の給与等の金額を記入

「給与所得者の配偶者控除等申告書」に基づき計算した控除額を記入

〈1枚目〉
市区町村提出用
の給与支払報告書

〈2枚目〉
市区町村提出用
の給与支払報告書

〈3枚目〉
税務署提出用
の源泉徴収票

〈4枚目〉
本人交付用
の源泉徴収票

総務

労務

経理

■■市区町村には給与支払報告書（総括票）を添付

　源泉徴収票の様式は、国税庁や市区町村のホームページでダウンロードできます。上図は国税庁の様式の例です。

　市区町村に提出する給与支払明細書については、個人別明細書と別に、支払人数などをまとめた給与支払報告書（総括表）の添付が必要になります。この様式もダウンロード可能です。報酬などの支払いに使う源泉徴収票もあるので、必ず「給与所得の」などと記載されたものを使いましょう。

会社の償却資産を市町村に申告する

■■建物以外の減価償却資産は申告が必要

償却資産の申告も、年に一度行う仕事です。

償却資産とは、**建物以外の事業用の減価償却資産を指す用語で、減価償却資産とは、10万円以上かかり、1年以上使用する資産のことです。この資産に対して市町村税（東京都では都税）である固定資産税が課税されます**。その課税を行うための申告です。そのため、償却資産に対する固定資産税を、とくに償却資産税と呼ぶこともあります。

建物や土地を登記すると、市町村から固定資産税の納税通知書が送られてきますが、償却資産については毎年、会社の申告に基づいて課税額が計算され、納税通知書が送られてきます。

申告の対象となるのは、原則として**土地、建物、車両以外の減価償却資産**です。ただし対象外である建物でも、賃借している事務所や店舗に行った内装工事の費用などは償却資産の対象になります。

また中小企業では、取得価額30万円未満までの減価償却資産を一括で経費にできる特例が利用できますが（☞P 210参照）、一括で経費にしたものも償却資産の対象です。

その他、一般の会社で償却資産になる主なものは右表のようになります。市町村から「償却資産申告の手引き」という小冊子が送られるので、それを見て申告が必要な償却資産かどうか判断するとよいでしょう。

■■1月1日現在の償却資産を1月31日までに申告する

申告は、償却資産申告書という書類を市町村（東京都では都税事務所）に提出します。償却資産申告書は、**取得などをした増加資産と、売却などをした減少資産だけを申告する**のがふつうです。

前年以前に申告した分は、この書類を市町村が保存・管理しています。

そこで申告書には、1月1日現在の増加資産と減少資産を記入し、1月

ME
MO **減価償却**：時間の経過や使用により価値が減っていく固定資産について、決められた耐用年数で分割して費用に計上していく会計上の処理の手続き（☞P 204 参照）。

償却資産申告の主な対象

資産の種類	償却資産の例
構築物	門、塀、広告塔など
建物附属設備	受変電設備、予備電源設備、その他の建築設備など ※賃借している建物に行った内装工事は対象
機械装置	各種製造設備の機械装置、クレーンなどの建設機械、機械式駐車場設備など ※年度内に使用していない遊休資産、未使用の未稼働資産も対象
車両運搬具	大型特殊自動車など ※自動車税、軽自動車税が課税されている乗用車、トラック、小型フォークリフトなどは対象外
工具器具備品	パソコン、エアコン、応接セット、レジスター、自動販売機、陳列ケース、工具、金型など ※リースで借りているパソコンなどは対象外 ※パソコンのソフトウェアなどの無形固定資産は対象外 ※取得価額10万円未満などの少額減価償却資産は対象外 ※取得価額20万円未満の一括償却資産は対象外 ※取得価額30万円未満の損金算入の特例による少額減価償却資産は対象

31日までに提出します。

申告は市町村ごと（東京23区や政令指定都市では区ごと）に行うことが必要です。複数の市町村に償却資産を所有している場合は、その市町村ごとに分けて申告することになります。

税率は通常、資産の評価額の1.4%ですが、合計が150万円未満の場合は課税されません。ただし、その場合も申告は必要です。評価額は、申告書に基づいて市町村が決定します。

納税は、申告したあとに送られる納税通知書で行います。通常は4回（東京23区の場合で6月、9月、12月、翌年2月）に分けて納付することが可能です。

Check!

土地は償却資産でないが、舗装は償却資産

会社が所有している土地や建物には、通常の固定資産税がかかります。ただし、土地に行った舗装は償却資産の対象です。また、所有している建物の内装工事を行った場合は建物の評価額に含まれますが、借りている建物の内装工事の費用は償却資産になります。償却資産申告の手引きには、そのような区別のしかたが詳しく解説されているので、それで判断しましょう。

MEMO **一括償却資産**：取得価額が20万円未満の減価償却資産は、一括して使用した年から3年間に渡り、3分の1ずつを償却することができ、償却資産の対象から外すことができる（ P210参照）。

報酬などの支払調書を作成・提出する

■■ 法定調書は税務署に提出する義務がある

　法定調書とは、税務署に提出が義務づけられている資料のことで、50種類以上あります。ただし一般的な会社の場合、そのほとんどは提出の必要がありません。

　給与所得の源泉徴収票（☞ P 190参照）は、どの会社でも提出が必要になる代表的な法定調書の1つです。そしてもう1つ、多くの会社で必要になる法定調書に「報酬、料金、契約金及び賞金の支払調書」があります。

　この支払調書の提出期限も1月31日なので、その作成・提出も年に一度の仕事です。

■■ 報酬、料金、契約金及び賞金の支払調書とは

　報酬、料金、契約金及び賞金の支払調書は、右図のような様式になっています。ただし、支払ったすべての報酬などについて、提出が必要なわけではありません。主に一般的な会社で提出が必要になるのは、次の金額を超えるものです。

- 外交員、バー・キャバレー等のホステスなどの報酬・料金、広告宣伝のための賞金……**50万円を超えるもの**
- 弁護士・税理士・司法書士・中小企業診断士等に対する報酬、デザイナー・イラストレーター・ライター等に対する報酬・原稿料……**5万円を超えるもの**

　報酬などの金額については、消費税を含めて判断しますが、領収書などで消費税額が明確に区分されている場合は、消費税抜きで判断してもよいことになっています。その場合は、金額欄に税抜きの金額を記入し、摘要欄に消費税額を記載します。

MEMO **司法書士**：法務局などに提出する書類の作成や、登記手続きを代理して行う国家資格者。一般の会社でも土地や建物、会社の登記、変更登記などを依頼することが多い。

報酬、料金、契約金及び賞金の支払調書の記入例

令和○年分 報酬、料金、契約金及び賞金の支払調書

支払を受ける者	住所(居所)又は所在地	東京都文京区湯島○—○				
	氏名又は名称	新星 太郎		個人番号又は法人番号 1 1 2 3 4 5 6 7 8 9 0 1 2		

区 分	細 目	支 払 金 額	源泉徴収税額
制作料	○○の始め方	内 220千000円	内 22千462円

(摘要)

支払者	住所(居所)又は所在地	東京都台東区台東○—○		
	氏名又は名称	株式会社XYZ出版 (電話)03-○○○-○○○○	個人番号又は法人番号 9 8 7 6 5 4 3 2 1 0 9 8 7	

整 理 欄	①	②

○個人番号又は法人番号欄に個人番号(12桁)を記載する場合には、右詰で記載します。

　なお、**行政書士に対する支払いは、一部の例外を除いて支払調書の対象になりません。**報酬とともに支払った登録免許税や印紙税の額も、報酬などの額に含めないことになっています。

　上の支払調書には源泉徴収税額欄がありますが、源泉徴収をしていない法人に対する支払いについても、個人に対する支払いについても提出が必要です。ただし源泉徴収票のように、本人に交付する必要はありません。求められたら発行する程度でよいでしょう。

Check!

5万円を超える原稿料や講演料も支払調書を提出

　一般的な会社の話ではありませんが、プロ野球選手などに支払う報酬・契約金も、合計が年間で5万円を超えるものは支払調書を提出します。一方、プロボクサーなどについては50万円を超えるものが対象です。一般の会社でも、作家・ライターに原稿を依頼したり、著名人に講演を依頼した場合の原稿料・講演料は、5万円を超えるものに支払調書を提出します。

総務

労務

経理

MEMO **行政書士**：官公庁に提出する書類の作成や、提出の手続きを代理して行う国家資格者。国の省庁や都道府県庁、市・区役所、町・村役場などに対する手続きを依頼することが多い。

不動産に関する支払調書を作成・提出する

■■ 不動産の賃借料などを支払ったときの支払調書

　一般の会社で提出が必要な法定調書としては、不動産に関する支払い関係のものがあります。その1つは「**不動産の使用料等の支払調書**」で、**土地・建物の賃借料などの支払いを記入するもの**です。賃借料だけでなく、次のようなものも含まれます。

- 賃借などにともなって支払われる**権利金、礼金**
- 契約期間満了などにともなって支払われる**更新料、承諾料**
- 借地権や借家権の譲受けにともなって支払われる**名義書換料**

　この他、催し物の会場を借りるような一時的な賃借料や、陳列ケースの賃借料、広告を掲示するために塀や壁面の一部を借りた場合の賃借料などについても、支払調書を提出する必要があります。

　金額としては、**同じ相手に対する年間の支払金額の合計が15万円を超えるもの**について、支払調書の提出が必要です。

　ただし、支払先が法人の場合は家賃や賃借料を記入せず、権利金や更新料だけを記載します。**法人に対して家賃や賃借料だけを支払っている場合は、支払調書の提出は不要**です。

　15万円を超えているかは、消費税の額を含めて判断しますが、領収書などで消費税額が明確に区分されている場合は、消費税抜きの額で判断してもさしつかえありません。

■■ 不動産の売買代金を支払ったときの支払調書

　不動産関係の支払調書のもう1つは、「**不動産等の譲受けの対価の支払調書**」です。これには、不動産の売買代金の支払いの他、不動産の交換や競売、公売なども含みます。

MEMO 更新料、承諾料：借地や借家の契約期間が満了し、契約を更新する際の更新料の他、借地の上にある建物の増改築を行う際に、土地所有者に承諾料を支払う場合がある。

令和 ○ 年分　不動産の使用料等の支払調書

支払を受ける者	住所（居所）又は所在地	東京都豊島区池袋○－○							
	氏名又は名称	ABC株式会社		個人番号又は法人番号 1 2 3 4 5 6 7 8 9 0 1 2 3					

区分	物件の所在地	細目	計算の基礎	支払金額	
家賃	東京都台東区台東○－○	鉄筋コンクリート	60㎡、1～12月、200,000円／月	2 400 千	000 円
更新料	同上	同上	２ヵ月分	400	000

（摘要）

をあっせんした者	住所（居所）又は所在地		支払確定年月日	あっせん手数料	
	氏名又は名称		年月日 ． ．	千	円
	個人番号又は法人番号				

支払者	住所（居所）又は所在地	東京都台東区台東○－○			
	氏名又は名称	株式会社XYZ出版 （電話）03-○○○-○○○○	個人番号又は法人番号 9 8 7 6 5 4 3 2 1 0 9 8 7		

整理欄	①		②	

313

○「個人番号又は法人番号」欄に個人番号（12桁）を記載する場合は、右詰で記載します。

　対価の金額としては、**同じ相手に対する年間の支払金額の合計が100万円を超えるもの**について、支払調書の提出が必要です。使用料等の支払調書と同じく、金額は消費税を含めて判断します。領収書などで消費税額が明確に区分されている場合は、消費税抜きで判断してよい点も同じです。

　支払調書の提出期限は、不動産に関するものに限らず、すべて１月31日となっています。

不動産に関する支払調書

15万円超の不動産の使用料、権利金、更新料などの支払いがあった場合	→	**不動産の使用料等の支払調書**を作成・提出
100万円超の不動産の譲受けの支払いがあった場合	→	**不動産等の譲受けの対価の支払調書**を作成・提出

総務

労務

経理

197

法定調書合計表を作成・提出する

源泉徴収票を提出不要の人の分も記載

1月31日までに法定調書を提出する際、同時に右のような**「給与所得の源泉徴収票等の法定調書合計表」を提出**します。ここでいう源泉徴収票等とは、報酬・料金の支払調書や、不動産関係の支払調書のことです。つまり、すべての法定調書の合計をした表になります。

しかも、たとえば給与などの額が500万円以下で、源泉徴収票を提出しない人の分（☞ P 190参照）なども、すべて集計して記載が必要です。

法定調書合計表と同時に、税務署に提出する源泉徴収票は、何らかの理由で年末調整をしなかった人でも、提出の要不要は支払金額により細かく分かれますので注意してください。

なお、退職して退職金を支払った役員がいる場合は、退職所得の源泉徴収票も同時に提出し（☞ P 284参照）、合計表への記載も必要です。

社員の退職については、退職所得の源泉徴収票の提出は必要ありません。ただし、退職者本人に対しては必ず交付してください。

提出する給与所得の源泉徴収票

区分			その年中の支払金額
年末調整をした人	役員（その年中に役員だった人）、相談役、顧問など		150万円超
	役員以外		500万円超
年末調整をしなかった人	扶養控除等申告書を提出した人	退職した人など　役員以外	250万円超
		退職した人など　役員	50万円超
	支払金額が2,000万円を超える人		2,000万円超
	扶養控除等申告書を提出しなかった人		50万円超

MEMO **士業の源泉徴収票**：税理士や弁護士への報酬の支払いに対する源泉徴収票の提出義務は、支払金額が250万円超のときである。

給与所得の源泉徴収票等の法定調書合計表の記入例

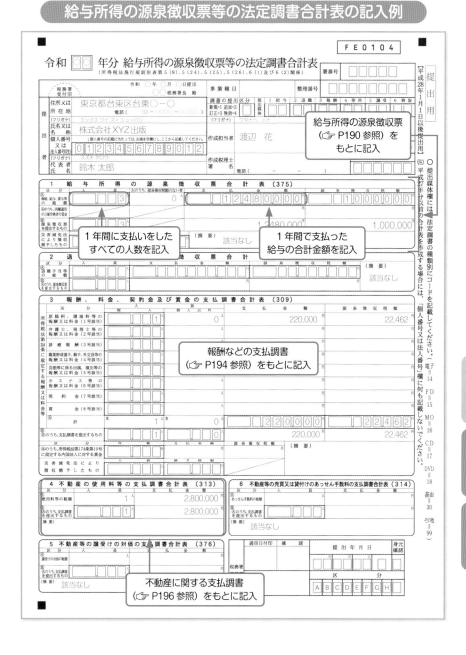

令和 □□ 年分 給与所得の源泉徴収票等の法定調書合計表
（所得税法施行規則別表第5（8）、5（24）、5（25）、5（26）、6（1）及び6（2）関係）

FE0104

給与所得の源泉徴収票
（☞ P190 参照）を
もとに記入

1 給与所得の源泉徴収票合計表（375）

- 1年間に支払いをした すべての人数を記入
- 1年間で支払った 給与の合計金額を記入

該当なし

2 退職所得の源泉徴収票合計表

（摘要）該当なし

3 報酬、料金、契約金及び賞金の支払調書合計表（309）

報酬などの支払調書
（☞ P194 参照）をもとに記入

4 不動産の使用料等の支払調書合計表（313）

5 不動産等の譲受けの対価の支払調書合計表（376）

該当なし

6 不動産等の売買又は貸付けのあっせん手数料の支払調書合計表（314）

該当なし

不動産に関する支払調書
（☞ P196 参照）をもとに記入

199

決算の仕事の手順を
知っておく

■■ 決算書は株主などに対する報告書

　1年に一度行う経理の仕事で、最も大きなものが決算です。

　決算では、**事業年度ごとに会社の財政状態や経営成績を確定させ、決算書を作成**します。会社によっては中間決算や月次決算を行うので、とくに年次決算、期末決算、本決算と呼ぶこともあります。

　その本来の目的は、株主や取引先、国や地方自治体などに会社の状況を決算書で報告することです。正確な状況を報告するために決算では、減価償却費の計算（☞ P 208参照）や、前払費用や未収収益の計上（☞ P 214参照）といった、ふだんは行わない処理も行います。

■■ 2ヵ月以内に株主総会の承認を得て確定申告する

　決算の期限は、期末の日から2ヵ月以内です。広い意味で決算のゴールといえる税金の申告・納付の期限が、決算日から2ヵ月以内だからです。

　経理では、決算書を作成する対象の期間を会計期間と呼び、会計期間の始まりの日を期首、終わりの日を期末、その間を期中といいます。右図のように期末日が決算日です。ここから具体的な決算の仕事が始まります。

　決算書は貸借対照表と損益計算書が代表的な書類で、貸借対照表では、決算日現在の会社の財政状態をまとめ、損益計算書では、期首から期末までの会計期間の経営成績をまとめます（☞ P 218・220参照）。

　ただし、作成した決算書は税金の申告・納付の前に、会社の株主総会の承認を得なければならないルールになっています。先に申告・納付を済ませて、あとで株主総会の承認を得るようなことはできません。

　株主総会の承認を得て、確定した決算書をもとに申告・納付を行うことを、法人税などの確定申告といいます。

　社員の所得税でも、人によっては確定申告が必要ですが（☞ P 187参照）、会社の確定申告はすべての会社が行わなければなりません。

ME MO　**費用の見越し・繰延べ**：会計期間の損益を正確に計上するため、当期に発生した費用は見越して未払金などに計上し、翌期の費用は繰り延べて前払費用などに計上する（☞ P 215参照）。

■■ 予定を立てて着実に進める

　決算の仕事の手順は、下図のとおりです。必要に応じて棚卸しを実施して棚卸表を作成し、続いて帳簿の締切り、試算表の作成を行い（決算準備）、減価償却費の計算や費用・収益の見越し・繰延べなど（決算整理）を経て、精算表を作成し、決算書の作成に至るという流れになります。

　しかしそのあとに、株主総会の承認と、申告・納付までを含めて2ヵ月以内という期限ですから、決して余裕のあるスケジュールとはいえません。決算日の前から予定を立てて、着実に決算を進めるようにしましょう。

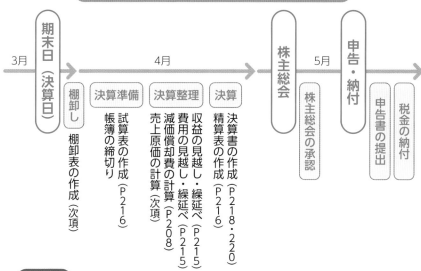

決算の仕事の手順（3月決算の場合）

棚卸表の作成（次項）／試算表の作成（P216）／帳簿の締切り／売上原価の計算（次項）／減価償却費の計算（P208）／費用の見越し・繰延べ（P215）／収益の見越し・繰延べ（P215）／精算表の作成（P216）／決算書の作成（P218・220）

Check!

6月に株主総会を開けるのはなぜ？

　6月の終わり頃になると大会社の株主総会のニュースが流れます。3月決算の会社で、なぜ5月ではなく6月に株主総会が開かれるのでしょうか。じつは会計監査人の監査が必要な大会社などは、届を出すと申告・納税の期限に1ヵ月の延長が認められるのです。一般の会社でも、災害で被害を受けた場合などは届け出ると延長が認められることがあります。一定の要件を満たすと、最長で6ヵ月までの延長が可能です。

MEMO **帳簿の締切り**：決算後、次期の帳簿記入に備えて、帳簿の各勘定を整理する手続き。

在庫の棚卸しを行って売上原価を計算する

■■実地棚卸しで商品などの在庫を調べる

決算の仕事は、現金や預貯金、売掛金、買掛金などの残高の確認から始めます。**決算日現在の実際の残高と帳簿上の残高を照合し、一致しない場合は一致しない原因の追求が必要**です。

最も重要な確認の１つに、商品などの在庫の数量があります。これは在庫を数え、記録していく仕事で、「棚卸し」といいます。実際に目で見て数えるのが、実地棚卸しです。

また、商品や製品、製品の原材料や製造途中の仕掛品など、棚卸しが必要な資産は、総称して棚卸資産と呼びます。

棚卸しを記録する棚卸表は、最もシンプルな形では下表のようなものです。

棚卸表の例

○年○月○日

棚　卸　表

No.	科目	品名	数量	単価	金額	備考
1	商品	AB-000	5	500	2,500	
2	商品	CD-001	20	1,000	20,000	
3	商品	EF-002	10	300	3,000	
4						

■■棚卸資産の評価方法に従って棚卸高を計算

棚卸資産の決算書上の金額（棚卸高）は、簡単にいうと「数量×仕入単価」で求められます。しかし、数量は棚卸しでわかるとして、仕入単価は１年を通じて一定というわけではありません。

MEMO **棚卸資産の評価方法**：最終仕入原価法の他、個々の商品の仕入価格を調べる個別法、先に仕入れたものから先に出荷したとして計算する先入先出法、平均をとる方法などがある。

そこで、仕入単価を決める（評価する）ルール（棚卸資産の評価方法）が定められています。いくつかの方法がありますが、**小さな会社では最終仕入原価法を採用している**ことが多いようです。

この方法では、その期の決算日より前、**最終の仕入れとなった仕入単価で、在庫のすべてを仕入れたものとして計算**します。売価ではありません。

ただし、棚卸資産の評価方法は税務署に届け出ていて、勝手に変更できません。前年度まで計算していた方法がある場合は、その方法に従います。

■■棚卸高から売り上げた商品などの原価を計算する

棚卸高がわかると、売上原価が計算できます。売上原価とは、売り上げた商品や製品の原価のことです。仕入れた商品や製品がすべて、その期に売れるわけではないので、**決算ではその期に売れた商品や製品の原価だけを計算して計上しなければなりません**。

売上原価は、下のような計算式で計算できます。期首に残っていた在庫に、当期に仕入れた分を足し、期末に残っていた在庫を引くと、売り上げた商品や製品の原価がわかるしくみです。

期首商品棚卸高は、前期の決算の棚卸高です。また、当期の決算の期末商品棚卸高は、翌期の期首商品棚卸高になります。

売上原価の計算のしかた

期首商品棚卸高	売上原価
当期商品仕入高	
	期末商品棚卸高

つまり
売上原価＝
　　期首商品棚卸高＋当期商品仕入高
　　－期末商品棚卸高
ということ

Check!

製造業では製造原価を足して計算する

売上原価の計算式は、製造業では「期首製品棚卸高＋当期製品製造原価－期末製品棚卸高」となります。製造原価とは、販売費などを除いた、製品の製造にかかった原価だけを計算したものです。製品の原価計算という厳格なルールに従って計算されます。

MEMO **原価計算**：製品の製造原価を計算するためのルール。計算の対象になる費用や計算の手順、計算の方法、製造原価以外の費用との区分などが厳格に定められている。

固定資産台帳に
記入する

■■ 有形固定資産と無形固定資産がある

　車両や機械、パソコンなど、何年にも渡って使用するものを固定資産といいます。**固定資産の条件は「使用期間が1年以上で、10万円以上」の**ものです。

　固定資産は、形のある「有形固定資産」だけではありません。形のないソフトウェアや、会社が商標権や特許権などの工業所有権を持っていれば、それらも固定資産で、「無形固定資産」といいます。有形固定資産と無形固定資産には、「減価償却資産」と「それ以外の資産」があります。

　また、他社への出資や長期の貸付け、投資目的の有価証券などは、固定資産のなかでも「投資その他の資産」に分類されます。

■■ 固定資産は購入した年に全額を経費にできない

　固定資産は、何年にも渡って使用するものなので、購入した年に一度に全額を経費にすることはできません。**「減価償却費」という勘定科目で、その年に使用した分だけ経費にすることができます。**

　減価償却費は経費になるので、会社の自由に任せると多額の経費を計上

固定資産の種類

有形固定資産	減価償却資産	建物、構築物、機械装置、車両運搬具、工具器具備品　など
	それ以外の資産	土地　など
無形固定資産	減価償却資産	ソフトウェア、特許権、実用新案権、意匠権、商標権　など
	それ以外の資産	借地権　など
投資その他の資産		投資有価証券、関係会社株式、長期貸付金　など

MEMO　**工業所有権**：特許権、実用新案権、意匠権、商標権の総称。産業財産権ともいう。産業財産権に著作権などを加えたものが知的財産権。

して利益を減らし、納税額を減らすことが可能です。そのため、固定資産ごとに使用する年数が法律で定められています（☞次項参照）。

その年の減価償却費を算出する作業を「**減価償却**」といい、対象となる資産を「**減価償却資産**」といいます。

この減価償却も、決算で行う仕事になります。

なお、固定資産のなかでも、土地や借地権は、使用することで資産の価値が下がらないため、減価償却資産に含まれず、減価償却費として、経費を計上していくことはできません。また「使用期間が1年未満のものや、10万円未満のもの」は固定資産ではなく、消耗品費などで経費にします。

■ 固定資産台帳の記入のしかた

固定資産を購入したときは、固定資産台帳という帳簿で管理します。

資産名は、たとえば複数の複合機を所有している場合などがあるので、区別がつくように型番などを細かく記入しておきます。

取得日欄があるのは、何年間かかけて減価償却費を計算していくためです。また、固定資産を取得した年度は月割の計算をした減価償却費を計上するためです。

取得価額は、固定資産そのものの購入代金と、事業で使用するために要した費用です。直接要した費用の他、次のものを含めることが必要です。

> ・引取運賃　　・荷役費　　・運送保険料　　・購入手数料　など

期首帳簿価額（前期の期末帳簿価額）から当期の減価償却額を差し引くと、当期の期末帳簿価額が計算できます。

固定資産台帳の例

固定資産台帳

当期の減価償却費（☞次項参照）

資産名	取得日	取得価額	期首帳簿価額	当期償却額	期末帳簿価額	摘要
複合機 SP300	○○/1/15	400,000	400,000	160,000	240,000	

運賃や手数料を含める

初年度は取得価額。2年目以降は前年の「期末帳簿簿価」

＝取得価額－当期の減価償却費

耐用年数と償却率を知っておく

■■ 減価償却費を計算する耐用年数とは

　償却資産を何年に分けて減価償却費とするかは、税法によって決められています。これを法定耐用年数（耐用年数）といいます。

　右表にあるように、たとえば複合機は5年、パソコンは4年、エアコンは6年、普通自動車は6年、店舗などの使用する電気設備は15年、応接セットは5年、金属製の事務机やキャビネットは15年などです。

■■ 定額法と定率法がある

　減価償却費の計算方法には、定額法と定率法があります。

　定額法は、毎年同じ額の価値（価額）が減るとして計算する方法です。定率法では、毎年同じ率で価値が減るとして計算します。

　会社では、定率法で計算するのが原則です。

　定率法のほうが初期の償却額が多くなるので、経費を多く計上できて税金面で有利になります。ただし、建物など一部の固定資産では、定額法しか使えません。

　また、定率法は年々、償却額が少なくなるため、後半はとても少ない額になり、それを毎年計算しなければならないという問題点があります。

　この問題を解決するため、「改定償却率」というものを使い、償却がある程度進んだら、以降は同じ減価償却費にします。

定率法の償却率

耐用年数	償却率	耐用年数	償却率
2 年	1.000	9 年	0.222
3 年	0.667	10 年	0.200
4 年	0.500	11 年	0.182
5 年	0.400	12 年	0.167
6 年	0.333	13 年	0.154
7 年	0.286	14 年	0.143
8 年	0.250	15 年	0.133

MEMO **改定償却率**：途中から、半ば強引に毎年同じ額（定額法）にすることで、減価償却費の計算を容易にするもの。

代表的な耐用年数一覧

資産	耐用年数	資産	耐用年数
パソコン	4年	応接セット（接客業用）	5年
コピー機（複合機）	5年	陳列棚、陳列ケース（冷凍・冷蔵機付）	6年
ラジオ、テレビ	5年	陳列棚、陳列ケース（その他）	8年
エアコン	6年	食事・厨房用品（陶磁器製・ガラス製）	2年
冷蔵庫	6年	食事・厨房用品（その他）	5年
カーテン	3年	看板、ネオンサイン	3年
普通自動車（一般用）	6年	マネキン人形、模型	2年
軽自動車（一般用）	4年	飲食店業用設備	8年
オートバイ	3年	電気設備（蓄電池電源設備）	6年
貨物自動車（ダンプ式）	4年	電気設備（その他）	15年
貨物自動車（その他）	5年	電気機械器具製造業用設備	7年
事務机、キャビネット（金属製）	15年	農業用設備	7年
事務机、キャビネット（その他）	8年	ソフトウェア	5年

総務

労務

経理

Check!

礼金、権利金、更新料は長期前払費用になる

会社の事務所などを借りて礼金や権利金、更新料を払い、将来的に返金されないときは、「長期前払費用」という勘定科目になります。長期前払費用は、固定資産のうちの投資その他の資産です。償却は、原則として契約期間に応じて均等に行います。期の途中に支払いが発生した場合は、月割の計算も必要です。

耐用年数と償却率を計算する

■■ 減価償却費の計算は償却率を掛けるだけ

　減価償却費の計算といっても、実際には複雑な計算をする必要はありません。

　前項にあるような**資産ごとの法定耐用年数**と、**耐用年数に応じた償却率から計算**します。

　固定資産の取得価額や、前年まで減価償却をして残っている固定資産の価額に、それぞれの償却率を掛けると、当期の償却額が計算できます。

　たとえば、パソコンの法定耐用年数は4年、定率法の償却率は0.500です。10万円のパソコンを購入したとして、2年目までの減価償却費を計算してみると右図のようになります。

■■ 減価償却額をあらわす直接法と間接法

　減価償却額を、決算書に表示する方法も2つあります。

　1つは、**固定資産の価額から減価償却費を差し引く**方法です。直接法といい、固定資産の価額は毎年減っていきます。

　もう1つの間接法は、「**減価償却累計額**」という勘定科目を設ける方法です。毎年度の減価償却費は、この累計額に加えていきます。

　一方、固定資産の価額からは差し引かないので、何年経っても変わりません。

　間接法では、固定資産の取得価額が決算書でわかり、これまでの減価償却の累計額もわかります。

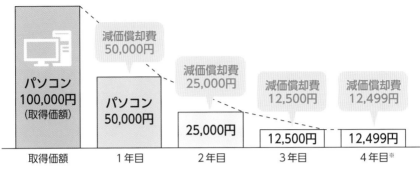

減価償却のしかた

※4年目は備忘価額の1円を残す。

●減価償却費の計算式

$$\boxed{\substack{\text{未償却残高} \\ \text{（取得価額－期首までの償却累計額）}}} \times \boxed{\text{償却率}} = \boxed{\substack{\text{当期の} \\ \text{減価償却費}}}$$

●間接法（定率法）の仕訳

➡ 間接法の仕訳では、固定資産の額を直接減らすのではなく、「減価償却累計額」という勘定科目を使い、貸方（右側）に仕訳する

○/○	減価償却費 ○○○	減価償却累計額 ○○○

上記のパソコンの減価償却と仕訳例

1年目 (100,000円 − 0円) × 0.500※ = 50,000円

※法人の場合、原則、定率法が法定の償却方法となるため、定率法の償却率を用いる。

3/31	減価償却費 50,000	減価償却累計額 50,000

2年目 (100,000円 − 50,000円) × 0.500 = 25,000円

3/31	減価償却費 25,000	減価償却累計額 25,000

MEMO **備忘価額：** 固定資産は廃棄などの処分をしない限り帳簿に残しておく。そのため耐用年数の最後の年は1円を残した額の減価償却費を計上する。

総務

労務

経理

決算・一括償却

少額の減価償却資産は 一括で償却する

■■ 30万円、20万円未満でも一括して償却できる

減価償却については「中小企業等の少額減価償却資産の取得価額の損金算入の特例」というものがあります。**中小企業などが、30万円未満の減価償却資産を取得したときは、年間の合計300万円を上限として一度に損金にできる**（税金計算上も経費にできる）というものです。

減価償却の手続きをしないで済む他、計算上の経費を増やして税金を安くする効果があります。期限付きの特例ですが、期限切れのつど延長されて現在に至っています。

これを利用する場合は、購入時には固定資産として計上しておき、決算で一度に減価償却費に振り替えます（この場合は直接法を用いる）。

《例》応接セット 298,000 円を一度に経費に計上した。				
3/31	減価償却費	298,000	工具器具備品	298,000

また、**20万円未満の減価償却資産については、一括償却資産とする**ことも認められています。その年度に購入した20万円未満の減価償却資産をまとめて、法定耐用年数に関わらず3年間で、均等に償却できるという制度です。

この場合、192ページでふれた償却資産の対象から外れるので、償却資産税を節税することができます。

■■ 費用を繰り延べて償却する繰延資産

減価償却資産と同じように、何年かに渡って償却するものに繰延資産があります。

代表的なものは、会社の設立にかかった費用（創立費）、会社設立後から事業の開始までにかかった費用（開業費）などです。

ME **青色申告**：確定申告の際に、複式簿記での記帳など一定の要件を満たすことで、上記のような特
MO 典を受けられる申告制度。

　これらの費用は、支出した効果が将来にも及ぶため、**支出した年度の費用とせず、繰延資産に計上して5年以内に償却する**ことが認められます（繰延資産とせず、すべてその年度の経費にすることも可能）。

　ただし、創立費などとは別に税務上の繰延資産とされるものがあり、こちらは必ず繰延資産に計上し、決まった年数（もしくはその年数以上でも可）で償却することが必要です。

　たとえば、建物を賃借するために支払った権利金や立退料(たちのきりょう)などは繰延資産とし、決まった方法で償却します。

　償却の期間や方法は細かく定められているので、該当するときは税務署などに相談しましょう。

　このような税務上の繰延資産としては、道路など公共的施設の負担金、商店街のアーケードや街灯などの負担金、サービスの提供を受けるための権利金、同業者組合の加入金などもあります。

少額減価償却資産のまとめ

10万円未満	20万円未満	30万円未満
少額の減価償却資産として購入した。当年度の消耗品費にできる	一括償却資産としてまとめて3年間で均等償却できる	中小企業者等の少額減価償却資産の特例により一度に償却できる

総務

労務

経理

Check!

将来の損失などに備える引当金

まだ発生していない費用や損失を見越して、あらかじめその分を計上しておく引当金(ひきあてきん)というしくみもあります。引当金を計上する場合は、決算での仕事になります。代表的なのは、得意先の破綻(はたん)による貸倒れに備える貸倒引当金です。決算で貸倒引当金を計上しておくと、翌期に貸倒れが発生したときに取り崩して、翌期の損失を軽くすることができます。ただし、税法で細かく要件が定められているので、計上する場合には税理士などに相談しましょう。

M E M O　**引当金**：貸倒引当金の他、賞与引当金、退職給付引当金、修繕引当金などがある。貸倒引当金は貸借対照表の資産の部のマイナス項目として、その他は負債の部に表示される。

固定資産を
修繕・売却などしたとき

■■ 売却したときは売却益か売却損が出る

　固定資産は、耐用年数が終わるまで減価償却を続けるとは限りません。途中で売却したり、修繕したり、廃棄したりします。

　まず固定資産を売却したときは、**売却額と期首の帳簿価額との差額を「固定資産売却益」か「固定資産売却損」として計上します。**

　帳簿価額以上で売れたときが、売却益です。

○／○	（借方）普通預金　300,000	（貸方）工具器具備品　　200,000 　　　　固定資産売却益　100,000

　反対に、帳簿価額以下でしか売れなかったときは、固定資産売却損が出ることになります。

○／○	（借方）普通預金　　　　150,000 　　　　固定資産売却損　 50,000	（貸方）工具器具備品　200,000

　売却した年度は、基本的に減価償却の計算をしません。減価償却は、原則として期末に使用している固定資産について行うからです。

　ただし、月次決算で減価償却費の計上をしている場合などは、月割で減価償却費を計上しても問題ありません。

■■ 修繕したときは修繕費か資本的支出

　固定資産を修繕したときは、簡単な修繕なら、経費（修繕費）で一度に計上できますが、**耐用年数を延ばすような修繕では、その費用自体を固定資産として計上しなければなりません。**これを資本的支出といいます。修繕費になるか、資本的支出になるかは、右図のようにいくつかの基準で判定します。

　資本的支出となった場合、修繕の費用はもとの固定資産と同じ種類の固定資産の取得として処理します。

MEMO　資本的支出：少ない金額の費用の他、周期の短い費用も資本的支出としないでよい。修繕費として計上できた場合は、収益的支出という。

たとえば、建物の修繕なら次のとおりです。

| ○/○ | （借方）建物 | 700,000 | （貸方）普通預金 | 700,000 |

固定資産台帳にも、同じ種類の固定資産を取得したものとして記入します。ただし、古い減価償却資産は、現在とは違う減価償却の方法で償却していることがあるので、注意が必要です。

修繕費となった場合は、ふつうの経費として計上できます。

| ○/○ | （借方）修繕費 | 150,000 | （貸方）普通預金 | 150,000 |

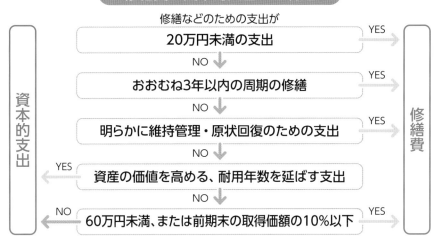

修繕費か資本的支出かの判定

修繕などのための支出が

資本的支出

20万円未満の支出 → YES → 修繕費

NO ↓

おおむね3年以内の周期の修繕 → YES

NO ↓

明らかに維持管理・原状回復のための支出 → YES

NO ↓

YES ← 資産の価値を高める、耐用年数を延ばす支出

NO ↓

NO ← 60万円未満、または前期末の取得価額の10%以下 → YES

Check!

固定資産を除却や廃棄したときは

固定資産の使用をやめて、廃棄前に倉庫などに置いておくことを固定資産の除却(じょきゃく)といいます。固定資産を除却したり、廃棄するときも、原則としてその年度の減価償却はしません。期首に残っていた帳簿価額は、それぞれ「固定資産除却損」「固定資産廃棄損」として計上します。

| ○/○ | （借方）固定資産除却損 | 50,000 | （貸方）工具器具備品 | 50,000 |

MEMO **固定資産の除却**：いったん倉庫に置いても、再び使用するような場合は除却損の計上は認められない。通常の方法で再び使用する可能性がない場合などに認められる。

前払いの分、未払いの分も計上しておく

■経過勘定で当期の損益を正しく計算する

　経過勘定とは、継続的なサービスの提供を受けたり、会社の業務として継続的なサービスを提供しているときに、**前払いになっている分は翌期に、未払いになっている分は当期に、正しく計上する**ための勘定科目です。

　具体的には右図のように、「**未払費用**」「**未収収益**」「**前払費用**」「**前受収益**」の4つの勘定科目があります。

　たとえば、3月決算の会社が1月に、その年1年分の設備の賃借料を支払ったとします。1月から3月分までは当期の費用ですが、4月から12月分は翌期の費用です。そこで、翌期の分は「前払費用」として翌期に回す（繰り延べる）と、当期と翌期の費用が正しく計上されます（発生主義）。

《例》1月10日、3月決算の会社がその年の1年分の機械のリース料360,000円を振込みで支払った。

1/10	（借方）賃借料　　90,000 　　　　前払費用　270,000	（貸方）普通預金　360,000

　逆に、自社が何か継続的なサービスを提供する事業をしていたら、翌期の分は「前受収益」です。

　反対に、当期の賃借料が前払いではなく翌期の後払いだったら、それぞれ「未払費用」「未収収益」が発生することになります。

《例》3月10日、翌期分の賃借料200,000円の前受け分を受け取った。

3/10	（借方）受取賃借料　200,000	（貸方）前受収益　200,000

　この4つを経過勘定といいますが、そのポイントは**継続的なサービスについてだけ計上が必要になる**という点です。モノや単発的なサービスの提供では、そのつど「未払金」「未収金」「前受金」「前払金」として処理す

MEMO　**発生主義**：入出金に関係なく、実質的に収益や費用が発生した時点で計上する会計のルール。青色申告をする会社は発生主義で記帳しなければならない。対義語は現金主義。

るので、決算のときに経過勘定の計上をする必要がありません。

■■■収益・費用を見越し・繰延べ計上する

経過勘定が4種類なのは、収益と費用について発生する一方で、前払い・前受けと、未払い（後払い）・未収についても発生するからです。

未払いになっている分を、当期の費用として計上することを「見越し」といいます。逆に、**前払いになっている分を、翌期の費用として計上する**のは「繰延べ」です。

前払い・未払いに関する4つの勘定科目

継続してサービスの提供を受けている ／ 継続してサービスを提供している

未払い・未収になっている

未払費用 →費用の見越し 未払賃借料、未払利息など

未収収益 →収益の見越し 未収賃借料、未収利息など

前払い・前受けになっている

前払費用 →費用の繰延べ 前払賃借料、前払利息など

前受収益 →収益の繰延べ 前受賃借料、前受利息など

Check!
当期の法人税なども決算時点では未払い

当期の法人税・法人住民税・法人事業税（⇒P222参照）などの税金（法人税等）は、納付は翌期ですが、会社にとって当期の費用です。そこで、納付が翌期の税金も未払いの費用の一種ということになります。勘定科目は「未払法人税等」（未払金の1つ）などです。

| 3/31 | 法人税等 | 1,000,000 | 未払法人税等 | 1,000,000 |

消費税（租税公課など）についても納付は翌期ですから、当期では「未払消費税等」（未払金の1つ）になります（税込経理の場合）。

| 3/31 | 租税公課 | 300,000 | 未払消費税等 | 300,000 |

現金主義：現金や預金の入出金があった時点で記帳する経理の方法。税務上は白色申告の個人事業主や、税務署に届出をした小規模事業者に認められる。

試算表に決算整理を加えて精算表を作成する

■■試算表で経理処理のミスもわかる

決算書を作成するためには、精算表を作成することになります。精算表ができれば、決算書は完成したも同然です。

精算表は、試算表を出発点として作成します。試算表とは、会社のすべての取引を記録した総勘定元帳（⇨P86参照）を一覧にまとめたものです。

総勘定元帳では、勘定科目ごとの取引や合計しかわかりませんが、試算表で一覧にして、左側（借方）と右側（貸方）の合計を確認すると、間違いの有る無しがわかります。借方・貸方の合計が一致すれば間違いなし、一致しなければ仕訳や入力のミスがあるということです。

■■決算整理事項をプラスマイナスすると決算書ができる

試算表には、借方・貸方の合計を記載する合計試算表と、借方・貸方の差額（残高）をどちらか一方に記載した残高試算表がありますが、**精算表の作成に使用するのは残高試算表**です。

残高試算表に、ここまで説明してきた減価償却や、経過勘定などの決算整理事項をプラスマイナスすると、貸借対照表と損益計算書ができます。そのため精算表には、右図のように決算整理、損益計算書、貸借対照表の欄があるのです。

会計ソフトを使用している場合は、決算整理事項のプラスマイナスが自動的に行われて、精算表を必要としないことがあります。しかし、精算表のしくみを知っておけば、決算の全体像が理解しやすいでしょう。

Check!
損益計算書の利益と貸借対照表の利益は一致する

精算表のしくみでは、損益計算書で計算した利益（損益法）と、貸借対照表で計算した利益（財産法）が必ず一致します。

ME 損益法：利益の計算のために、損益計算書の収益から費用を引いて計算する方法。売上げなどの
MO 収益から、仕入れなどの費用を引いた残りが利益だとする考え方。

決算書を完成させる精算表のしくみ

勘定科目	残高試算表 借方	残高試算表 貸方	決算整理 借方	決算整理 貸方	損益計算書 借方	損益計算書 貸方	貸借対照表 借方	貸借対照表 貸方
現　金	116,000						116,000	
当座預金	563,000						563,000	
その他の預金	525,000						525,000	
受取手形	432,000						432,000	
売掛金	498,000						498,000	
繰越商品	197,000		169,000	197,000			169,000	
有価証券	476,000			13,000			463,000	
建　物	1,362,000						1,362,000	
機械装置	286,000						286,000	
車両運搬具	229,000						229,000	
工具器具備品	275,000						275,000	
支払手形		223,000						223,000
買掛金		361,000						361,000
短期借入金		200,000						200,000
未払金		68,000		70,000				138,000
未払費用		52,000						52,000
未払法人税等		228,000						228,000
前払金		120,000						120,000
預り金		177,000						177,000
前受収益		69,000						69,000
減価償却累計額		582,000		85,000				667,000
長期借入金		500,000						500,000
資本金		1,000,000						1,000,000
資本剰余金		80,000						80,000
利益剰余金		90,000						90,000
売　上		43,890,000				43,890,000		
雑収入		33,000				33,000		
仕　入	35,127,000		197,000	169,000	35,155,000			
給　与	6,354,000				6,354,000			
広告宣伝費	250,000				250,000			
福利厚生費	98,000				98,000			
接待交際費	109,000				109,000			
旅費交通費	219,000				219,000			
消耗品費	128,000				128,000			
賃借料	276,000		62,000		338,000			
保険料	80,000		8,000		88,000			
支払利息	42,000				42,000			
雑　費	31,000				31,000			
減価償却費			85,000		85,000			
有価証券評価損			13,000		13,000			
当期純利益					1,013,000			1,013,000
合　計	47,673,000	47,673,000	534,000	534,000	43,923,000	43,923,000	4,918,000	4,918,000

資産・負債・純資産・収益・費用（左側のブラケット表示）

貸借対照表／損益計算書／決算整理（左側のブラケット表示）

損益計算書の当期純利益と貸借対照表の当期純利益が一致していればOK

総務

労務

経理

MEMO　財産法：その年度で、会社の財産が増えた分が利益だとする考え方。実際には、当期首（前期末）と当期末の純資産を比較し、増えていたら増えた分が当期の利益となる。

会社の財政状態をあらわす
貸借対照表を作成する

貸借対照表は資産＝負債＋純資産の形をしている

　決算では、最低でも３つの決算書（決算報告書や財務諸表ともいう）を作成します。貸借対照表、損益計算書、そして株主資本等変動計算書の３つです。

　まず、**貸借対照表は、会社の決算日現在の財政状態をあらわす決算書**です。「資産＝負債＋純資産」の形をしていて、試算表と同じく左右（借方・貸方）の合計が必ず一致することから、バランスシートともいいます。略してB／Sと書いたり、ビーエスと呼ぶこともあります。

会社の資本の使いみちと出どころがわかる

　貸借対照表の左側では、会社のお金（資本）が現金や固定資産など、どのような形で使われているかをあらわし、右側ではそのお金の出どころが、外部と会社自身のお金に分けて記載されています。

　資本の出どころの金額と、資本の使いみちの金額は必ず一致するはずなので、左右の合計は必ず一致するわけです。

貸借対照表のしくみ

借入金や社債など、外部から調達した資本。いずれ返済の必要がある

資本の使いみち。資本が現金や固定資産など、どのようなものに形を変えているかをあらわす

資産

負債

純資産

会社として所有する資本。最終的には株主のものだが、返済の必要はない

財務諸表：決算書、決算報告書というのは、決算で作成する書類の一般的な呼び方で、金融商品取引法では「財務諸表」といい、会社報告書では「計算書類」という。

貸借対照表の例

貸借対照表
○年○月○日　現在

(単位：万円)

科目	金額	科目	金額
資産の部		負債の部	
流動資産	135,240	流動負債	118,150
現金及び預金	47,334	支払手形	29,630
受取手形	20,286	買掛金	59,075
売掛金	27,048	短期借入金	14,700
棚卸資産	24,372	未払金	8,500
短期貸付金	16,200	その他	6,245
固定資産	64,440	固定負債	24,538
有形固定資産	38,200	長期借入金	23,000
建物	○○○	その他	1,538
機械装置	6,800	負債の部　合計	142,688
器具備品	2,100		
車両運搬具	4,300	純資産の部	
無形固定資産	18,080	資本金	10,000
ソフトウェア	18,080	資本剰余金	4,500
投資その他の資産	8,160	利益剰余金	47,292
投資有価証券	8,160	純資産の部　合計	61,792
繰延資産	4,800		
社債発行費	4,800		
資産の部　合計	204,480	負債の部・純資産の部　合計	204,480

Check!
大企業などではキャッシュフロー計算書も作成

３つの決算書の他にもう１つ、キャッシュフロー計算書という重要な決算書があります。会社のキャッシュの入りと出を、営業活動、投資活動、財務活動の３つに分けてあらわす決算書です。中小企業には作成の義務はありませんが、銀行融資を受ける際などに提出を求められることがあります。

MEMO **株主資本変動計算書：**貸借対照表の純資産の部の変動をあらわし、期中に行った新株の発行（増資）や、株主への配当などがわかる決算書。

総務

労務

経理

会社の経営成績をあらわす損益計算書を作成する

損益計算書は収益－費用＝利益の形をしている

　次に、**損益計算書は会社の経営成績をあらわす決算書**です。経営成績は利益、それも5種類の利益を計算してあらわします。英語の表記からの略称はP／L、呼び方はピーエルです。

　貸借対照表が決算日現在をあらわすのに対し、損益計算書は会計期間全体の経営成績をあらわすものです。そのため、「自○年○月○日　至○年○月○日」と、期間が表示されています。

　損益計算書には、勘定式と報告式の2つの形式があります。勘定式は右上の図のように、左側（借方）に費用と利益、右側（貸方）に収益を分けて表示する形式です。また報告式は右下の図のように、収益と費用、そして下図にあげた5つの利益（または損失）を記載する形式です。

損益計算書の5つの利益（または損失）

売上総利益	売上高から売上原価を引いた利益。以下の利益のすべての源泉なので一定額を確保することが重要。粗利益、アラリともいう
営業利益	売上総利益から販売費及び一般管理費を引いた利益。会社の本業であげた利益なので、経営成績を見る場合に最も重視される
経常利益	営業利益から投資の損益など、営業外の損益を加除した利益。会社の通常の状態での利益とされる。ケイツネともいう
税引前当期純利益	経常利益から固定資産売却益や災害損失など、臨時的な損益を加除した利益。法人税・事業税・住民税等を差し引く前の利益
当期純利益	税引前当期純利益から法人税・法人事業税・法人住民税等を差し引いた利益。会社に残る最終的な利益

MEMO　収益：費用を差し引いて利益を計算する前の売上高などのこと。売上高の他、投資による受取配当金などの営業外収益、それに固定資産売却益なども収益になる。

損益計算書のしくみ（勘定式）

収益を上げるための原価や経費 → **費用**

収益 ← 売上げなど会社の財産を増やすもの。収入

収益から費用を差し引いてプラスなら当期純利益、マイナスなら当期純損失 → **利益**

損益計算書の例（報告式）

損益計算書
自○年○月○日　至○年○月○日

（単位：万円）

売上高 〔収益〕		150,000
売上原価 〔費用〕		97,500
売上総利益 〔利益〕		**52,500**
販売費及び一般管理費 〔費用〕		
給与及び賞与	22,000	
広告宣伝費	4,000	
旅費交通費	2,500	
法定福利費	2,500	
賃借料	1,800	
減価償却費	1,000	
消耗品費	1,000	
その他	450	35,250
営業利益 〔利益〕		**17,250**
営業外収益 〔収益〕		
受取利息	350	
受取配当金	150	
雑収入	500	1,000
営業外費用 〔費用〕		
支払利息	2,500	
雑損失	1,500	4,000
経常利益 〔利益〕		**14,250**
特別利益 〔収益〕		
固定資産売却益	3,500	3,500
特別損失 〔費用〕		
固定資産除却損	4,800	4,800
税引前当期純利益 〔利益〕		**12,950**
法人税等 〔費用〕		5,180
当期純利益 〔利益〕		**7,770**

販売費及び一般管理費： 販売担当者や事務担当者の人件費や、事務所の家賃・水道光熱費など、売上原価になるもの以外の人件費や経費をまとめた損益計算書の項目。

会社にかかる税金の 種類と期限を知っておく

■会社はさまざまな税金を納めなければならない

　決算の結果、会社の1年間の利益と損失が明らかになると、法人税などの税金がかかります。ただ、決算時だけでなく、会社はいろいろな税金を納めなくてはなりません。会社が納める主な税金は次のとおりです。

- **法人税**……会社の所得に対して国が課税する国税。中間申告制度がある（⟹ P 224 ～ 227参照）。
- **法人住民税**……会社の事業所がある自治体が課税する地方税。法人道府県民税と法人市町村民税の総称（⟹ P 228参照）。
- **法人事業税**……会社の所得に対して事業所がある自治体が課税する地方税（⟹ P 229参照）。
- **特別法人事業税**……国税だが、申告・納付は法人事業税とあわせて自治体に対して行う（⟹ P 229参照）。
- **地方法人税**……法人税とともに国が徴収し、地方に再分配する国税。

　この他、東京23区や政令指定都市では事業所税や都市計画税などが課税されることがあります。また、該当する場合に納める主な税金には、**消費税、固定資産税（償却資産税など）、自動車税（軽自動車税）** などがあり、これらの税金の納付期限は右上の図のようになっています。

■申告・納付のしかたの違いに注意

　これらの税金は、申告・納付のしかたが違います。国や地方自治体が税額を計算して納付書が送られるもの（賦課課税）と、会社が税額を計算して申告・納付しなくてはならないもの（申告納税）があります。

　また窓口も、国税の場合は原則、税務署ですが、地方税は原則、都道府県税事務所や市区町村の税務課になります。

MEMO **法人税の中間申告：**前の事業年度の法人税額が20万円を超える場合に必要で、当年度の開始後、6ヵ月を経過した日から2ヵ月以内に納付する（⟹ P 226参照）。

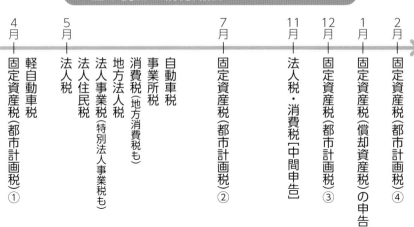

主な税金の納付期限（3月決算の場合）

4月
- 固定資産税（都市計画税）①
- 軽自動車税

5月
- 法人税
- 法人住民税
- 法人事業税（特別法人事業税も）
- 地方法人税
- 消費税（地方消費税も）
- 事業所税
- 自動車税

7月
- 固定資産税（都市計画税）②

11月
- 法人税・消費税［中間申告］

12月
- 固定資産税（都市計画税）③

1月
- 固定資産税（償却資産税）の申告

2月
- 固定資産税（都市計画税）④

主な税金の違い

	税額を計算して申告する税金（申告納税）	税額が決められている税金（賦課課税）
国に納める税金（窓口は税務署）	・法人税 ・地方法人税 ・消費税	・登録免許税 ・印紙税
自治体に納める税金（窓口は自地方治体）	・法人住民税 ・法人事業税 ・特別法人事業税 ・地方消費税	・固定資産税（償却資産税など） ・自動車税（軽自動車税）

総務

労務

経理

会社の法人税を計算してみよう

税務調整を行って所得を計算する

　会社が納める税金の代表は、法人税です。法人税は、すべての会社に申告・納付の義務があります。

　実際の法人税の申告は、次項で説明する法人税申告書で行いますが、ここでは法人税の計算のしくみを知っておきましょう。

　法人税は、会社（会計）が計算した利益ではなく、税務上の「所得（課税所得）」の金額に対してかかります。利益は収益（売上げなど）から費用（経費など）を引いて計算しますが、収益は税務上の益金とイコールではなく、費用も税務上の損金とイコールではありません。

　そこで所得を計算するために、利益から益金・損金でないものを除き、益金・損金になるものを足すという調整を行います。これを税務調整といいます。税務調整は、次の4種類です。

①会計では収益としないが、税務上の益金になるもの………**益金算入**
②会計では費用とするが、税務上の損金にならないもの……**損金不算入**
③会計では収益とするが、税務上の益金にならないもの……**益金不算入**
④会計では費用としないが、税務上の損金になるもの………**損金算入**

　たとえば、交際費は原則が損金不算入で、特例として一部が損金算入できることになっています（☞P 100参照）。過大とみなされる役員報酬や役員賞与なども損金不算入となります。

課税所得額に法人税率を掛ける

　法人税が課税される所得額（課税所得額）の計算は、損益計算書で計算した当期純利益に、益金算入と損金不算入の分を足し、さらに益金不算入と損金算入の分を引きます。

MEMO **適用除外事業者**：資本金1億円以下でも、前3年以内に終了した事業年度の所得金額の平均が15億円を超える会社は、特例の適用除外事業者として19%の税率が適用される。

$$課税所得額 = 当期純利益 + \begin{array}{c}益金算入\\損金不算入\end{array} - \begin{array}{c}益金不算入\\損金算入\end{array}$$

法人税の額は、この課税所得額に法人税率を掛けたものです。

$$法人税額 = 課税所得額 \times 法人税率$$

法人税率は、原則、23.20％ですが、中小企業の税負担を軽くするため、所得金額の年800万円以下の部分については19％です。

さらに、中小企業者等の法人税率の特例により、一部の適用除外を除いて15％になっています（2025年3月31日までの間に開始する事業年度）。

■■税額控除をして、納める法人税額が決まる

法人税にも、所得税と同じく税額控除（☞P187参照）があります。

たとえば、会社が受け取る預貯金の利子や、株式などの配当では、法人でも所得税などの源泉徴収が行われているので、二重課税を防ぐために税額控除を行うわけです。

$$納付税額 = 法人税額 - 税額控除$$

法人税申告書では、以上のような計算を行って法人税を計算しています。税額控除とは、納める法人税額から差し引くことができるものです。

Check!

赤字は繰り越せる、納めた税金の還付も

法人税の計算の結果、赤字となった場合は、申告はしなければなりませんが、法人税は課税されません。しかも、青色申告をしている会社では、その赤字を翌年度以降に繰り越せます。翌事業年度から10年間、赤字の額がゼロになるまで、損金算入して法人税を軽減できる制度です。これを欠損金の繰越しといいます。さらに、直前の年度に法人税を納めていれば、欠損金額に相当する法人税を還付してもらえる、欠損金の繰戻制度もあります。

ME 欠損金：法人税法で赤字のことを指す用語。所得の計算で、損金の額が益金の額を超える場合に
MO 生じた金額とされている。欠損金の繰越しは、大企業では所得の50％が控除限度額。

法人税申告書を作成・申告する

■ 法人税申告書は書類の束、中心は別表

　一般にいわれる法人税申告書は、じつは１枚の用紙ではなく、書類の束です。下図のような、**４つの内容で構成されています**。

　中心となるのは、別表という名前の申告書で、別表一から十九までの番号がついたものです。といっても、番号ごとに２種類から数十種類あるので、全体では数百種類になります。

　ただし、すべてに記入して、提出する必要はありません。別表一が本来の申告書で、他は必要な明細書だけを提出すればよいしくみです。右表にあげたのは一部の例ですが、欠損金や交際費、貸倒引当金、繰延資産、減価償却などの損金算入に関する明細書があることがわかります。

法人税申告書には4つの内容が必要

決算報告書	勘定科目内訳明細書	別表	事業概況説明書
・貸借対照表 ・損益計算書 ・株主資本等変動計算書など	主要な勘定科目の内訳を記載した明細書	当期利益から所得の額、納税額を計算する申告書と附属の明細書	会社の事業内容や決算書の要約などを記載した説明書

■ 期限は2ヵ月以内、中間申告が必要な場合も

　この法人税申告書は、管轄の税務署に提出します。**申告・納付の期限は、決算日の翌日から２ヵ月以内**です。

　ただし、中間申告が必要な場合があります。**事業年度が６ヵ月を超える会社**で、**中間申告金額が10万円を超える会社は、６ヵ月を経過した日か**

MEMO　**事業年度が６ヵ月を超える会社**：事業年度は１年を超えなければ、何ヵ月でも自由に決められる。実際は12ヵ月とする会社がほとんどで、中間申告の基準にあてはまる。

ら2ヵ月以内に中間申告をしなければなりません。

中間申告には、予定申告と仮申告の2つの方法があります。仮申告では中間決算を行って申告・納付し、予定申告では税務署から予定納税額が通知されて納付します。予定納税額は、前期の法人税額の半分です。

中間申告金額が10万円以下の会社（前期の法人税額が20万円以下の会社）は、中間申告と、その納付が免除されます。

法人税申告書　別表の例

別表一	各事業年度の所得に係る申告書
別表二	同族会社等の判定に関する明細書
別表四	所得の金額の計算に関する明細書
別表五（一）	利益積立金及び資本金等の額の計算に関する明細書
別表五（二）	租税公課の納付状況等に関する明細書
別表七（一）	欠損金又は災害損失金額などの損金算入に関する明細書
別表八（一）	受取配当等の益金不算入に関する明細書
別表十一（一）	個別評価金銭債権に係る貸倒引当金の損金算入に関する明細書
別表十一（一の二）	一括評価金銭債権に係る貸倒引当金の損金算入に関する明細書
別表十四（二）	寄附金の損金算入に関する明細書
別表十五	交際費等の損金算入に関する明細書
別表十六（一）	旧定額法又は定額法による減価償却資産の償却額の計算に関する明細書
別表十六（二）	旧定率法又は定率法による減価償却資産の償却額の計算に関する明細書
別表十六（六）	繰延資産の償却額の計算に関する明細書
別表十六（七）	少額減価償却資産の取得価額の損金算入の特例に関する明細書
別表十六（八）	一括償却資産の損金算入に関する明細書

総務

労務

経理

Check!

地方法人税も法人税と同時に申告・納付できる

地方法人税も、法人税申告書の別表1で計算し、申告・納付できるしくみになっています。税率は、法人税額の10％程度です（自治体によって異なる）。

MEMO **みなし申告**：じつは、中間申告を行われなくても「みなし申告」扱いになり、前年の申告をもとに中間申告の納税額が決まる。ただし、納税が遅れれば、延滞にかかる「延滞税」が追加で課税される。 **227**

法人住民税・法人事業税を申告・納付する

■■法人住民税は道府県民税と市町村民税に分かれている

　法人住民税と法人事業税も、法人税と同じく決算日から2ヵ月以内に申告・納付する税金です。ただし、いずれも地方税であるため、申告・納付は税務署でなく、地方自治体に行います。

　法人住民税は正確には、**道府県民税と市町村民税という2つの税金**です。**道府県民税（東京都は都民税）は都道府県に申告・納付し、市町村民税は市区町村に申告・納付する**必要があります。

　個人の住民税と異なり、市区町村が税額を計算して納税通知書を送ってはくれないので、申告・納付が必要です。

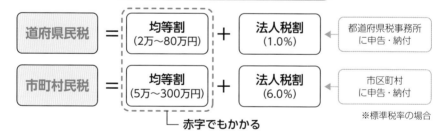

法人住民税の計算方法

| 道府県民税 | = | 均等割（2万〜80万円） | + | 法人税割（1.0%） | → 都道府県税事務所に申告・納付 |
| 市町村民税 | = | 均等割（5万〜300万円） | + | 法人税割（6.0%） | → 市区町村に申告・納付 |

└ 赤字でもかかる

※標準税率の場合

> **Check!**
>
> ## もしも複数の自治体に事業所があったら
>
> 複数の都道府県・市区町村に事業所がある会社は、住民税の法人税割を社員数で按分して納税します。均等割は、自治体ごとの納税です。事業所でない社員寮などは、均等割だけ納めます。ただし、地域によって税率が変わるため、都道府県税事務所や市区町村の税務課、ホームページなどで確認が必要です。

MEMO **道府県民税・市町村民税：** 東京23区内では税金の扱いが一部変わるため、都道府県税・市町村税とは呼ばない。東京23区内では都民税・特別区民税となる。

税額はいずれも、資本金の額と社員数に応じて決まる均等割と、法人税額に一定の税率を掛ける法人税割の合計になっています。

■■ 法人事業税と特別法人事業税は所得に税率を掛ける

次に**法人事業税は、正確には事業税という名前の税金**です。

法人事業税は、法人税と同じく所得に税率を掛けたものが税額です。税率は、資本金１億円以下の会社の標準税率が下図のようになっています。ただし、法人住民税と同じく、地域によって変わるので確認が必要です。

特別法人事業税は、法人事業税と同じ申告書で申告できます。

都道府県税事務所に申告・納付はするものの、国税なので税率は全国一律です。

なお、法人事業税と特別法人事業税は、法人税や法人住民税と異なり、**決算の際に損金算入ができる**ので注意しましょう。

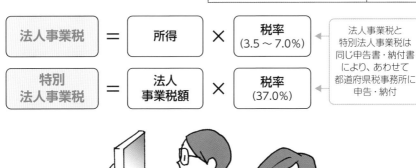

法人事業税の計算方法

〈法人事業税の税率〉
※資本金１億円以下の会社

400万円以下の部分	3.5%
400万円超800万円以下の部分	5.3%
800万円超の部分	7.0%

法人事業税 ＝ 所得 × 税率（3.5～7.0%）

特別法人事業税 ＝ 法人事業税額 × 税率（37.0%）

法人事業税と特別法人事業税は同じ申告書・納付書により、あわせて都道府県税事務所に申告・納付

総務

労務

経理

課税事業者は
消費税を申告・納付する

■ 売上高1,000万円超は課税事業者になる

消費税を申告・納付する義務があるのは、次のような会社です。

- 前々事業年度（基準期間）の売上高が1,000万円超
- 前事業年度開始から6ヵ月間の売上高が1,000万円超
  かつ、その期間に支払った給与・賞与等が1,000万円超
- 資本金が1,000万円超
- 売上高5億円超の企業から50%超の出資を受けている

上にあてはまらない会社は、消費税の納税の義務がない免税事業者になります。申告も必要ありません。

免税事業者でも、上のいずれかにあてはまることになった会社は**課税事業者となり、税務署に消費税課税事業者届出書を提出**します。

インボイス制度が始まったことで多くの会社が課税事業者になっています。

■ 売上高5,000万円以下の会社は簡易課税が選べる

消費税の納税額の計算は、消費者から預かった消費税額（課税売上げの消費税額）から、会社が仕入れや経費などで支払った消費税額（課税仕入れの消費税額）を引いて求めるのが原則です（仕入税額控除）。

$$\boxed{消費税の納税額} = \boxed{預かった消費税額} - \boxed{支払った消費税額}$$

基準期間が売上高5,000万円以下の会社は、右上の算式のような「簡易課税」という計算方法も認められています。なお、みなし仕入率は事業の種類ごとに右表のようになっています。

MEMO **基準期間**：前々年度を消費税の基準期間という。新規開業の会社は基準期間の売上げがないため、他の条件にあてはまらなければ消費税の免税事業者になる。

$$\boxed{消費税の納税額} = \boxed{預かった消費税額} - \left[\boxed{預かった消費税額} \times \boxed{みなし仕入率}\right]$$

■年税額48万円超は中間申告が必要になる

消費税の申告・納税の期限は、法人税などと同じく、**決算日の翌日から2ヵ月以内**です。

ただし、**申告で年税額が48万円を超えると、次の年度は中間申告**（☞P226参照）**納税**をしなければなりません。

中間申告の用紙と納付書は、税務署から郵送されてきます。

みなし仕入率

事業区分	事業の例	みなし仕入率
第1種事業	卸売業	90%
第2種事業	小売業	80%
第3種事業	建設、製造業等	70%
第4種事業	その他飲食業等	60%
第5種事業	サービス業等	50%
第6種事業	不動産業	40%

消費税の中間申告

前年度の消費税額	中間申告の回数
48万円以下	不要
48万円超 400万円以下	1回
400万円超 4,800万円以下	3回
4,800万円超	11回

※期限はいずれも対象期間の翌日から2ヵ月以内

Check!

消費税は税抜き経理？　税込み経理？

ふだんの記帳では、消費税を分けて記帳すること（税抜き経理方式）も、分けないで記帳すること（税込み経理方式）も認められます。税込み経理ではふだんの記帳がラクですが、消費税を申告するときにあらためて計算が必要です。税抜き経理はふだんの手間が増えますが、申告はラクになります。

MEMO **課税売上げ・課税仕入れ**：土地の売買や給与の支払いなど、消費税がかからないものを除いた売上げや仕入れ、経費として購入したものなどのこと。

231

2024年4月より 労災保険料率が一部変更

●製造業などで料率が改定

　令和6（2024）年4月より、製造業を中心にした一部の業種の労災保険料率が変更になりました。

　以下に、労災保険料率に変更があった主な業種を挙げます。

■労災保険の料率に変更があった業種の例

（単位：1/1,000）

業　種	2023年度	2024年度
林業	60	52
定置網漁業又は海面魚類養殖業	38	37
石灰石鉱業又はドロマイト鉱業	16	13
採石業	49	37
水力発電施設、ずい道等新設事業	62	34
機械装置の組立て又は据付けの事業	6.5	6
食料品製造業	6	5.5
木材又は木製品製造業	14	13
パルプ又は紙製造業	6.5	7
陶磁器製品製造業	18	17
金属材料品製造業（鋳物業を除く）	5.5	5
金属製品製造業又は金属加工業 （洋食器、刃物、手工具又は一般金物製造業及びめっき業を除く）	10	9
めっき業	7	6.5
電気機械器具製造業	2.5	3
貨物取扱事業（港湾貨物取扱事業及び港湾荷役業を除く）	9	8.5
港湾荷役業	13	12
船舶所有者の事業	47	42
ビルメンテナンス業	5.5	6

第6章

必要に応じて
行う仕事

祝儀や香典の額など
ルールを決めておく

■ イザというときに備えて祝儀袋や香典袋は常備

　会社が関わる慶事には、新店舗のオープン、新社屋の落成、新役員の就任・昇進・栄転などのお祝いから、社内外の関係者の結婚や出産、快気祝い、受賞・叙勲のお祝いなどがあります。

　一方、弔事は葬儀が主となります。

　総務担当者は、**どんな場合に、誰が参列するのか、手伝いの有無、祝儀や香典の額、また参列できない場合はどうするのか**などのルールを、あらかじめ決めておきます。

　また、緊急時に備えて、祝儀袋、香典袋、筆ペンなど必要最低限のものは総務で常備しておきます。

　社内の結婚や出産のお祝い、親族の葬儀などは、上司と部下、先輩後輩などの関係性によって気をつかうものですし、祝儀や香典を個人で贈るのは負担が重いと感じる社員もいるでしょう。総務で取りまとめて「社員一同」として贈るというように、ルールを決めておくとよいでしょう。

■ 弔事は正確な情報をいち早く収集する

　弔事は突然起きることも多いので、正確な情報を、できるだけ早く、収集することが大切です。遺族は大切な人の死に打ちひしがれながら、関係者への連絡や葬儀の準備に追われていますから、十分な配慮が必要です。喪主やその家族にあれこれ問い合わせるより、**葬儀を取り仕切る葬儀社の連絡先をまず確認する**のが一番です。

　故人の宗教・宗派によって、また地域によっても葬儀のしきたりが異

なることがあります。葬儀社に確認すれば、通夜や告別式の日程はもちろん、弔電や花輪、供物などの手配方法、それらの常識的な額などまで、たいていはアドバイスしてくれます。

■ お祝い事と葬儀が重なったときは、葬儀を優先

慶事と弔事が重なった場合は、弔事を優先するのが一般的です。

弔事に社長が参列するなら、慶事には社長の代役を立てるなどの対応をしましょう。

また、**社員と大切な取引先の方の弔事が重なったときは、社員本人の葬儀であれば、そちらを優先すべきです。**ただし、取引先に対しては事情をきちんと説明し、香典や弔文を贈るなどの配慮が必要です。

自殺や事件・事故による死亡の場合は、家族のみの密葬で済ませることが多く、また、そうでなくとも最近では近親者のみでの葬儀が増えています。たとえ生前親交が深かった人でも、遺族の気持ちに寄り添い、参列を控えるなどの配慮を心がけましょう。

祝儀や香典の一般的な金額の目安

●個人的な祝儀

	社内	社外
結婚	2万〜7万円	1万〜5万円
出産	1万〜2万円	

●取引先への祝儀

創業記念	2万〜7万円
新社屋の落成	3万円
社長就任	3万〜5万円

●弔事

		社　内	社　外
香　典	社員本人	5万〜10万円	5,000〜5万円
	社員の配偶者や子女	1万〜5万円	—
	社員の実父母	1万円	—
	社員の配偶者の父母	5,000〜1万円	—
花　輪		1万5,000円	

※社員本人への香典は、業務上死亡の場合は10万円、業務外死亡の場合は、勤続年数10年未満は5万円、10年以上は10万円を目安としている会社が多い。

会社の移転や役員の変更は速やかに申請する

定められた登記期間内に変更申請を行う

登記（商業登記）とは、会社法により、**取引において重要な事業者に関する事項を、登記簿に記載して公開する制度**です。会社の登記事項に変更が生じたときは、登記所（法務局）に変更申請を行います。

申請には、登記申請書と添付書面の提出が求められます。必要な添付書面は変更する事項によって異なるので、登記所に確認しましょう。

また会社法により、登記の変更は登記すべき期間が定められています。**登記期間は原則として、登記事由が発生したときから、本店所在地で2週間以内に登記すべき**とされています。たとえば、取締役を新たに選任した場合は、選任の株主総会決議の日ではなく、当該取締役が就任を承諾した日となります。役員の任期が切れ、同じメンバーが再任された際も登記が必要です。任期は最長でも10年です。

登記期間を過ぎてから登記したとしても却下されることはありませんが、代表者が100万円以下の過料（罰金）に処せられる場合もあるので、速やかに手続きをしましょう。

本店移転は旧所在地の管轄登記所にまとめて申請

株式会社が、本店（本社）をこれまでの管轄とは違う登記所内に移転した場合は、**移転日から2週間以内に、旧本店所在地では移転の登記を、新所在地では設立登記事項と同一事項、会社成立年月日、本店を移転した旨と、その年月日を登記**しなければなりません。ただし、登記申請書は旧所在地に2件分をまとめて提出すれば、新所在地に転送されます。

登録免許税は申請1件につき3万円です。旧本店所在地と新本店所在地の管轄が異なる場合は、両方に申請しなければならないので、登録免許税は6万円かかります。

MEMO **本店**:所在地が登記されている会社の事業所。ただし事業を行ううえで中心的な役割をになう「本社」であるとは限らない。

■■ 本店所在地とは管轄の違う場所に支店を新設した場合

　また、新たに支店を開設したときは、まず**本店所在地においては2週間以内に支店を設けたことを登記し**、さらに**新設された支店の所在地においては3週間以内に登記**しなければなりません。

　ただし、新設の支店を本店や既存の支店の所在地を管轄する登記所と同一管轄内に設置した場合は、新設支店を設けたことのみを登記すればよいという決まりになっています。

　登記変更の申請は、インターネットによる申請が便利ですが、登記所へ直接出向く方法や郵送による申請も可能です。

主な登記項目と登録免許税

登記項目		登録免許税
本店・支店の移転	同一管轄内	1件につき3万円
	同一管轄外	1件につき3万円×2件
支店の設置		1件につき6万円
代表取締役・取締役・監査役の登記変更	資本金1億円以下	1申請／1社につき1万円
	資本金1億円超	1申請／1社につき3万円
代表者の住所変更	資本金1億円以下	1申請／1社につき1万円
	資本金1億円超	1申請／1社につき3万円
商号（会社名）変更／目的（事業内容）変更／発行可能株式総数変更／株式の文末・併合／資本金額の減少　など		1件につき3万円

※役員変更登記の登録免許税は申請1件/1社につき1万円（または3万円）。1回の登記申請で役員複数名の変更を申請しても登録免許税は一定。

※取締役の就任・退任と代表取締役の住所変更登記を同一の申請書で登記した場合、登録免許税はあわせて1万円または3万円。

※登録免許税の他に登記手数料もかかる。詳しくは登記所に問い合わせを。

総務
労務
経理

小切手は現金の代わりに支払いを約束する証書

■■小切手の振出しには当座預金口座の開設が必要

　小切手は有価証券の1つで、記載された金額を支払うことを約束した証書です。**小切手用紙に支払金額や振出日などを記入し、銀行印を押して相手に渡す**ことを「小切手の振出し」といいます。受取人は小切手を銀行に呈示すると、振出人の当座預金の口座から指定の現金が支払われます。

　小切手を振り出すには、まず銀行に当座預金口座を開設し、審査を受け、実際には小切手用紙をつづった「小切手帳」もその銀行から購入します。

　当座預金口座は、小切手や手形の支払いを目的とした、企業や個人事業主の業務用口座です。普通預金とは異なり、無利息ながら「当座借越し」ができるなどの特徴があります。また万が一、金融機関が破綻した場合でも当座預金は全額保護されます。

　当座預金の残高を超えた支払い分を当座借越しといい、金融機関からの借入れとなります。**原則として、小切手は当座預金残高を超えて振り出すことはできません。**しかし、あらかじめ金融機関と当座借越契約を結んでいれば、当座借越限度額までの小切手の振出しが可能になります。

小切手の現金化の流れ

振出人 → ① 小切手を振り出す → 受取人 → ② 小切手を銀行口座に入金する（記帳はされるが払出しはできない）→ 受取人の取引銀行 → ③ 呈示 → 電子交換所 → 振出人の取引銀行

振出人の取引銀行 → ④ 支払い → 受取人の取引銀行 → ⑤ 小切手が現金化される → 受取人

M E M O　**有価証券**：財産的な価値のある権利を表示する証券のこと。手形、小切手、国債、株券など。

■ 小切手は呈示期間内に現金化する

　小切手は、受取人が銀行に対して現金化を求めることができる期間が定められています。これを「呈示期間」といい、振出日の翌日から10日間となっています。

　受取人が小切手を銀行に呈示した際に、振出人の口座に十分な預金残高がなく、支払いが履行できなかった場合を「不渡り」といいます。不渡りを出した会社は、すぐに倒産するわけではありませんが、信用力が大きく低下するので厳しい経営状況になります。さらに不渡りが6ヵ月間のうちに2回あると、銀行取引の停止処分を受けます。預入れ、引出し、振込みなど、すべての取引ができなくなるため「事実上の倒産」です。

小切手の見本と書き方

① 小切手番号……あらかじめ印刷されている。

② 振出人の取引銀行……ここに持ち込めば即日換金される。

③ 金額の印字……アラビア数字で記入する場合はチェックライターで印字する。金額の前には必ず「¥」を、終わりには「※」などの終止符号を記す。手書きの場合は漢数字で表記。金額の訂正はできない。

④ 振出日……相手に小切手を振り出す日を記すのが一般的だが、先の日付でも○K。また空欄でも通常は支払い可能。

⑤ 振出人の署名……銀行に届け出ている名前と印鑑を使用。

⑥ ミミ……振出日など必要事項を記入して銀行印で割印する。

小切手②

小切手の種類と
特徴を知っておく

■受け取った小切手は線引小切手にしておく

　小切手には受取人を証明する欄がないので、万が一、盗難や紛失してしまった場合、それを拾った誰かが銀行に持ち込めば、すぐに現金化できてしまいます。このような不正受領や詐欺などを防ぐために、**小切手の券面に2本の平行線を引いたものを、一般線引小切手といいます**。

　一般線引小切手は、受取人の取引銀行の口座を通してのみ現金化できる決まりになっています。線引きされていない小切手を受け取った場合は、すぐに自分で平行線を引き、線引小切手にしておいたほうが安全です。平行線の間には何も記載しなくても意味は通じますが、「銀行渡り」「銀行」「Bank」などと記載しているものが多いようです。

　一方、小切手の振出人側も、銀行から小切手帳を受け取った時点で、盗難や紛失に備えるために、通常、すべての小切手に前もって平行線を引いてしまいます。

　一般線引小切手に対して、**2本の平行線の間に特定の金融機関名を記載したものを、特定線引小切手といいます**。これは、記載された金融機関でしか支払いできない決まりになっているため、一般線引小切手より安全性が高まります。ふつうの小切手を受け取った人が、それを一般線引小切手や特定線引小切手に変更することはできますが、特定線引小切手から一般線引小切手やふつうの小切手への変更や、一般線引手形から特定線引手形またはふつうの手形への変更はできません。

■記名式小切手は特定の受取人しか現金化できない

　一般的な小切手には「上記の金額を、この小切手と引換えに持参人へお支払い下さい」といった文言が記されています。**小切手を持参した人に支払われるという意味で、これを持参人払式小切手といいます**。

　この「持参人」の文字を2本線で消して訂正印を押し、**特定の受取人名**

を記載したものを、**記名式小切手**といいます。記名式にすると、特定の者にしか支払いができなくなるので、持参人払式小切手に比べ、不正取得者へ支払われるリスクが低くなります。

ただし、記名式小切手には裏書禁止の記載があるものとないものがあり、裏書禁止の記載がない場合は、裏書により第三者に譲渡することができるので注意が必要です。裏書の意味については約束手形の項で説明します。

■■先日付小切手は振出人、受取人双方が注意!

振出日を小切手作成時点より先の日付に設定し、その日付以降に銀行に呈示してもらうことを約束した小切手を、**先日付小切手**といいます。現時点では振出人に支払い額分の残高がないが、先の日付であれば資金の手当てができるという場合に使われます。

しかし、振出日前でも持参人が銀行に呈示すれば、支払いは実行されます。その時点では振出人は資金が足りないわけですから、小切手は不渡りになってしまいます。一方、受取人にしてみれば、振出日を先延ばしにされているので本当に支払い可能なのか不安になります。先日付小切手は、互いによほど信頼関係がある場合に限ったほうが安全でしょう。

小切手の種類

線引小切手		券面に線引きしたもの（2本線を引いたもの）
	一般線引小切手	線引きだけ、または「銀行渡り」「銀行」「Bank」などと記載したもの
	特定線引小切手	線引きに銀行名などを記載したもの（記載銀行でしか現金化できない）
持参人払式小切手		受取人名を記名せず、小切手の持参人に対して支払いを行うもの
記名式小切手		券面に書かれた「持参人」を訂正して特定の受取人の名を書いたもの（特定の受取人にしか支払われない）
指図式小切手		記名式と同様で特定の受取人の名に加えて「またはその指図人（さしずにん）」としたもの
先日付小切手		振出日に将来の日付を記載したもの（振出人と受取人の信頼に基づき振り出される）

約束手形は支払期日と金額を約束する有価証券

■ 約束手形は「信用証券」ともいわれる

約束手形とは、**振出人が支払期日と支払金額を約束する形の有価証券**です。小切手の場合は振出日以降すぐに現金化できますが、約束手形は振出日から支払期日まで一定の期間があるため、現金化するまでに時間を要します。つまり、振出人に対する信用がなければ、手形取引は成立しないことから、約束手形は「信用証券」とも呼ばれています。

印紙税法により、**10万円以上の手形は課税対象となり、収入印紙を貼る**ことが定められています。小切手の場合は、金額がいくらであっても非課税のため収入印紙は不要です。したがって、約束手形は金額が大きな支払いの際に使用することが多いようです。印紙税額は、金額により200円から20万円までで、通常は振出人が負担します。

■ 手形サイトが長期間だと受取人側のリスクが高い

手形の振出日から支払期日までの期間のことを**「手形サイト」**といいます。手形サイトは30日（1ヵ月）から120日（4ヵ月）のものが一般的で、サイトが長期間になるほど、受取人側は資金繰りを圧迫される恐れがあります。

一方、**取引代金の締め日から手形の支払期日までの期間のことを「支払**

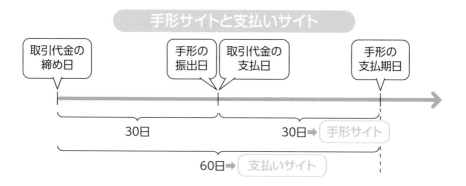

手形サイトと支払いサイト

取引代金の締め日 ── 手形の振出日 / 取引代金の支払日 ── 手形の支払期日

30日　　　　　30日 ➡ 手形サイト

60日 ➡ 支払いサイト

いサイト」といいます。月末締め・翌月末支払いの場合、現金支払いで
あれば、支払いサイトは約30日（1ヵ月）ですが、手形支払いの場合は、
取引代金の支払日が手形の振出日になります。

つまり「月末締め・翌月末起算30日手形」であれば、支払いサイトは
振出日までの約30日（1ヵ月）プラス手形サイト30日で、約60日（2ヵ月）
後に支払われることになります（左図参照）。

小切手と同様、支払期日に引き落としができなければ、不渡りとなりま
す。振出人は信用を失いますし、受取人は損害をこうむるリスクがあるの
で、どちらも信用のできる相手かどうか見極めることが重要です。はじめ
ての取引先の場合などは控えたほうが無難でしょう。

振出手形を作成する際の注意点は、小切手とほぼ同様です。

小切手と同様に、手形の振出しには銀行の当座預金口座が必要で、銀行
から「統一手形用紙」または「手形帳」を購入して使用します。

手形の必要的記載事項がすべてきちんと記載されているか、金額の誤り
がないかを確認します。

振出後に金額の書換えが行われないようにしておくことも重要です。金
額の前には「¥」を、手書きの場合は「金」の文字を入れます。金額の後
ろには「☆」か「※」を、手書きの場合は「也」の文字を入れます。

約束手形と小切手の違い

	約束手形	小切手
振出口座	当座預金口座	当座預金口座
銀行印	必要	必要
使用する用紙	統一手形用紙または手形帳	統一小切手用紙または小切手帳
支払日	振出日から一定期間後 （手形サイトによる）	振出日即日 （原則、振出日の翌日から起算して10日目までに支払銀行へ呈示）
印紙税	10万円以上は課税 （印紙が必要）	非課税 （印紙が不要）
裏書き	あり	あり
割引	あり	なし
線引	なし	あり

受け取った手形は裏書で譲渡や支払いができる

■ 裏書によって手形を譲渡できる

約束手形を受け取ったら、その場でまず右図にある必要的記載事項に抜けがないか、金額に誤りがないかなどを確認します。受取方法は小切手と同様で、記載されている支払銀行に呈示するか、支払期日前に自分の取引銀行に取立を依頼（取立委任）します。

ただし手形の場合、呈示期間は支払期日とその翌日から2営業日の3日間しかないので、支払銀行に直接、呈示しに行くより、**取立委任をするのが一般的**です。

手形を受け取った者がそれを譲渡したいときは、**手形の裏面に自分の署名と譲り受ける者の名前（被裏書人名）を記載する**のが基本です。これを「裏書」といいます。一番最初の裏書人を第一裏書人とし、さらに譲渡していく場合は裏書人名と被裏書人名は連続して記載していきます。これに対し、被裏書人欄に何も記載せずに譲渡することもできます。これを「白地式裏書」といいます。

裏書手形で注意しなければならないのは、振出人が支払期日に支払いができなかった場合です。手形の所持者は、自分に対して裏書をした人に支払いを請求することができ、裏書人は逆にその責任を負うことになります。一方、振出人の支払い能力が低くても、資金力のある大企業などが裏書していると、その手形の信用度は高まります。

■ 割引手形は銀行が買い取る際に利息分を差し引く

振出人や裏書人の支払いが確実な信用力の高い手形は、支払期日前でも銀行に買い取ってもらうことができます。これも譲渡の1つですが、**支払期日までの利息分は差し引かれるので「割引手形」**といいます。

銀行は、実質的には手形の支払期日まで記載された金額を貸し付けることになるので、利息分を差し引くわけです。

約束手形の見本とチェック事項

① 約束手形

② No. AB000

No. 00000

⑤ → ABC 株式会社　殿　　⑧

③ 収入印紙　㊞　④

金額　¥100,000※ ← ⑥

⑦ 支払期日　令和○年○月○日
　　支払地　　東京都○○区
　　支払場所
　　　　○○銀行　　○○支店

上記金額をあなたまたはあなたの指図人へ
この約束手形と引換えにお支払いいたします

⑨ 令和○年○月○日
⑩ 振出地住所　東京都○○区○○　　×-×-×
⑪ 振出人　　　株式会社△△
　　　　　　　代表取締役　新星太郎　㊞ ← ⑫

**★は
手形の必要的
記載事項**

①約束手形であることを示す文字★　②手形番号
③収入印紙（10万円以上の場合）　④消印
⑤受取人またはその指図人★　⑥支払金額★
⑦支払期日★　⑧支払地★　⑨振出日★
⑩振出地★　⑪振出人の署名★　⑫振出人の銀行印

裏書の例

表記金額を下記被裏書人またはその指図人へお支払い下さい。

令和○年○月○日
住所　東京都○○区○○　　×-×-×

ABC 株式会社
代表取締役　○○○○　㊞

被裏書人　株式会社 XYZ　　殿

表記金額を下記被裏書人またはその指図人へお支払い下さい。

令和○年△月△日
住所　東京都△△区△△　　×-×-×

株式会社 XYZ
代表取締役　△△△△　㊞

・表面の受取人が第一裏書人
　（最初の裏書人）となる

・裏書人名と被裏書人名は連
　続していく

・被裏書人名が空欄のものを
　「白地式裏書」という

総務

労務

経理

MEMO **手形や小切手の紛失・盗難：** 速やかに取引銀行に「事故届」を提出し、同時に警察に「紛失届」
もしくは「盗難届」を出す。

社員が結婚したとき、子どもが生まれたときの手続き

■■ 結婚して被扶養者の数が増えたとき

　社員が結婚したときは、結婚相手の状況にもよりますが、健康保険や厚生年金保険などに関する手続きが必要になることがあります。被扶養者の数が増えるケースがあるからです。被扶養者とは、健康保険や厚生年金保険に加入している人（被保険者）に生計を維持されている三親等以内の親族で、同居などの条件を満たす人です。

　被扶養者の数が変わったときは、**社員に「健康保険被扶養者（異動）届」（☞次項参照）に記入してもらい、日本年金機構（窓口は年金事務所）か協会けんぽに提出**しなければなりません。用紙は、日本年金機構などのホームページでダウンロードできます。

　被扶養者の範囲は、右図のように意外に広いものです。ただし、配偶者や本人の父母、子などは、必ずしも同居している必要がありませんが、配偶者の父母などは同居して（同一の世帯で）被保険者に生計を維持されている必要があります。また、下の欄外に示した年収の制限もあります。

　被扶養者は、被保険者と同じ健康保険に加入することができ、健康保険料の納付は免除されます。40歳〜64歳の人の介護保険料も免除です。

■■ 子どもが生まれたとき、就職したときなど

　社員に子どもが生まれたときも、被扶養者の数が増えるので同じ届が必要です。その他、社員が離婚したり、被扶養者が亡くなったなどの理由で、被扶養者の数が変わったときも同じく届が必要です。

　また、社員の配偶者や子どもが就職または退職したときなども、年収が増えて被扶養者の条件を満たさなくなったり、逆に年収が減って被扶養者に加わったりするので注意が必要です。

　いずれの場合も、社員に健康保険被扶養者（異動）届に記入してもらい、提出します。

MEMO　**生計を維持されている・収入要件**：被扶養者と認定される収入要件は、年間収入が130万円未満。60歳以上の年金受給者は、180万円未満。

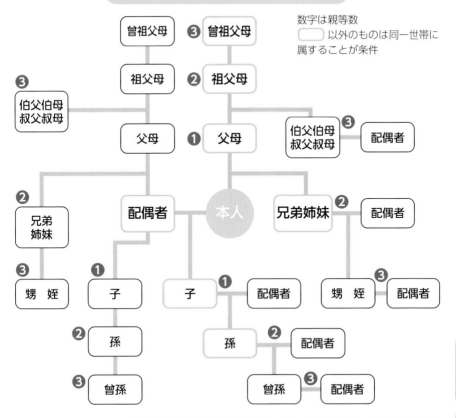

健康保険の被扶養者の範囲

数字は親等数
◯以外のものは同一世帯に属することが条件

※全国健康保険協会（協会けんぽ）のホームページに掲載された情報をもとに作成。

総務

労務

経理

Check!

扶養控除等申告書も提出してもらう

結婚したり、子どもが生まれると、所得税の扶養控除も変わることがあります。その場合は、社員に「給与所得者の扶養控除等（異動）申告書」（☞P270参照）も提出してもらい、毎月の給与計算などに反映します。ただし、こちらは通常、税務署への提出の必要がなく、会社での保管です。なお、健康保険被扶養者（異動）届（☞次項参照）は、国民年金の第3号被保険者関係届を兼ねています。配偶者は第3号被保険者となり、国民年金保険料の納付を免除されます。

MEMO **国民年金の第3号被保険者**：会社員や公務員などが自動的に加入する国民年金第2号被保険者に扶養されている20歳以上60歳未満の配偶者。

社員の氏名や住所が変わったときの手続き

■■社員の氏名や住所が変わったときの社会保険の届出は不要

　右図が「健康保険被扶養者（異動）届」です。

　前項で説明しましたが、結婚後に配偶者を扶養家族にするなどして、被扶養者の数が増えたときは、この届に記入してもらって提出します。もちろん、結婚しても共働きなどで、被扶養者の数が増えない場合は提出の必要がありません。

　なお、結婚により、社員の名字や住所が変わった場合、以前は被保険者氏名変更届や被保険者住所変更届という書類を提出しなければなりませんでしたが、**マイナンバー（個人番号）と基礎年金番号が結びついている場合は、これらの書類の提出は不要**になりました。

■■雇用保険の氏名の変更届は提出が必要

　雇用保険では社員の氏名が変わった場合、雇用保険被保険者氏名変更届という書類をハローワークに提出することが必要です。住所の変更届は必要はありません。ただし、配偶者が国民年金の第3号被保険者（☞P 247参照）で、マイナンバーと基礎年金番号が結びついていない場合は、国民年金第3号被保険者住所変更届という書類を年金事務所に提出します。

> **Check!**
> ## マイナンバーにより、手続きの簡略化が進む
>
> マイナンバーの浸透により、マイナンバーを会社に知らせ、マイナンバーと基礎年金番号が結びついている人が多くなっています。その結果、被保険者住所変更届の提出が不要な人がほとんどです。
> 今後は、社会保険だけでなく、労働保険や税務関連もマイナンバーとの紐付けが進み、それらの手続きも簡略化していくことが期待されています。

健康保険被扶養者（異動）届の記入例

様式コード	協会管掌事業所用	健康保険	被扶養者（異動）届
2 2 0 2		国民年金	第3号被保険者関係届

令和 ○○ 年 / 月 / 日提出

事業所整理記号 ［ 0 0 － イ ト ］ ← 事業所整理記号を記入

事業主記入欄

届出記入の個人番号（基礎年金番号）に誤りがないことを確認しました。

事業所在地 〒 160 － 0000
東京都新宿区西新宿○－○

事業所名称 西口物産株式会社

事業主氏名 代表取締役 山田一

電話番号

厚生年金被保険者の配偶者にかかる届出の記載がある場合、同時に国民年金第3号被保険者関係届として受理し、配偶者を第3号被保険者に、第2号被保険者を配偶者として読み替えます。

受付印

社会保険労務士記載欄 氏名等

事業主確認欄 事業主が確認した場合に○で囲んでください。 （1.確認） 収入に関する証明の添付が省略されている者は、所得税法上の控除対象配偶者・扶養親族であることを確認しました。

事業主等受付年月日 令和 ○○ 年 / 月 / 日

A. 被保険者欄

① 被保険者整理番号 ○○　② 氏名 小川 健
生年月日 5.昭和 6.平成 7.令和 → 0 2 0 6 3 0　性別 1.男 2.女
個人番号（基礎年金番号） 0 1 2 3 4 5 6 7 8 9 0 1
取得年月日 5.昭和 7.平成 9.令和 → 2 8 0 4 0 1　収入（年収） 4,800,000　住所 個人番号を記入した場合は、住所記入は不要です。

B. 配偶者である被扶養者欄（第3号被保険者）

今後1年間の年収の見込額を記入

※第3号被保険者関係届の提出は配偶者（第2号被保険者）に委任します □

C. その他の被扶養者欄1

④ 氏名 小川 健太
② 生年月日 5.昭和 6.平成 7.令和 → 0 7 0 6　性別 1.男 2.女　続柄 1.実子・養子
⑤ 個人番号 1 2 3 4 5 6 7 8 9 0
⑥ 住所 〒 112 － 0000 東京都文京区湯島○－○

被扶養者になった日 9.令和 → 0 7 0 6

C. その他の被扶養者欄2

※被扶養者の「該当」と「非該当（変更）」は同時に提出できません。「該当」「非該当」「変更」はそれぞれ別の用紙で提出してください。

扶養に関する申立書（添付書類の内容について補足する事項がある場合に記入してください）

申立の事実に相違ありません。 氏名

休業を申請する社員に 不利益な扱いは禁止

社員は休業申出書を提出、会社は休業取扱通知書を渡す

　優秀な人材の確保や定着を促すためには、仕事と家庭生活のワークライフバランスを保つことが大切です。そのために制定されたのが「育児・介護休業法」です。主なポイントは右表のとおりです。

　休業申請をする社員は、**休業開始予定日の2週間前までに「育児休業申出書」または「介護休業申出書」を提出**して、対象となる家族の名前や、休業を開始する日と終了する日などを会社に伝える必要があります。

　それに対して会社は、「育児休業取扱通知書」または「介護休業取扱通知書」を社員に渡し、次の事項を通知します。

> ・休業申出を受けた旨（むね）
> ・休業開始予定日および終了予定日
> ・休業申出を拒む（こば）場合には、その旨およびその理由

　上記に加えて、休業期間中の賃金などの取扱いや、休業後の賃金・配置などの労働条件をあらかじめ通知して、労使間のトラブルを未然に防ぎましょう。これらの書式は速やかに交わせるように常備しておきます。

休業期間中の給与の支払いは必要か

　育児・介護休業法では、休業期間中の賃金についてとくに定めがないので、会社は給与を支払わなくても違法ではありません。ただし、**休業を理由に解雇や減給など不利益な扱いをしてはいけません。**

　また、雇用保険に加入している社員であれば、育児・介護休業給付が受けられます（P 61参照）。

　給付額は休業前の賃金の67％相当額ですが、上限額と下限額が定められており、会社から賃金が支払われた場合は減額調整されます。

育児・介護休業法のポイント

主なポイント	育児休業	介護休業
休業の定義	労働者が原則として1歳（最長2歳）の子を養育するためにする休業	労働者が要介護状態にある対象家族を介護するためにする休業
対象となる家族の範囲	子	配偶者（事実婚を含む。以下同）、父母、子、配偶者の父母、祖父母、兄弟姉妹および孫
休業可能な回数	1回、もしくは分割して2回（ただし子の出生日から8週間以内にした最初の育児休業を除く）	対象家族1人につき3回
子の看護休暇（育児休業） 介護休暇（介護休業）	小学校就学に達するまでの子を養育する労働者は、1年に5日まで（当該子が2人以上の場合は10日まで）、病気・けがをした子の看護または子に予防接種・健康診断を受けさせるために休暇が取得できる	要介護状態にある対象家族を持つ労働者は、1年に5日まで（対象家族が2人以上の場合は10日まで）介護や世話を行うために休暇が取得できる
所定外労働の制限	3歳未満の子を養育するために労働者が請求した場合、事業主は所定労働時間を超えて労働させてはならない	要介護状態にある対象家族を介護するために労働者が請求した場合、事業主は所定労働時間を超えて労働させてはならない
時間外労働の制限	小学校就学の始期に達するまでの子を養育するために労働者が請求した場合、事業主は制限時間（1ヵ月24時間、1年150時間）を超えて労働時間を延長してはならない	要介護状態にある対象家族を介護するために労働者が請求した場合、事業主は制限時間（1ヵ月24時間、1年150時間）を超えて労働時間を延長してはならない
深夜業の制限	小学校就学の始期に達するまでの子を養育するために労働者が請求した場合、事業主は午後10時〜午前5時において労働させてはならない	要介護状態にある対象家族を介護するために労働者が請求した場合、事業主は午後10時〜午前5時において労働させてはならない

Check!

産休の日数に注意！

産前産後休業（産休）も労働基準法で認められている休業です。休業日数は、産前は出産予定日を含む6週間（双子以上は14週間）以内、産後は8週間以内です。産前の休業は本人が申請しますが、産後の休業は本人の申出に関係なく6週間は就業させられません（6週間経過後は本人が希望すれば就業可能）。

MEMO　産後パパ育休： 父親の育休を取りやすくするために、育児休業とは別に、出生後8週間以内に4週間まで休業できる制度。

募集から採用までの
手順を知っておく

■■ 急ぎの中途採用は短期間でスピーディに行う

　社員の募集・採用は、雇用形態が正社員かアルバイトか、あるいは対象者が新卒か中途かなどで、やり方が変わってきます。ここでは正社員を中途採用する場合の、手順と実務を見ていきましょう。

　すでに社会人（就業）経験をもつ人材を対象とする中途採用では、新卒とは違い、即戦力になることを期待します。そのため、採用条件や選考基準は、**応募者のキャリア（経験）や知識、資格、スキルなどを重視**します。

　採用の時期は、通年、あるいは不定期ですが、業務拡大にともなう増員や、欠員の補充などの場合は、人材確保を急がなくてはなりません。また中途採用では、応募する側も同じ時期に複数の会社に応募していることが多いので、その意味でも募集・採用活動はできるだけスピーディかつスムーズに行う必要があります。

　募集から選考、採用決定に至る一般的な流れは右図のようになります。

■■ 募集、採用選考、採用予定者へのフォロー

　採用の時期や採用予定者の人材像、募集人数などは会社の幹部が決定します。労務担当者は、その採用計画に基づいて採用活動を進めます。

　まず行うのは、募集です。ポイントは、①自社の求める人材像を具体的に示し、②条件に合った応募者をできるだけ多く集めることです。

　募集方法には、求人情報サイトなどの他、人材紹介会社やハローワークの利用などがあり、自社に合った方法を選びます（P 256参照）。

　次に、採用に向けた選考です。一般に、まず書類選考を行い、次に面接試験や筆記試験を実施します。試験会場の確保や整備、電話や封書、メールによる試験実施の連絡、合否の通知などが労務の仕事になります。

　そして採用予定者が決まったら、入社の前後に必要な書類の受渡しをするなどのフォローを行います。

中途採用の募集・採用の流れ

募 集

●各種の求人媒体や人材紹介会社、ハローワークなどを利用して人材を募集する（⇒P256 参照）

選 考

●一般に、まず書類選考を行い、次に面接試験や筆記試験を実施する

〈書類選考〉…応募者の履歴書や職務経歴書を審査

〈面接試験〉…部門長や経営幹部など、面接官を変えて数回行う

〈筆記試験、適性検査など〉…必要に応じて行う

採用予定者へのフォロー

〈入社前〉…採用（内定）通知書（⇒P258 参照）や労働条件通知書（⇒P260 参照）などを送付

〈入社時〉…雇用契約書を交わし、年金手帳（基礎年金番号通知書）や扶養控除等申告書（⇒P270 参照）などを受領

入社（試用期間）

本採用

Check!

入社後、数ヵ月間は試用期間となる

多くの会社は、入社後の数ヵ月間を試用期間にしています。つまり、正式に採用する前の「トライアル期間」です。試用期間の有無や期間、待遇などは労働条件通知書で示しておく必要があります。また試用期間中でも雇用契約は成立しているので、社会保険の加入は正式採用と変わりません。ただし賃金は、会社によっては正式採用時よりも低くしている場合があります。

総務

労務

経理

募集・採用に関する法律を知っておく

■■「年齢」による差別的な表現の禁止

　社員を新たに雇う場合、「どんな人材を、何人、どのように募集するか」などは、原則として会社が自由に決められます。

　ただし、募集・採用にあたっては、人柄や能力本位で行われるように、また社員の就労環境を確保するために、**法律で禁じられていること**がいくつかあります。

　その1つが、募集時の**「年齢」による差別的な表現の禁止**です。雇用対策法では「年齢に関わりなく均等な機会を与えなければならない」としています。つまり、募集・採用は「年齢不問」が原則です。「35歳未満の方（経験不問）」といった未経験者のキャリアアップを目的とした表現も認められます。

　ただし、「定年年齢を上限として年齢制限する場合」など例外事由がいくつかあります。また、就職氷河期世代に限り、年齢制限の禁止の例外措置が設けられています（2025年3月まで）。

　年齢制限の法律違反があると、ハローワークへの求人の申込みが受理されない場合があります。

■■「性別」による差別的な表現の禁止

　さらに、募集・採用時の**「性別」を理由とした差別的な扱いも禁止**されています。つまり、募集・採用は「男女均等な取扱い」が原則です。

　この他、募集・採用時に**国籍や人種、居住地や通勤時間**などで制限や条件を設けることも認められません。

求人情報で禁じられる表現と言い換え例

禁じられる表現	言い換え例
✕ 特定の年齢層を募集対象とする ➡若者向け衣料品販売のため30歳以下の方を募集 ➡長距離トラックのドライバーとして45歳以下の方を募集 ➡35歳未満を募集	◯ 年齢制限はせず、業務内容を明示する ➡18歳〜25歳を対象にしたヤングメンズウェアの接客販売業務 ◯ 業務内容と必要な能力を明示する ➡東京・大阪間を長距離トラックで定期的に往復運転し、重い荷物の上げ下ろしを行うため持久力や筋力を必要とする ◯ 未経験者のキャリアアップを目的とした表現 ➡35歳未満の方（経験不問）
✕ 男女いずれかをあらわす名称で職種を示す ➡ウエイター／ウエイトレス ➡営業マン	◯ 一方の性をあらわす名称は用いない ➡ホールスタッフ ➡営業員、営業スタッフ
✕ 性別の募集人数を示す ➡男性3名、女性3名を募集	◯ 性別に関わらず募集総人数を示す ➡募集枠6名
✕ 国籍や人種などを条件にする ➡国籍不問、外国籍の方も歓迎	◯ 国籍、人種、民族などを条件とする表記は、肯定・否定に関係なく認められない
✕ 出身地や居住地を制限する ➡新宿区内にお住まいの方 ➡徒歩で通勤できる方	◯ 出身地や居住地、通勤時間などを条件にしない ➡地元にお住まいの方歓迎

総務

労務

経理

■募集の際には労働条件の明示が必要

　ハローワークへの求人申込みや、求人媒体に募集広告を掲載する際、また自社のホームページで募集するときは、260ページにあげたような**労働条件を明示する**必要があります。もし、当初明示したこれらの条件が募集・採用の過程で変更される場合は、速やかに応募者に知らせなくてはなりません。

　なお、労働条件は労働基準法に基づき「労働条件通知書」によって採用予定者に事前に提示する必要があります（P260参照）。

さまざまな募集方法から自社に合ったものを選ぶ

■最近増えているのはWeb媒体の活用

　社員を募集するときは、自社のホームページなどで告知する他、求人媒体や人材紹介会社、ハローワークなどを利用する方法もあります。

　求人媒体には、Web媒体である求人情報サイトと、紙媒体である求人情報誌やフリーペーパーなどの求人案内（広告）がありますが、最近ではインターネットで求人を探す人が多いことや、応募者に提供する情報量（会社や業務の内容、職場環境、条件など）が多いといった理由から**Web媒体への募集広告の出稿が多数を占めています**。

　コスト面で見ると、求人情報誌は原稿サイズ別などで所定の掲載料がかかるのに対し、求人情報サイトは掲載料がかかるタイプと、掲載料は無料で、応募があったり採用に至ったときのみ料金がかかるタイプ（成功報酬型）があります。

　また人材紹介会社は、求める人材の条件さえ伝えれば、あとは紹介会社のほうですべてやってくれるため、手間ヒマがかからないというメリットがありますが、一方で、紹介による採用が決まった場合は**割高な料金がかかる点がデメリット**といえます。

■ハローワークなら無料で求人できる

　コストをかけずに募集したいなら、ハローワークを利用する方法があります。求人掲載の費用はいっさいかかりません。ただ、求人情報を掲載する「求人票」は所定の書式があるため、応募者に提供する情報は限られます。求める人材のマッチング度はいささか劣るでしょう。

　掲載の申込みは、最寄りのハローワークに行って手続きする他、**インターネットサービスも利用できます**。手順は右の上図のとおりです。

　募集方法にはそれぞれ一長一短がありますから、右の下表などを参考にしながら、自社に最も合ったものを選ぶようにしましょう。

256

MEMO **人材マッチングサイト**：転職希望者などがWebサイトに登録し、そのデータベース上の人に対して企業側が条件に合致した人にアプローチするしくみのサイト。

インターネットでハローワークに求人申込みする手順（はじめての場合）

会社のパソコンなどから
「ハローワークインターネットサービス」にアクセス
「求人者マイページ」を開設する

⬇

事業所情報を入力する（仮登録）
※事業所登録は初回のみ

⬇

求人情報を入力する（仮登録）

⬇

その後、ハローワークの窓口に行き、本登録の手続き

⬇

求人情報が公開される

⬇

ハローワークから紹介希望者の連絡がある

募集方法ごとの特徴の比較

募集方法	コスト（費用）	提供可能な情報量	応募者数	人材のマッチング度	手間と時間
紙の求人媒体	情報掲載料がかかる（条件により価格差あり）	募集広告のサイズなどで異なる	Webの求人媒体よりも少ない	比較的高い	募集原稿の出稿の他は手間いらず
Webの求人媒体	情報掲載料がかかるものと、掲載料ゼロの成果報酬型がある	紙の求人媒体よりも多くの情報を提供可能	多くの人の目にふれ、応募者数も多い	比較的高い	募集原稿の出稿の他は手間いらず
人材紹介会社	かなり高め	求める人材像を充分伝えられる	適性の高い人材に絞って紹介	高い	基本的に人材紹介会社にすべて任せられる
ハローワーク	無料	所定の書式があり限定的	ハローワークの利用者に限られる	他の募集方法と比べて低い	事業所登録済みならインターネットで申込み可能
自社ホームページ	外注の場合はコストがかかる	自由につくれるので情報の質・量とも充実する	自社ホームページの閲覧者に限られる	比較的高い	手間も時間もかかる

採用選考を実施し
合否の通知を行う

▓ 書類選考、面接試験、筆記試験を実施する

社員募集をすると、応募者から履歴書や職務経歴書などの応募書類が送られてきます。

Webの求人媒体で募集した場合は、Webの応募フォームがそのままWeb履歴書になります。採用の労務担当者は、これらの**書類を整理・保管して、書類選考の担当者へ渡します**。

書類選考を通過した応募者には、労務から電話やメール、書面で、Web面接を含めた**面接試験や筆記試験、適性試験などを実施する旨を連絡**します。これらの採用試験で使用する会場の確保やセッティングなども労務の仕事です。とくに面接試験は、日時と面接官を変えて数回にわたって行うことが多いので、必要な資料などをしっかり準備しましょう。

▓ 内定者に採用通知書を送付する

最終面接を経て、**内定が決定した応募者には、右のような「採用（内定）通知書」を送ります**（その前に電話などで伝えておく場合もある）。

採用通知書には、「入社承諾書」（入社に同意する証明書。入社誓約書、内定承諾書などともいう）の他、必要な書類を同封して、署名や押印をしてもらい、返送してもらうか、入社当日に持参してもらいます。

一方、書類選考や面接試験で落ちてしまった応募者には、**書面やメールで不採用通知**を送ります。

とくに中途採用の場合は、応募者は複数の会社に同時に応募していることも多いので、結果はできるだけ早く知らせるようにしましょう。

なお、不採用者の応募書類の取扱いは、①返却する、②返却しない、③返却するかしないかを応募者に確認して対処するなど、会社によってまちまちです。ただ最近では、個人情報保護の観点から、履歴書などは返却する会社が多くなっているようです。

採用通知書

　拝啓　時下ますますご清祥のこととお慶び申し上げます。

　このたびは弊社の社員募集にご応募いただき、誠にありがとうございました。

　厳正なる選考の結果、貴殿の採用を内定しましたので、お知らせ申し上げます。

　つきましては、同封の書類をご確認いただき、署名・押印のうえ、期日までに弊社へご返送ください。

　なお、入社日につきましては別途ご連絡いたします。

　まずは取り急ぎ、採用内定のご通知を申し上げます。

敬具

記

　同封書類：　入社承諾書、○○○○書

　提出期限：　令和○年○月○日

　連絡先：　　株式会社○○○○　労務課　○○○○

以上

不採用通知書

　拝啓　時下ますますご清祥のこととお慶び申し上げます。

　このたびは弊社の社員募集にご応募いただき、誠にありがとうございました。

　応募書類を検討させていただきました結果、残念ながら今回は貴殿の採用を見送らせていただくこととなりましたのでお知らせ申し上げます。

　なお、ご提出いただいた応募書類一式を同封しましたので、ご確認ください。

　末筆ではございますが、貴殿の今後のご活躍とご健勝をお祈り申し上げます。

敬具

採用予定者に労働条件を明示する

■■労働条件通知書や雇用契約書に記載し交付する

　採用の内定を通知後、社員が入社して仕事を始める前までに、**会社は社員に対して「労働条件」を明示する**ことが法律で義務づけられています。

　労働条件とは、業務内容や就業場所、就業時間など、下図にあげたような内容です。

　これらは、**「労働条件通知書」という書類に記載して交付**するか、あるいは**「雇用契約書」という書類を作成**してそこに記載し、社員と会社で契約書を取り交わすなどの形で、社員に対して明示します。

　いずれの場合も、労働条件を書面に明記することは必須ですが、雇用契約書については必ずしも取り交わす必要はありません。

　ただ、将来、社員と会社の間で労働条件に関するトラブルが発生した場合などに備えて、雇用契約書は取り交わしておくほうがよいでしょう。

　また、右のように、労働条件通知書のなかに署名欄などを加えた「労働条件通知書　兼　雇用契約書」を用いることもできます。

　なお、労働条件の明示はこれまで原則、書面の交付に限られていましたが、**現在は社員が希望した場合、ファックスやＥメール、ＳＮＳのメッセージ機能などで明示する**こともできるようになりました。

採用時に明示する主な労働条件

- 労働契約の期間（契約期間がある場合は更新の有無）
- 仕事をする場所、仕事の内容
- 始業・終業時間、残業の有無、休憩時間、休日、休暇、交替制勤務のローテーションなど
- 給与の決定、計算と支払方法、給与の締め日と支払日
- 退職や解雇に関する取決め

労働条件通知書 兼 雇用契約書の記入例

労働条件通知書 兼 雇用契約書

野田 一 殿

〒160-0000
通知日 令和○年○月○日
西口物産株式会社 新宿区○○一○
代表取締役 山田 一

契約期間	期間の定めなし・期間の定めあり（ 年 月 日～ 年 月 日） ※以下は、「契約期間」について「期間の定めあり」とした場合に記入 1 契約の更新の有無 〔自動的に更新する・更新する場合があり得る・契約の更新はしない・その他（ ）〕 2 契約の更新は次により判断する。 ・契約期間満了時の業務量 ・勤務成績、態度 ・能力 ・会社の経営状況 ・従事している業務の進捗状況 ・その他（ ）
就業の場所	新宿区西新宿○一○一○、自宅（在宅ワークの場合）
従事すべき業務の内容	営業

労働契約の期間
（契約期間がある場合
は更新の有無）

仕事をする場所、
仕事の内容

給与の決定、計算と支
払方法、給与の締め日
と支払日など

始業、終業の時刻、休憩時間、就業時転換（(1)～(5)のうち該当するものの一つに○を付けること。）、所定時間外労働の有無に関する事項
1 始業・終業の時刻等
(1) 始業（ 9 時 00 分） 終業（ 17 時 00 分）
【以下のような制度が労働
(2) 変形労働時間制等；（ 組み合わせによる。
・始業（ 時 分）終業
・始業（ 時 分）終業
・始業（ 時 分）終業
(3) フレックスタイム制；始業及び
（ただし、
(4) 事業場外みなし労働時
(5) 裁量労働制；始業（
る。
2 休憩時間（ ）分
3 所定時間外労働の有無（

賃 金	1 基本賃金 イ 月給（180,000円）、ロ 日給（ 円） ハ 時間給（ 円）、 ニ 出来高給（基本単価 円、保障給 円） ホ その他（ 円） ヘ 就業規則に規定されている賃金等級等 [ ] 2 諸手当の額又は計算方法 イ（ 手当 円 /計算方法： ） ロ（ 手当 円 /計算方法： ） ハ（ 手当 円 /計算方法： ） ニ（ 手当 円 /計算方法： ） 3 所定時間外、休日又は深夜労働に対して支払われる割増賃金率 イ 所定時間外、法定超 月60時間以内（ 25 ）％ 月60時間超 （ 50 ）％ ロ 休日 法定休日（ 35 ）％、法定外休日（ 25 ）％ ハ 深夜（ 25 ）％ 4 賃金締切日 毎月○日 5 賃金支払日 毎月○日 6 賃金の支払方法（ ） 7 労使協定に基づく賃金支払時の控除（無・有（ ）） 8 昇給（時期等 ） 9 賞与（ 有（時期、金額等 7月、12月 ）、 無 ） 10 退職金（ 有（時期、金額等 ）、 無 ）

休 日
・定例日；毎週 曜日、国
・非定例日；週・月当たり
・1年単位の変形労働時間制に

休 暇
1 年次有給休暇 6か月継続勤務
継続勤務
→ か月
時間単位
2 代替休暇（有・無）
3 その他の休暇 有給
無給

始業・終業時間、残業の有無、休
憩時間、休日、休暇、交替制勤務
のローテーションなど

退職に関する事項	1 定年制 （ 有（ 歳）、 無 ） 2 継続雇用制度（ 有（ 歳まで）、 無 ） 3 自己都合退職の手続（退職する 30 日以上前に届け出ること） 4 解雇の事由及び手続

退職や解雇に関する
取決め

その他	・社会保険の加入状況（厚生年金 健康保険 厚生年金基金 その他（ ）） ・雇用保険の適用（ 有 、 無 ）

以上の
本契約書は2通作成し、双方が1通を保管する。

（労働者記入欄）
上記労働条件および貴社の指揮監督に従い、誠実に勤務いたします。
令和○年○月○日

〒165-0000
住所 中野区中野○一○一○

氏名 野田一 ㊞

署名捺印してもらうことで
雇用契約書の役割を果たす

入社時に用意してもらう書類を確認する

採用予定者に間違いなく伝えて準備してもらう

採用予定者には、**入社時に用意してもらう書類**がいくつかあります。

書類は、下の一覧表のとおり、①ほとんどの場合で用意してもらうものと、②（会社により）必要に応じて用意してもらうものがあります。

自社で必要な書類は何かを確認のうえ、採用予定者に間違いなく通知して、事前に準備してもらいましょう。

また、これらの書類をもとに、社会保険や雇用保険の加入手続きの書類を会社側で作成しますが、こちらは社員本人の記入や署名、押印は必要ありません。詳しくは次項以降を参照してください。

入社時に社員に用意してもらう主な書類

●ほとんどの場合で、用意してもらう書類

年金手帳 （基礎年金番号通知書）	社会保険の加入手続きに必要 ・基礎年金番号を確認する ・紛失している場合は「基礎年金番号通知書」の再交付をしてもらう
雇用保険 被保険者証	すでに雇用保険に加入したことがある人で、入社時に加入手続きを行う場合に必要 ・被保険者証は前の勤務先を退職したときに受け取ったものを提出してもらう ・雇用保険の被保険者番号を確認する ・紛失している場合はハローワークで再発行してもらえる
源泉徴収票	年末調整などに必要 ・前の勤務先を退職したときに発行してもらったものを提出してもらう ・前の勤務先からの発行が遅れている場合もあるので注意
給与所得者の 扶養控除等申告書 （⇒P270）	配偶者控除などの控除を受けるために必要 ・扶養家族の有無に関わらず、最初の給与支払日の前日までに提出してもらう ・用紙は会社で用意し、社員が必要事項を記入・押印

ME **年金手帳**：2022年4月から年金手帳に代わり「基礎年金番号通知書」が発行されている。紛失
MO 時の再交付も同じ。

給与振込先 届出書	給与の口座振込みに必要 ・同意のうえ、振込先の金融機関口座を届け出てもらう ・書式は自由。給与振込依頼書、口座振込同意書などともいう
マイナンバーが 確認できる書類	社会保険や雇用保険の加入手続きに必要 ・マイナンバーを含む特定個人情報等の「利用同意書」を 別途提出してもらうこともある

●（会社により）必要に応じて、用意してもらう書類

身元保証書	・保証人は1〜2名 ・保証人の印鑑証明書を添付してもらう
健康診断書	・入社時（雇入れ時）の健康診断は法律で実施が決められている ・入社前に受診して用意してもらう場合、費用は社員の個人負担をお願いすることになる ・原則、3ヵ月以内に発行されたものに限る
資格や免許などの 証明書	・運転免許証の他、各種の資格や免許の証明書のコピー
卒業証明書	・新卒者など、必要な場合に提出してもらう（新卒は成績証明書も一緒に提出してもらうケースがある） ・コピーではなく原本で、発行から3ヵ月以内のものが望ましい
秘密（機密）保持 誓約書	・会社の秘密（機密）情報の漏洩を防ぐために社員と取り交わす誓約書
通勤経路の届出書 （通勤手当の申請書）	・通勤手当の額の計算と労災保険のために、通勤経路や通勤方法、通勤時間などの把握が必要

総務

労務

経理

Check!

会社が作成する3つの帳簿がある

社員が入社したとき、会社は上記の手続きの他に、労働者名簿、賃金台帳、出勤簿の、いわゆる「法定三帳簿」の作成が労働基準法により義務づけられています。

- **労働者名簿**……正社員の他、アルバイトなども含むすべての労働者の氏名、生年月日、履歴、住所、雇い入れた年月日などを記入した名簿
- **賃金台帳**……すべての労働者の氏名、賃金計算期間、労働日数、労働時間数などを記入した台帳
- **出勤簿**……すべての労働者の氏名、出勤日、始業・終業時刻などを記入した帳簿

入社時に必要な
手続きを確認する

■■ 社会保険（狭義）の加入に関わる手続き

　新しく社員を迎え入れたときは、入社時に用意してもらった各種の書類をもとに、労務が外部の各機関に対して行う、さまざまな手続きがあります。いずれも大切な手続きですから、もれなく行うようにしましょう。

　主な手続きは、社会保険と労働保険、そして税金関係です。

　それぞれ、提出先や提出期限などが決まっているので遅滞なく行いましょう。

　まず社会保険ですが、58ページで解説したように、ここで手続きが必要な狭義の社会保険は、健康保険（および介護保険）と厚生年金保険です。

　これらの保険の加入手続きは、原則、セットで行うことになっています。

　作成・提出する書類は「健康保険・厚生年金保険被保険者資格取得届」の１枚で済みます。この書類の記入例や、手続きの詳しい内容は、次項を参照してください。

■■ 労働保険に関わる手続き

　一方、労働保険については、雇用保険と労災保険の２つの保険の加入手続きを行いますが、多くの会社（一元適用事業）の場合、セットで行い、作成・提出する書類は「雇用保険被保険者資格取得届」の１枚で済みます。

　この書類の記入例や、手続きの内容は、268ページを参照してください。

ME　**労働保険の一元適用事業**：雇用保険と労災保険を一元的に取り扱う事業。一方、２つの保険の適
MO　用のしかたを区別する必要がある事業は二元適用事業といい、農林漁業や建設業などである。

■:税金に関わる手続き

　さらに税金に関わる手続きでは、まず**所得税について**「**給与所得者の扶養控除等（異動）申告書**」（⇨P270参照）**を会社に提出**してもらいます。会社はこの書類をもとに、社員の毎月の給与から差し引く所得税（源泉所得税）額を計算します。

　また、この書類は年末調整（⇨P186参照）の際にも必要になります。

　さらに、住民税については、前の会社を退職した際に、住民税の普通徴収を選択した社員が、**入社後に特別徴収への切替えを希望する場合は**「**普通徴収から特別徴収への変更（切替）依頼書**」を、社員が居住する市区町村役場に提出します。

入社時に必要な主な手続き

	提出書類	提出先	提出期限	注意点
社会保険 の加入手続き （⇨次項）	健康保険・厚生年金保険被保険者資格取得届	管轄の年金事務所か日本年金機構の都道府県ごとの事務センター（または健康保険組合）	雇用開始(入社日)から5日以内	健康保険被扶養者（異動）届などの提出が必要な場合もあり
労働保険 の加入手続き （⇨P268）	雇用保険被保険者資格取得届 ※雇用保険被保険者証の他、添付書類が必要な場合もある	管轄のハローワーク	雇用開始(入社日)の翌月10日まで	多くの会社（一元適用事業）では、労災保険は雇用保険とセットで加入
税金の手続き **所得税** （⇨P270）	給与所得者の扶養控除等（異動）申告書	会社で保管する	最初の給与支払日までに会社に提出してもらう	給与計算時に控除する所得税額を算出するために必要な書類
住民税 （⇨P272）	前の会社を退職時に住民税の普通徴収を選択した社員が、入社後に特別徴収への切替えを希望する場合は、特別徴収切替届出（依頼）書	社員が居住する市区町村役場	特別徴収の開始を希望する月の前月10日まで	前の会社を退職時に一括徴収を選択した社員、また入社後に特別徴収への切替えを希望しない社員は手続きの必要なし

社会保険の加入手続きをする

■ 被保険者資格取得届を日本年金機構に提出

「狭義」の社会保険である健康保険と厚生年金保険は、会社（事業所）単位で適用事業所となり、その会社に常時使用（雇用）される社員は原則としてすべて被保険者となります（正社員の他、正社員の4分の3以上働くパートやアルバイトなども加入対象、⟐ P 289参照）。

健康保険と厚生年金保険の加入手続きは、原則、セットで行います。新たに社員が入社したら、右の「**健康保険・厚生年金保険被保険者資格取得届**」を、**入社日から5日以内に、管轄の年金事務所に持参する**か、日本年金機構の都道府県ごとの事務センターに郵送します（電子申請も可能）。

資格取得届を作成する際には、社員のマイナンバー（個人番号）を入手して記載する必要があります。マイナンバーではなく、基礎年金番号（10桁）でもOKです。

なお、40歳以上64歳以下の社員が健康保険に加入すると、同時に**介護保険の加入者となります**。保険料は健康保険料と一緒に徴収されます。

■ 被扶養者がいるときの手続き

社員に、配偶者や子どもなど、扶養する者（被扶養者）がいる場合は「健康保険被扶養者（異動）届」（⟐ P 248参照）の提出も必要です。その際に、添付書類として被扶養者の住民票などが必要になりますが、届書にマイナンバーを記載したり、事業主の確認があれば、添付書類の提出は省略できます。届書は上記の被保険者資格取得届と同時に年金事務所などに提出します。

また、**扶養される配偶者が20歳以上60歳未満の場合**は、国民年金の第3号被保険者（⟐ P 247参照）として年金制度に加入することになるため、「国民年金第3号被保険者資格取得届」を作成し、健康保険被扶養者（異動）届に添付して提出します。

MEMO **社会保険の電子申請**：2020年4月から大企業（資本金1億円超）などでは社会保険・労働保険の電子申請が義務化された。

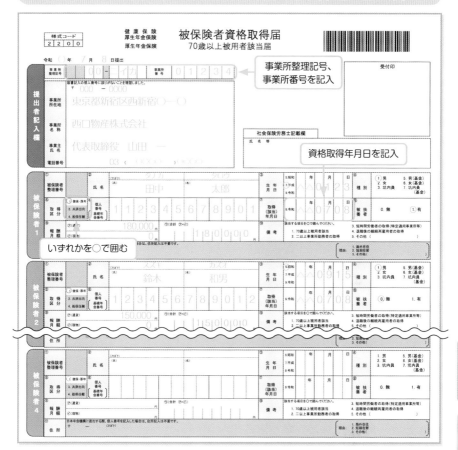

健康保険・厚生年金保険被保険者資格取得届の記入例

Check!

健康保険証とマイナンバーカードの一体化

健康保険証は2024年12月2日以降、新規の発行はされません。マイナンバーカードを健康保険証として利用登録することにより、マイナンバーカードを使って医療機関を受診できます（登録していない場合は資格確認書を使って受診可能）。なお発行済みの健康保険証は廃止後も最大1年間はこれまで通り使用できます。

MEMO **健康保険の被扶養者：**被扶養者（☞P 246 参照）と認定されるには、一定の条件を満たす必要があるので注意する。

労働保険の加入手続きをする

■ 被保険者資格取得届をハローワークに提出

新しく社員が入社したら、社会保険の手続きの他に必要なのが、労働保険の加入手続きです。労働保険とは、**雇用保険と労災保険（労働者災害補償保険）を指し、この2つの保険の加入手続きは、多くの会社（一元適用事業、⇒P264参照）の場合、セットで行います。**

このうち雇用保険は「失業保険」とも呼ばれています。社員が失業したときや、雇用の継続が難しくなったときに、社員の生活と雇用の安定をはかり、また再就職をするために必要な各種給付を行う保険です。

雇用保険の加入対象となるのは、次の条件を満たす社員です。

①1週間の所定労働時間が20時間以上であること

②31日以上、引き続き雇用される見込みのあること

作成し、提出する書類は「雇用保険被保険者資格取得届」の1枚です。転職者で、前の会社で雇用保険に加入していた社員は、所持している「雇用保険被保険者証」（⇒P262参照）の被保険者番号を引き続き使います。

届書にはこの他、マイナンバー（個人番号）の記載も必要です。また場合によっては、労働者名簿や賃金台帳などの添付書類の提出も必要です。

届書と添付書類は、**社員が入社した日の翌月の10日までに、管轄のハローワークに提出**します。

Check!

労働保険料は誰が負担するか

労働保険料は、社員の賃金総額に所定の保険料率（雇用保険料率と労災保険料率）を掛け合わせて算出した額になります。このうち労災保険の分の保険料は会社が全額負担し、雇用保険の分の保険料は雇用保険料率表で決められた割合で、会社と社員がそれぞれ負担します（⇒P161参照）。

MEMO **雇用保険の被保険者番号**：雇用保険の加入者ごとに付与される11桁（4桁＋6桁＋1桁）の番号。この番号は社員が転職や退職しても変わらずに、同じ番号を使用し続ける。

雇用保険被保険者資格取得届の記入例

様式第2号（第6条関係）

雇用保険被保険者資格取得届

標準字体 **0 1 2 3 4 5 6 7 8 9**
（必ず第2面の注意事項を読んでから記載してください。）

帳票種別 **1 9 1 0 1**

1. 個人番号 1 2 3 4 5 6 7 8 9 0 1 2

2. 被保険者番号 1 2 3 4 - 5 6 7 8 9 0 - 1

3. 取得区分 2（1 新規／2 再取得）

4. 被保険者氏名 小野 太郎　フリガナ（カタカナ）オノ　タロウ

すでに被保険者証を持っている場合はその番号を転記

5. 変更後の氏名　フリガナ（カタカナ）

6. 性別 1（1 男／2 女）

7. 生年月日 3 - 3 0 0 8 1 1（元号）（2 大正／3 昭和／4 平成／5 令和）

8. 事業所番号 4 3 2 1 - 9 8 7 6 5 0 - 1

9. 被保険者となったことの原因 2
1 新規雇用（新規／学卒）
2 新規雇用（その他）
3 日雇からの切替
4 その他
8 出向元への復帰等（65歳以上）

10. 賃金（支払の態様ー賃金月額：単位千円） 1 - 2 5 0（百万 十万 万 千 円）（1 月給 2 週給 3 日給／4 時間給 5 その他）

11. 資格取得年月日 5 - 0 9 0 1（元号）（4 平成／5 令和）

12. 雇用形態 7
1 日雇　2 派遣
3 パートタイム　4 有期契約労働者
5 季節的雇用

13. 職種（01〜11）第2面参照

14. 就職経路
1 安定所紹介
2 自己就職
3 民間紹介
4 把握していない

15. 1週間の所定労働時間 4 0 0 0 時間 分

16. 契約期間の定め 2
1 有　元号 年 月 日 から 元号 年 月 日 まで（4 平成 5 令和）
契約更新条項の有無（1 有／2 無）
2 無

月給・週休など支払いの態様と月額換算の賃金額

事業所名 西口物産株式会社　備考

17欄から23欄までは、被保険者が外国人の場合のみ記入してください。

17. 被保険者氏名（ローマ字）（アルファベット大文字で記入してください。）

被保険者氏名〔続き（ローマ字）〕

18. 在留カードの番号（在留カードの右上に記載されている12桁の英数字）

19. 在留期間（西暦 年 月 日）まで

20. 資格外活動の許可の有無（1 有／2 無）

21. 派遣・請負就労区分
1 派遣・請負労働者として主として当該事業所以外で就労する場合
2 1に該当しない場合

22. 国籍・地域（　）

23. 在留資格（　）

※公安定所記載欄

24. 取得時被保険者種類
1 一般
2 短期常態
3 季節
11 高年齢被保険者（65歳以上）

25. 番号複数取得チェック不要　チェック・リストが出力されたが、調査の結果、同一人でなかった場合に「1」を記入。

26. 国籍・地域コード　22欄に対応するコードを記入

27. 在留資格コード　23欄に対応するコードを記入

雇用保険法施行規則第6条第1項の規定により上記のとおり届けます。

住所 東京都新宿区西新宿○−○
事業主 氏名 西口物産株式会社　代表取締役 山田
電話番号 03-0000-0000

令和 ○ 年 9 月 2 日

公共職業安定所長 殿

社会保険労務士記載欄	作成年月日・提出代行者・事務代理者の表示	氏 名	電話番号

※所長／次長／課長／係長／係／操作者

※備考　確認通知 令和 年 月 日

2021. 9

所得税に関する
手続きをする

■■社員に扶養控除等申告書を提出してもらう

　新入社員の手続きには、税金に関するものもあります。1つは所得税で、もう1つは住民税についての手続き（☞次項参照）です。

　まず所得税に関しては、右図の「給与所得者の扶養控除等（異動）申告書」を、社員に提出してもらいます。

　この書類は、社員の給与から天引き（源泉徴収）される所得税に関して、**扶養控除などさまざまな控除を受けるために必要なもの**で、新入社員だけでなく他の社員についても年末調整で必要となり、毎年12月頃に提出してもらうものです。

　「扶養」となっていますが、**扶養家族の有無に関係なく、会社から給与を受ける社員には全員提出してもらいます。**

　この書類を提出しないと、社員の給与から毎月天引きする所得税の額が高くなってしまいます。というのも、天引きする所得税はその年の「給与所得の源泉徴収税額表（月額表）」をもとに計算されるのですが（☞P164参照）、税額には「甲欄」と「乙欄」の2つがあり、甲欄のほうが安い税額になっています。そして扶養控除等申告書を提出している社員に限って、甲欄の安いほうの税額が適用されるのです。

　書類は、社員に必要事項を記入・押印のうえ、会社に提出してもらい、そのあとは会社で保管します。

> **Check!**
> ## 申告書に記入する扶養親族の「所得の見積額」に注意
>
> この欄に書くのは年収額ではなく、所得額です。たとえば扶養親族に年間100万円の給与収入があったら、給与所得控除の55万円を差し引いた45万円が所得額です。扶養控除の対象となる親族の年間所得は48万円以下ですから、もし100万円と書いたら控除の対象外になってしまいます。

給与所得者の扶養控除等（異動）申告書の記入例

扶

令和６年分 給与所得者の扶養控除等（異動）申告書

所轄税務署長等			あなたの氏名	シダ ケンイチ 志田 健一
給与の支払者の名称（氏名）	株式会社ミンセイ		あなたの個人番号	0123456765143

税務署長

市区町村長

給与の支払者の法人（個人）番号
01123456789012

給与の支払者の所在地（住所）
東京都台東区〇〇 〇-〇-〇

あなたの住所又は居所
東京都練馬区〇〇町〇丁目〇-〇

あなたの生年月日 明・大・昭・平・令 50年 8月 8日

世帯主の氏名 志田 健一
あなたとの続柄 本人
配偶者の有無 有・無

区分等		フリガナ あなたの氏名	個 人 番 号	あなたとの続柄	生 年 月 日	住 所 又 は 居 所	非居住者である親族 生計を一にする事実	異動月日及び事由
A 源泉控除対象配偶者（注1）		シダ ヨシコ 志田 良子	234567654323	妻	明・大・昭・平 51・7・6			

B 控除対象扶養親族（16歳以上）（平21.1.1以前生）

1	シダ ハジメ 志田 一	345678765432	長男	明・大・昭・平 15・6・6		□同居老親等 □その他 □特定扶養親族		
2				明・大・昭・平		□同居老親等 □その他 □特定扶養親族		
3				明・大・昭・平		□同居老親等 □その他 □特定扶養親族		
4				明・大・昭・平		□同居老親等 □その他 □特定扶養親族		

C 障害者、寡婦、ひとり親又は勤労学生

□障害者 □寡婦 □ひとり親 □勤労学生

あなたの配偶者の所得の見積額
380,000 → 0 円

収入金額ではなく所得金額を記入

D 他の所得者が控除を受ける扶養親族等

	フリガナ 氏 名	あなたとの続柄	生 年 月 日	控除を受ける他の所得者	
1			明・大・昭・平・令		
2			明・大・昭・平・令		

住民税に関する事項

16歳未満の扶養親族（平21.1.2以後生）

退職手当等を有する配偶者・扶養親族

	フリガナ 氏 名	個 人 番 号	あなたとの続柄	生 年 月 日	住 所 又 は 居 所	異動月日及び事由
1				明・大・昭・平・令		
2				明・大・昭・平・令		

総務　労務　経理

住民税に関する
手続きをする

■■ 特別徴収と普通徴収の2つの方法がある

　会社が関わる社員個人の税金には、所得税の他に、住民税があります。住民税とは「都道府県民税」と「市町村民税」の2つを合わせた税金（市・県民税）で、1月1日現在、居住している市区町村で課税されます。

　住民税の納税のしかたには2つあります。1つは、会社が社員個人に代わって給与から税金分を天引きして自治体へ納付する「特別徴収」、もう1つは個人が直接、自治体から送られる納税通知書により納税する「普通徴収」です。そして、所得税の源泉徴収義務がある会社は、給与を支払う**社員の住民税を特別徴収で納税することが法律で義務づけられています**（社員数が2名以下など、例外的に普通徴収が認められるケースあり）。

　特別徴収のしくみは、右図のとおりです。会社はまず、前年1月〜12月までの社員の所得額を「給与支払報告書」にまとめ、その年の1月末日までに市区町村の役場に提出します。それをもとに市区町村の役場が税額を決定し、5月末までに「特別徴収税額決定通知書」を会社へ送付します。会社はこの通知書をもとに、その年の6月〜翌年5月にかけて毎月、社員の給与から住民税を天引きして、納付するのです。

■■ 普通徴収から特別徴収への切替えも可能

　さて、転職して入社した社員は、前の会社を辞めるときに、その年の残りの住民税について、退職時の給与から一括で支払ってしまう「一括徴収」か、普通徴収によって自分で直接、毎月納付するかを選んでいます。

　前の会社で**一括徴収をしている社員は、その年の住民税に関して新しい会社ですることは何もありません。**翌年分の住民税の特別徴収を、翌年6月以降に始めます。

　一方、普通徴収を選んだ社員についても、基本的には新しい会社ですることはありませんが、もし社員が特別徴収への切替えを希望した場合は、

M E　**特別徴収税額決定通知書**：所得税は納税者の確定申告や年末調整によって納税するが、住民税は
M O　自治体側が税額を計算して納税者に通知し、納税させる制度になっている。

「特別徴収切替届出（依頼）書」といった書類を市区町村役場に提出して、普通徴収から特別徴収に切り替えます。

なお、前の会社を辞めた時点で、まだ勤め先が決まっていなかった社員は、**退職した月によって住民税の扱いが異なります。**詳しくは282ページを参照してください。

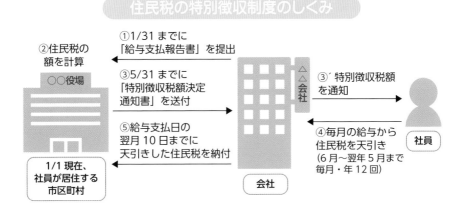

住民税の特別徴収制度のしくみ

②住民税の額を計算

○○役場

①1/31までに「給与支払報告書」を提出

③5/31までに「特別徴収税額決定通知書」を送付

⑤給与支払日の翌月10日までに天引きした住民税を納付

1/1現在、社員が居住する市区町村

△△会社

③´特別徴収税額を通知

④毎月の給与から住民税を天引き（6月〜翌年5月まで毎月・年12回）

社員

会社

特別徴収の納期の特例……社員が常時10人未満の会社は、市区町村の役場に申請書を提出して承認を受けることで、年2回の納付にすることが可能

Check!

前職から引き続き特別徴収を受ける場合

前の会社を辞めて、間を置かずに新しい会社に勤める人であれば、退職時に住民税の一括徴収か普通徴収かを選ばなくても、新しい会社で引き続き特別徴収を受ける方法があります。それには前の会社で「給与支払報告・特別徴収に係る給与所得者異動届出書」（☞ P 283参照）に必要事項を記載してもらい、退職日の翌月10日までに新しい会社へ送付してもらいます。新しい会社は、その届出書の別の欄に必要事項を記載し、市区町村役場に提出することで、引き続き特別徴収を行えます。

総務

労務

経理

退職時に必要な
手続きを確認する

■■ 退職日を確認して必要な手続きを早めに行う

　社員が退職するときは、はじめに本人から上司へ退職する旨の申し出があり、話合いのうえ、退職日や業務引き継ぎのスケジュールが決まります。事務担当者は、**退職日がいつかを必ず確認**しましょう。

　そのときには必ず退職届（辞表）を受け取ることが必要です。社員が退職後に雇用保険から給付を受けるときに、退職理由が社員本人の意思である場合（自己都合）と、そうでない場合（会社都合）とでは条件が異なるため、あとでトラブルにならないように退職届はきちんと提出してもらいましょう。

　退職するまでには、通常1ヵ月くらいの期間があるので、その間に退職にともなう書類の作成や届出などをとどこおりなく済ませます。

　退職時にはまず、退職する社員から「受け取る」（回収する）ものと、こちらから「渡す」（交付、発行する）ものがあります（☞次項参照）。うっかりミスがないように、チェックリストなどを使って確実に行いましょう。

　また、**社会保険（健康保険、厚生年金保険）や雇用保険の資格喪失の手続き、それに社員の住民税に関する手続き**なども必要です。

　場合によっては、退職証明書を作成・発行したり、離職票の交付を受けて退職者に渡す必要も出てきます。

　さらに、退職金が支払われる場合は、金額の計算と支給も行わなければなりません。

　退職にともなう主な手続きなどは右表のとおりですが、これらについては次項以降で詳しく解説していきます。

　退職者を気持ちよく送り出すためにも、必要な手続きなどはもれなく、速やかに行うことが大切です。

274

MEMO　退職者の労災保険：労災保険はすべての社員が加入するが、入社時も退職時もとくに手続きは必要ない。年1回、年間の保険料を計算し納付する。

社会保険の 資格喪失の手続き （☞P 278参照）	・協会けんぽ（全国健康保険協会）の場合は、「健康保険・厚生年金被保険者資格喪失届」を、管轄の年金事務所に提出（社員と扶養者分の健康保険証を添付）
雇用保険の 資格喪失の手続き （☞P 280参照）	・「雇用保険被保険者資格喪失届」を、退職の翌日から10日以内に、ハローワークに提出
住民税の手続き （☞P 282参照）	・退職者が転職先でも住民税の特別徴収を継続する場合は、「特別徴収に係る給与所得者異動届出書」に必要事項を記入し、退職者に渡して転職先で手続きをしてもらう ・住民税の普通徴収に切り替える場合は、 ①退職日が6/1 ～ 12/31の場合 　➡一括徴収か、普通徴収にするかを退職者が選択 ②退職日が1/1 ～ 5/31の場合 　➡本人からの申出がなくても給与から一括徴収できる
退職証明書の発行 （☞P 277参照）	・退職証明書は、退職者の転職先が決まっていない場合に、国民年金や国民健康保険の加入手続きで必要となる ・退職者から発行を求められた場合に証明書を作成・発行する
離職票の発行 （☞P 280参照）	・離職票（雇用保険被保険者離職票）は、退職者の転職先が決まっていない場合に、失業手当の受給手続きで必要となる ・まず会社はハローワークに退職者の離職証明書（雇用保険被保険者離職証明書）を提出する（離職証明書と離職票は一体となっている） ・その後、ハローワークから離職票が交付されるので、それを退職者に渡す
源泉徴収票の発行 （☞P 283、P 284参照）	・退職所得と給与所得の源泉徴収票を、すべての退職者に対して、退職後1ヵ月以内に発行する

総務

労務

経理

> **Check!**

退職者とトラブルにならないように注意！

退職にともなう社会保険や雇用保険の資格喪失手続きが遅れると、退職者の転職先での各保険の加入手続きが遅れてしまう他、失業保険の受給手続きが遅くなったり、退職後も会社に社会保険料の請求がきてしまうことがあります。そうしたトラブルが発生しないように、必要な手続きは早めに行いましょう。

社員から受け取るものと渡すものがある

■■ 退職する社員から「受け取る」もの

退職の際に、社員から受け取るものと、会社から社員に渡すものがあります。また社員に確認することもあります。いずれも社員の退職後の生活に関わることなので、しっかりチェックして、もれなく行いましょう。

まず社員から受け取るものには、健康保険被保険者証があります。**社員自身の被保険者証と、扶養者のものもあればあわせて回収します**。これらの被保険者証は「健康保険・厚生年金被保険者資格喪失届」を提出する際に添付が求められます。

社員の身分を証する社員証や社章、名刺。会社から貸与しているパソコンやスマートフォン、会社の経費で購入して使用している文具や書籍なども、社員が持ち帰ってしまわないように返却を求めましょう。業務で使用した企画書やプレゼン資料などの書類やデータも、社員が外部に持ち出さないように受け取るか、処分してもらうのが基本です。

■■ 退職する社員に「渡す」もの

一方、**会社から社員に渡すものは、雇用保険被保険者証**です。これは社員が入社して雇用保険に加入したときに、資格取得の確認通知書とともにハローワークから会社に送られてきて、通常は会社で預かり保管しているものです。雇用保険は社員が転職した会社でも引き継がれ、失業保険の申請時などでも必要になるので、社員に渡しましょう。

同じく**年金手帳も、会社で預かり保管している場合は社員に返却**します。

社員が**年末調整をするために必要となる源泉徴収票も必ず発行**しますが、退職日までには用意できず、あとで郵送することも多いです。

MEMO 健康保険証とマイナンバーカードの一体化：2024年12月から従来の健康保険証は新規発行されなくなり、マイナ保険証を基本とする仕組みに移行する。

退職する社員から受け取るもの、渡すもの

退職する社員から受け取るもの	退職する社員に渡すもの
・**健康保険被保険者証**（扶養者がいればその分も） ・**社員証**や**社章、名刺**など（社員の身分を証するもの） ・**会社から貸与した**パソコンやスマホ、携帯電話、ユニフォームや作業着など ・会社の**経費で購入した文具や書籍**など ・**名刺**（社員自身のものと受け取ったもの） 　　　　　　　　　　　　　　　　　　など	・**雇用保険被保険者証**（雇用保険証のこと） ・**源泉徴収票**（退職後に郵送） ・**離職票**（社員が希望する場合） ・**退職証明書**（社員が希望する場合） ・**健康保険被保険者資格喪失確認通知書**（資格喪失連絡票とも。社員が退職後に国民健康保険への切替えを希望する場合） ・**年金手帳**（または基礎年金番号通知書。会社が預かり保管している場合） 　　　　　　　　　　　　　　　　　　など

■ 退職する社員に「確認」すること

　失業保険を受給する際などに必要な離職票や退職証明書は、すでに転職先が決まっている社員であれば、**とくに発行する必要がない場合もあります**。社員に必要かどうか（請求するかどうか）を確認しましょう。

　また、退職後すぐに転職する社員は、転職先で健康保険の加入手続きをするため、健康保険の被保険者資格を喪失したことを証明する書類は必要ない場合があります（国民健康保険に切替え予定の社員には発行が必要）。

　さらに、**住民税の支払いについては、一括徴収にするか普通徴収にするか**を、社員に確認が必要です（退職日によって制約あり。☞P 282参照）。

　また転職先で特別徴収を継続する社員については、希望があれば給与所得者異動届出書に必要事項を記入して、本人から転職先へ提出してもらいます（☞P 282参照）。

Check!

退職時に有効期限内の通勤定期券はどう扱う？

退職時に有効期限がまだ残っている通勤定期券の扱いは、じつは会社によってさまざまです。定期券を会社に返還してもらうこともありますし、社員に定期券を解約してもらい、返金してもらうこともあります。一番いいのは、就業規則などで退職時の取扱いを決めておくことです。

社会保険の資格喪失手続きをする

■ 保険証を回収し、資格喪失届を提出する

　社員の退職にともない、社会保険（健康保険と厚生年金保険）の資格喪失手続きをします。

　退職者から退職前に**健康保険被保険者証（本人と被扶養家族の分）を回収し**、「健康保険・厚生年金保険被保険者資格喪失届」に添付して、日本年金機構（窓口は年金事務所）または健康保険組合に提出します。提出期限は、資格を喪失した日（退職日の翌日）から5日以内です。

■ 退職後の社会保険はどうなるか

　退職後の健康保険は、次の転職先が決まっている場合はその会社の健康保険に加入しますが、決まっていない場合は次の選択肢があります。

①**国民健康保険に切り替える**……退職予定者が自分で、退職後14日以内に、居住する自治体の市区町村役場の健康保険窓口で加入手続きを行います。このとき提出が必要となる「健康保険資格喪失等確認通知書」も、退職者本人が申請しますが、退職証明書でも可能な自治体もあります。

②**「任意継続」制度を利用する**……退職前に加入していた協会けんぽまたは健康保険組合に継続して加入できる制度です（最大2年間）。ただし被保険者であった期間が2ヵ月以上あることが条件です。加入手続きは退職者本人が、協会けんぽまたは健康保険組合の窓口に「健康保険任意継続被保険者資格取得申出書」を提出します。

③**退職者の家族（配偶者や親）の扶養に入る**……その家族が入っている社会保険に扶養者として入ります。

　一方、年金保険は、転職先が決まっている場合は健康保険と同じくその会社の厚生年金保険に加入しますが、転職先が決まっていない場合は、退職者が自分で国民年金に切替えます。手続きは退職日の翌日から14日以内に、居住する自治体の市区町村役場の年金窓口で行います。

M E M O　**任意継続の保険料**：在職中の保険料は会社と被保険者である社員が折半したが、退職後は被保険者が全額負担することになるので注意。

事業所整理記号、事業所番号を記入

在職中に70歳に到達された方の厚生年金保険被保険者喪失届は、この用紙ではなく『70歳到達届』を提出してください。

社会保険労務士記載欄

被保険者の整理番号を記入

退職日の翌日を記入

退職の場合は「4.退職等」に○をつける

Check!

退職日によって社会保険料の支払いが変わる！

　社会保険は資格喪失日（退職日の翌日）の前月までの保険料が発生するので注意が必要です。たとえば、11月29日が退職日の場合は、資格喪失日は翌日の11月30日になるので、保険料は前月10月分までしか発生しません。ただし、この場合、退職した月の国民年金を退職した本人が支払う必要があるなど注意が必要です。ところが退職日が月末の11月30日だと、資格喪失日は12月1日となるので、保険料は10月分に加えて、前月の11月分も支払わなくてはならなくなります。

雇用保険の資格喪失手続きと離職票の交付を受ける

■■ハローワークに「被保険者資格喪失届」を提出

社員の退職にともない、雇用保険の資格喪失手続きを行います。「雇用保険被保険者資格喪失届」と「雇用保険被保険者離職証明書」の2つを、会社（事業所）を管轄するハローワークに、退職日の翌日から10日以内に提出します。

まず「被保険者資格喪失届」は、すべての退職者について、会社がハローワークに提出しなければならない書類です。

記入例は、右を参照してください。

一方、「被保険者離職証明書」は、退職者が次の転職先が決まっておらず、退職後に失業保険を受給する予定である場合に、その手続きで必要となる「離職票」をハローワークから交付してもらうために提出する書類です。そのため、退職者が離職票を必要としない場合は本来、提出が不要ですが、通常は退職者の意思に関わらず、会社はこの書類を提出して離職票の交付を受け、退職者に渡します。

■■「離職票-2」を退職者に渡す

「被保険者離職証明書」はハローワークに置いてあるので、あらかじめ入手しておきましょう。

3枚つづりの複写式になっており、1枚目（離職票-1）は会社の控えで、2枚目（離職証明書）はハローワークに提出するもの、そして**3枚目（離職票-2）が退職者に渡すもの**となっています。

なお、この書類を提出するときは、添付書類として出勤簿やタイムカード、賃金台帳、退職届などが必要になります。

離職票がないと退職者は失業保険の手続きができません。交付されたら速やかに退職者のもとへ郵送してあげましょう。

ME
MO **離職票の交付**：退職時の年齢が59歳以上の場合は、退職者本人が希望するか、しないかに関わらず、必ず離職票の交付が必要となる。

雇用保険被保険者資格喪失届の記入例

様式第4号　（移行処理用）

雇用保険被保険者資格喪失届

標準字体 0 1 2 3 4 5 6 7 8 9

（必ず第2面の注意事項を読んでから記載してください。）

帳票種別

1 7 1 9 1

1. 個人番号

1 2 3 4 5 6 7 8 9 0 1 2

> 退職者の
> マイナンバーを記入

2. 被保険者番号

1 2 3 4 - 5 6 7 8 9 0 - 1

3. 事業所番号

1 4 3 1 - 0 4 5 6 7 5 - 1

4. 資格取得年月日

4 - ○ ○ 0 4 0 1

元号　　年　　月　　日

| 3 昭和 |
| 4 平成 |
| 5 令和 |

5. 離職等年月日

5 - ○ ○ 0 8 3 1

元号　　年　　月　　日

6. 喪失原因

2

1 離職以外の理由
2 3以外の離職
3 事業主の都合による離職

7. 離職票交付希望

1

（1 有）
（2 無）

8. 1 週間の所定労働時間

4 0 0 0

時間　　　分

9. 補充採用予定の有無

（空白 無）
（1 有）

> 退職年月日を記入

10. 新氏名

フリガナ（カタカナ）

> 離職票の交付を
> 希望する場合は「1」と記入

職 種 欄 業

（3 季節）

12. 国籍・地域コード

18欄に対応するコードを記入

13. 在留資格コード

19欄に対応するコードを記入

14欄から19欄までは、被保険者が外国人の場合のみ記入してください。

14. 被保険者氏名（ローマ字）または新氏名（ローマ字）（アルファベット大文字で記入してください。）

被保険者氏名（ローマ字）または新氏名（ローマ字）〔続き〕

15. 在留カード番号（在留カードの右上に記載されている12桁の英数字）

16. 在留期間

まで

西暦　　年　　月　　日

17. 派遣・請負就労区分

1 派遣・請負労働者として主として当該事業所以外で就労していた場合
2 1に該当しない場合

18. 国籍・地域（　　　　　　　）

19. 在留資格（　　　　　　　）

20. （フリガナ）被保険者氏名	オオモリ タロウ 大森太郎		21. 性別 男・女	22. 生年月日 大正 昭和 平成 令和 ○○年 2月 3日
23. 被保険者の住所又は居所	東京都港区赤坂○ー○			
24. 事業所名称	西口物産株式会社		25. 氏名変更年月日	令和 年 月 日
26. 被保険者でなくなったことの原因	転職希望による自己都合退職			

> 退職の理由を記入

雇用保険法施行規則第7条第1項の規定により、上記のとおり届けます。

Check!

雇用保険料は退職月も天引きする

雇用保険料は、被保険者である期間、毎月の報酬額に対して、所定の保険料率を掛けた額を支払います。そのため退職した月の給与からもこれまでどおり天引きすることになります。

総務

労務

経理

住民税の手続きと源泉徴収票の作成

■■住民税の処理は状況により異なるので注意

　社員が支払う住民税は、通常、会社が社員の給与から天引きする「特別徴収」の形で行われています。

　社員の前年の所得額に対する住民税（つまり前年分の住民税）を、6月から翌年5月にかけて、毎月、年12回に分けて給与から天引きして、納付します。

　では、退職者の住民税はどう取り扱えばいいのでしょうか。

　じつは、以下のとおり、**退職日によって住民税の処理のしかたが違ってくるので注意**が必要です。

①1月1日～4月30日の間に退職する場合

　最後に社員に支払う給与（または退職金）から、前年分の住民税（1年分）のうちの未収分（残額）を、一括して天引き（一括徴収）し、退職の翌月10日までに退職者が居住する市区町村に納付します。

　またその際には、会社で特別徴収ができなくなったことを届け出る「特別徴収に係る給与所得者異動届出書」を提出します。

②5月中に退職する場合

　最後に支払う5月分の給与から、いつもどおりに当月分の住民税を天引きして納付します。上記の「給与所得者異動届出書」も提出します。

③6月1日～12月31日の間に退職する場合

　①、②とは異なり、退職者自身に、次のいずれかの処理を選択してもらいます。

〈退職者が特別徴収を希望する場合〉

　最後に支払う給与（または退職金）から、住民税の残額を一括徴収し、退職者が居住する市区町村に納付します。「給与所得者異動届出書」も提出します。

〈退職者が「普通徴収」を希望する場合〉

普通徴収（ P 272 参照）を選んだ場合、退職後の住民税は退職者が自分で支払うことになりますが、退職する月はいつもどおりに、当月分の住民税を給与から天引きし、退職者が居住する市区町村に納付します。「給与所得者異動届出書」も提出します。

〈退職後１ヵ月以内に次の転職先が決まっている場合〉

退職する月はいつもどおりに、当月分の住民税を給与から天引きし、退職者が居住する市区町村に納付します。退職後は転職先の会社で引き続き特別徴収することになるので、「給与所得者異動届出書」に必要事項を記入して退職者に渡し、転職先に提出してもらいます。

給与所得者異動届出書の記入例

何月から何月までの税額をいくら徴収したかを記入

税額通知書の特別徴収税額を記入

特別徴収税額から徴収済みの税額を差し引いた税額と期間を記入

■■ 源泉徴収票を必ず発行する

退職者には「給与所得の源泉徴収票」（ P 190 参照）を作成して渡します。退職者が転職先で年末調整を受けるときや、会社勤めをしなかった人が翌年３月に自分で確定申告をするときなどに、源泉徴収票が必要になるからです。源泉徴収票には、退職までに支払った給与や賞与の額や、所得控除の合計額、源泉徴収した税額などを記載して、退職後１ヵ月以内に退職者に発行します。

退職金にかかる税金は
会社が天引き・納付する

■■退職者には受給に関する申告書を提出してもらう

　退職の際に退職者が受け取る退職金には、所得税と住民税がかかります。その徴収と納付は会社の仕事です。退職金から天引きし、翌月10日までに所得税は税務署に、住民税は市区町村に納付します。

　退職金は分離課税といって、**給与所得など他の所得と通算して計算することができない**決まりです。ただし、税金は退職金の総額にかかるわけではありません。退職という事情を考慮して、退職金の額から退職所得控除を差し引き、さらにその半分に対して税金がかかります。

　退職者には、**退職所得の受給に関する申告書に記入し、提出してもらう**ことが必要です。この申告書の提出がないと、上記のような優遇は受けられず、退職者は自分で確定申告をしなければならなくなります。

■■課税退職所得は2分の1を掛けて計算する

　退職所得控除は、右図のように勤続年数により計算式が変わります。**退職金からこの退職所得控除額を引いて、2分の1を掛けた額**が、課税の対象になる課税退職所得です。

　所得税額はこの課税退職所得金額から、右図の計算式と速算表の税率を使って求めます。この速算表は所得税の計算の基本になるものです。賞与の所得税を計算するときにも使います（⇨P 184参照）。

　住民税は、市町村民税6％と都道府県民税4％の合計10％を、課税退職所得金額に掛けて求めます。

　所得税・住民税を天引きした額を支給したあとは、**退職所得の源泉徴収票・特別徴収票を作成し、退職日以後1ヵ月以内に本人に送付します。**

　この徴収票は1枚の用紙で、退職者が社員の場合は税務署・市区町村に提出する必要はありません。退職者が役員の場合は、法定調書合計表に添付して提出する必要があります（⇨P 198参照）。

MEMO 分離課税： ほとんどの所得は合算してから計算する総合課税になるが、退職所得や、株・不動産の売却益などは他の所得と分けて申告・納税しなければならない。これを分離課税という。

退職金にかかる税金の計算

退職所得控除の計算

勤続年数 20 年以下	退職所得控除額 ＝ 40 万円 × 勤続年数（最低 80 万円）
勤続年数 20 年超	退職所得控除額 ＝ 800 万円 ＋ 70 万円 ×（勤続年数 － 20 年）

※障害者になったことが直接の原因で退職した場合はプラス 100 万円

課税退職所得の計算

$$課税退職所得金額 = \left[退職金などの収入金額 - 退職所得控除額 \right] \times \frac{1}{2}$$

所得税の計算

$$所得税額 = \left[課税退職所得金額 \times 税率 - 控除額 \right] \times 102.1\%$$

（復興特別所得税分）

所得税の税率（速算表）

課税所得金額（千円未満の端数切捨て）		税率	控除額
	195 万円以下	5%	0 円
195 万円超	330 万円以下	10%	9 万 7,500 円
330 万円超	695 万円以下	20%	42 万 7,500 円
695 万円超	900 万円以下	23%	63 万 6,000 円
900 万円超	1,800 万円以下	33%	153 万 6,000 円
1,800 万円超	4,000 万円以下	40%	279 万 6,000 円
	4,000 万円超	45%	479 万 6,000 円

住民税の計算

$$住民税額 = 課税退職所得金額 \times 10\%$$

← 市町村民税と都道府県民税の合計

総務

労務

経理

Check!

中退共で日頃から退職金の準備

いざ退職金の支払いになったら、資金の用意が大変そうだという会社には、日頃から準備しておく方法があります。中小企業退職金共済制度（中退共）という、国が運営する制度です。会社が毎月、1 人あたり 5,000 〜 3 万円の掛金を納めておくと、退職の際には制度から直接、退職金が支払われます。掛金は全額、会社の経費にできるのもメリットです。

解雇するときの
ルールを知っておく

■■■ 30日以前に予告するか、解雇予告手当を支払う

　同じ退職でも、会社が社員を解雇する場合は、簡単にはできない、厳しいルールが定められています。

　社員を解雇する場合には、少なくとも**30日以前に予告する**か、**30日分以上の平均賃金（解雇予告手当）を支払わなければならない**と労働基準法で定められています。解雇予告手当が30日分未満の場合は、その日数分以前に予告する必要があります。

　解雇には次の3種類がありますが、以上はいずれの場合も共通です。

> **普通解雇**…勤務成績が著しく悪いなど、他の解雇以外の理由による解雇
> **整理解雇**…会社の業績悪化により、人員整理を行うための解雇
> **懲戒解雇**…悪質な規則違反を行った場合など、懲戒処分としての解雇

　普通解雇では、勤務成績の他、健康上の理由で長期間、職場復帰が見込めないとか、著しく協調性に欠けて業務に支障を生じさせているなどの例があります。いずれの場合も、改善の見込みがないことが条件です。

　また、次のような理由の解雇は、さまざまな法律で禁止されています。

法律で禁止された解雇の例

- 客観的に合理的な理由がない解雇
- 国籍・信条・社会的身分を理由とした解雇
- 男女の性別や、女性の婚姻・妊娠・出産、産前産後の休業を理由とした解雇
- 育児休業・介護休業の申出、実際の休業取得を理由とした解雇
- 労働基準監督署などに不当労働行為などの申告をしたことを理由とした解雇

ME **MO** **解雇予告が不要の社員**：日雇いの者（1ヵ月以内の雇用）や、2ヵ月以内の期間を定めて雇用される者、試用期間中の者（就業から14日以内）など。

■■ 原則として解雇できない解雇制限期間がある

会社の業績悪化を理由にした整理解雇も、次の4つの要件が必要です。

> **人員整理の必要性**……どうしても人員整理が必要な理由がある
> **解雇回避努力義務の履行**……解雇を避けるあらゆる努力をした
> **被解雇者選定の合理性**……解雇対象者の人選が合理的・公平である
> **解雇手続きの妥当性**……充分に協議し、理解を得るために努力した

懲戒解雇の場合は、解雇予告が免除され、即時解雇にできる場合があります。ただし、**それには労働基準監督署に解雇予告除外認定申請書を提出し、認められることが必要**です。労働基準監督署による調査が行われ、対象者が事実関係を認めた場合に認定が受けられます。

この他、**解雇制限期間中は、社員に責任がある場合でも解雇できません**。①業務上のケガや病気で休業する期間とその後30日間、②産前産後の休業期間とその後30日間です。

このように会社が社員を解雇することには、さまざまな規制が設けられ、解雇が取り消しにされることもあります。よほどのことがない限り解雇はできない、と思うべきです。

原則、解雇ができない解雇制限期間

①業務上の傷病による療養の休業期間およびその後30日間

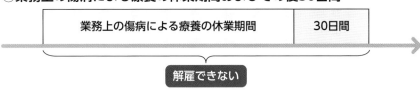

業務上の傷病による療養の休業期間	30日間

解雇できない

②産前産後休業期間およびその後30日間

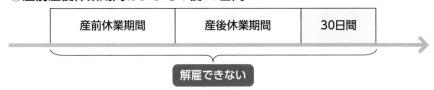

産前休業期間	産後休業期間	30日間

解雇できない

雇い入れたときの
注意点を知っておく

■■ 労働条件や待遇で差別的な取扱いは禁じられている

　パートタイマー（パート）やアルバイトなどの短時間労働者は、とくに中小企業では貴重な戦力です。

　優秀な人材を確保し、長く働いてもらうためには、労働条件や待遇面で注意を払う必要があります。

　短時間労働者も正社員と同じく労働基準法をはじめとする法律が適用されます。

　短時間労働者を募集し、面接や試験を経て正式に採用する際には、正社員の場合と同様に、業務内容や賃金、休日などの労働条件を、事前に文書（書面）で明示することが法律で義務づけられています。前もって短時間労働者専用の「**労働条件通知書**」を作成し、備えておきましょう。

　待遇面で注意したいのは、まず賃金についてです。仕事の内容などで正社員と同等の働き方をしている短時間労働者に対しては、**給与や賞与の面で差別的な取扱いをすることは法律で禁じられています**。

■■ 割増賃金や年次有給休暇も法律の定めどおりに

　時間外労働の割増賃金についても、1日8時間または1週40時間までの労働には支払う必要はありませんが、それを超えた分については支払いが発生するのは、正社員と同様です。深夜22時〜翌朝5時の時間帯の労働に対する深夜割増や、法定休日に労働した場合の休日割増も支払う必要があります（☞P 78参照）。

　また**年次有給休暇も、法律で定められた所定の日数を付与**します（☞P 70参照）。6ヵ月以上勤務し、その間の所定労働日数の8割以上勤務することが、付与の要件です。

　さらに、社会保険や雇用保険に加入が必要なケースもあります。被保険者となる適用基準は右図のとおりです。

　MEMO **同一労働同一賃金**：基本給、残業代、賞与などについて、正社員と、契約社員やパートなどの間にある不合理な処遇差を解消するため、2021年4月よりスタートされた法律のスローガン。

厚生年金保険、健康保険への加入

● 週の所定労働時間、および月の所定労働日数が通常の労働者（正社員）の４分の３以上の労働者

● 被保険者数が常時51人以上の企業の場合、次の①～④のすべての要件に該当する労働者

　　① １週間の所定労働時間が20時間以上である
　　② 雇用期間が２ヵ月超を見込まれる
　　③ 賃金の月額が8.8万円以上である
　　④ 学生（夜間学生などを除く）でないこと

雇用保険への加入

● １週間の所定労働時間が20時間以上であり、雇用期間が31日以上見込まれる労働者

労災保険への加入

● 短時間労働者、正社員など雇用形態に関わらず、すべての労働者に適用される

Check!

65歳以上のマルチジョブホルダー制度

65歳以上の労働者の雇用保険に対して、2022年より「マルチジョブホルダー制度」がスタートしました。
高齢者に対しては、複数の会社で働く時間を合算して週20時間以上、31日以上の雇用が見込まれるという要件を満たせば、失業給付などを受け取ることができるようになったのです。

社員が仕事中や通勤途中にケガや病気をしたとき

■■業務災害と通勤災害に対して各種の給付がされる

労災保険（労働者災害補償保険）は、社員が業務中や通勤途中に、ケガや病気になったり、あるいは亡くなった場合に、社員や遺族に対して治療費などの必要な給付が行われる保険です。業務中に起きたケガや病気を「業務災害」といい、通勤途中に起きたものを「通勤災害」と呼びます。

業務災害や通勤災害が発生した場合は、原則、**災害にあった本人または遺族が、労働基準監督署（労基署）に対して労災保険の給付の請求を行い**ます。労基署で労災と認定されると右図のような各種給付が行われます。

たとえば「療養（補償）給付」は、ケガや病気の治療を労災指定病院などで受けたときに、医療費を負担してくれる給付です。この給付を受けるときは、他の給付とは異なり、社員本人や遺族が**病院の窓口に「療養（補償）給付たる療養の給付請求書」を提出**します。

また「休業（補償）給付」は、社員がケガや病気で仕事を休んだときに、休業4日目以降の休業日について、**1日あたり、その社員の平均賃金の60％相当が支給される**ものです。

療養（補償）給付以外の給付の申請は、所定の請求書に必要事項を記載して労基署に提出します。書類は労基署に置いてあるものを使うか、または厚生労働省のホームページからダウンロードすることもできます。

■■通勤災害と認定される要件は

通勤災害と認定されるには、「**通勤**」経路であったかどうかがポイントになります。通勤とは「就業に関して」、「住居と就業場所との間を」、「合理的な経路および方法により行う」こととなっています。移動の経路を「逸脱」したり、移動を「中断」した場合に発生した災害は、通勤災害とは認められない可能性があります。たとえば仕事帰りにプライベートで飲食店に立ち寄り、その帰り道でケガをしても、通勤災害にはなりません。

業務中や通勤途中に、ケガや病気をした！

労災指定病院などで
治療を受けたら…

療養（補償）給付

➡治療費などが給付される

それが原因で
仕事を休んだら…

休業（補償）給付

➡休業4日目以降から1日につき平均賃金の60%
相当額が支給される

ケガや病気が１年６ヵ月
以上経過しても治らない…

傷病（補償）給付

➡傷病の程度（等級）により年金が支給される

治療後に障害が残ったら…

障害（補償）給付

➡障害の程度（等級）により年金または一時金が
支給される

介護が必要になったら…

介護（補償）給付

➡介護の状態に応じて介護にかかる費用が支給さ
れる

それが原因で亡くなったら…

遺族（補償）給付

➡扶養されていた遺族に年金または一時金が支給
される

※業務災害の場合は給付の名称に「補償」がつき、通勤災害の場合はつかない。

総務

労務

経理

Check!

労働者死傷病報告を労基署に提出する

労災にあたる病気やケガで社員が休業したり、死亡した場合は、会社は労基署
に「労働者死傷病報告」という書類を提出しなくてはなりません。書類を提出
する時期は、社員が休業した日数が４日以上あった場合は、書類を速やかに提
出します。また休業が４日未満の場合は、１〜３月、４〜６月、７〜９月、10
〜12月の各期間の最後の月の翌月末日までに書類を提出します。

索 引

監修者紹介

関根 俊輔 （せきね しゅんすけ）

税理士。
中央大学法学部法律学科卒。
平成19年に、共同で税理士法人ゼニックス・コンサルティングを設立。
学生時代から培った「リーガルマインド」を原点に、企業に内在する税務・会計・人事・社内コンプライアンス等の諸問題を横断的に解決する専門家として活躍している。著書・監修書に『個人事業と株式会社のメリット・デメリットがぜんぶわかる本』『個人事業を会社にするメリット・デメリットがぜんぶわかる本』『経費で落ちる領収書・レシートがぜんぶわかる本』『図解わかる 小さな会社の給与計算と社会保険』（いずれも新星出版社）などがある。

図解わかる　小さな会社の総務・労務・経理	
2024年9月15日　初版発行	
監 修 者	関　根　俊　輔
発 行 者	富　永　靖　弘
印 刷 所	株 式 会 社 高 山
発行所	東京都台東区 株式 新 星 出 版 社 台東2丁目24 会社 〒110-0016 ☎03（3831）0743

© SHINSEI Publishing Co., Ltd.　　　　Printed in Japan

ISBN978-4-405-10448-8